BILL
KNOX
Mit falschen Etiketten

THE HANGING TREE

Deutsche
Erstveröffentlichung

GOLDMANN
VERLAG

Aus dem Englischen übertragen von
Friedrich A. Hofschuster

Made in Germany · 11/85 · 1. Auflage
© der Originalausgabe 1983 by Bill Knox
© der deutschsprachigen Ausgabe 1985
by Wilhelm Goldmann Verlag, München
Umschlaggestaltung: Design Team München
Umschlagillustration: Design Team, München
Satz: Fotosatz Glücker, Würzburg
Druck: Elsnerdruck, Berlin
Krimi: 4966
Lektorat: Werner Morawetz/Annemarie Bruhns
Herstellung: Sebastian Strohmaier
ISBN 3-442-04966-0

Die Hauptpersonen

Alexis Garrison	Inhaberin der Firma ›Falcon Services‹
Jonathan Garrison	ihr Schwager und an der Firma beteiligt
Jimbo Raddick	in den Untergrund untergetauchter Gauner
Colin Thane	Detective Superintendent
Sandra Craig Joe Felix	Mitarbeiter von Colin
Edward Douglas	Ein junger Motorradfahrer, der bei einem Postüberfall ums Leben kommt, ohne daran beteiligt gewesen zu sein.

Der Roman spielt in und um Glasgow

Vorspiel

Es gibt in der Stadt Glasgow mehr als eine Gegend wie Donaldhill. Es gibt, genaugenommen, in jeder größeren Stadt mehr als einen Stadtteil wie Donaldhill. Aber an diesem grauen, schottischen Septembermorgen sah Donaldhill besonders düster aus.

Donaldhill; das waren Straßen mit alten Mietskasernen, nur hier und da von modernen Hochhaus-Wohnblocks unterbrochen, wo die besseren Leute des Stadtviertels wohnten. Die wenigen Geschäfte schützten ihre Fenster mit Holzläden oder Jalousien aus Stahlblech, manche sowohl nachts als auch am Tage. Wenn man in Donaldhill lebte, nahm man Graffiti und eingeschlagene Fenster als Gegebenheiten hin und legte nach Einbruch der Dunkelheit das zusätzliche Sicherheitsschloß an der Haus- oder Wohnungstür vor. Wenn man in einem der alten Mietshäuser wohnte, schaute man neidisch auf die Hochhausblocks, weil die Mieter dort eigene Bäder hatten. Wenn man in einem der Hochhausblocks wohnte, blickte man hinunter auf die kleineren Mietskasernen und fragte sich, ob die Leute, die dort wohnten, etwas ahnten von der Feuchtigkeit in den Neubauten, die das Bettzeug schimmeln ließ, oder von den Vandalen, die in den Liftschächten Feuer legten.

Nur die wenigsten gaben zu, daß sie in Donaldhill lebten. Es war empfehlenswert, vor allem dann, wenn man sich um einen Job bemühte, eine andere Adresse anzugeben – ein Verwandter oder Freund konnte einem da von Nutzen sein.

Donaldhill war das Viertel mit der höchsten Prozentzahl von Einwohnern im Rentenalter. Und von den Rentnern einmal abgesehen, waren drei von fünf Erwachsenen arbeitslos, bezogen irgendwelche Sozialhilfen, hockten den größten Teil des Tages vor dem Fernsehapparat und klammerten sich an die vage Hoffnung, daß es eines Tages wieder besser werden würde.

Irgendwie.

Es war 8.45 Uhr, und die drei Männer in dem bunt bemalten Lieferwagen eines Blumengeschäftes wohnten nicht in Donaldhill. Der Lieferwagen war in der vergangenen Nacht gestohlen worden, auf der anderen Seite der Stadt. Zwei der Männer saßen versteckt auf der Ladefläche, wobei der eine eine abgesägte, doppelläufige Flinte auf seinem Schoß hielt. Er summte nervös vor sich hin; der andere, der weitaus entspannter wirkte, schniefte ständig und fand sich nach einer Weile damit ab, daß er wohl mit einer Erkältung rechnen mußte. Der dritte, der älteste der drei Männer, hatte es sich, deutlich von außen sichtbar, auf dem Fahrersitz bequem gemacht. Jeder Passant, der vorüberkam, konnte erkennen, daß er eine Zeitung las – die Sportseiten.

Der Lieferwagen parkte genau gegenüber dem Postamt von Donaldhill, einem niedrigen Gebäude in einer Reihe gleichaussehender Häuser mit kleinen Geschäften. Das Postamt öffnete erst um neun, dennoch wartete bereits eine Schar von Leuten vor der Tür. Sie standen geduldig dort; der kühle Wind war ihnen so gleichgültig wie die Pfützen auf dem Gehsteig, die der Regen der vergangenen Nacht zurückgelassen hatte.

Es war Dienstag – der Tag, an dem sie ihre Renten abholen konnten oder den wöchentlichen Scheck von der Sozialhilfe.

Im Inneren des Postamts regten sich erste Anzeichen von Geschäftigkeit, dann wurde die Metalljalousie vor dem Eingang hochgezogen. Eine Schalterbeamtin trat vor das Gebäude, blickte sich um, ignorierte die sich rasch formierende Schlange der Wartenden und ging dann wieder hinein. Die Glastür fiel ins Schloß. Die Wartenden traten unruhig von einem Bein aufs andere und murrten leise, dann kehrte wieder Ruhe ein. Weitere Leute kamen dazu, darunter ein junges, schwangeres Mädchen, das einen Kinderwagen vor sich her schob. Der Mann, der vor ihr eingetroffen war, führte einen Hund an der Leine, eine abenteuerliche Promenadenmischung. Das Mädchen redete lockend auf den Hund ein, und das Tier wedelte freundlich mit dem Schwanz, wich zugleich aber zurück: die typische Verhaltensweise der Hunde von Donaldhill.

Fünf Minuten später näherte sich ein kleiner roter Wagen mit der Aufschrift *Royal Mail* an beiden Seitentüren und hielt vor dem Postamt. Der Postwagen war mit zwei uniformierten Beamten besetzt. Der Mann, der auf dem Beifahrersitz gesessen hatte, stieg aus, ging auf die Tür des Postamts zu und klopfte an. Die Schalterbeamtin tauchte hinter der Glasscheibe auf; sie lächelte grüßend und nickte dann.

Der Postbeamte drehte sich um. Er war alt und erfahren genug, um vorsichtig und umsichtig zu sein. Jetzt warf er einen prüfenden Blick auf die Schlange der Wartenden, und dabei fiel ihm der Lieferwagen des Blumengeschäfts auf. Der Mann hinter dem Lenkrad las noch immer in seiner Zeitung. Gleich darauf schien der Postbeamte zu erstarren, als ein gelbes Ford-Coupé hinter dem Postwagen hielt. Ein Mann sprang heraus, lief in eines der Geschäfte und kam bald darauf mit einem Milchkarton wieder heraus.

Der Postbeamte entspannte sich wieder, wartete aber, bis das Ford-Coupé davongefahren war. Dann ging er auf den Postwagen zu und nickte. Der Fahrer stieg aus, öffnete die Seitentür, und jeder der beiden Postbeamten nahm einen Leinensack aus dem Fahrzeug, dann näherten sie sich dem Eingang des Postamts.

In diesem Augenblick flogen die hinteren Türen des Blumenlieferwagens auf. Zwei Gestalten, in unscheinbare blaue Overalls gekleidet, sprangen heraus und hasteten über die Straße. Der eine hatte die abgesägte Flinte unter dem Arm, der andere war mit einem schweren Hammer bewaffnet. Beide hatten sich mit wollenen Masken vermummt, die jeweils nur die Augenschlitze freiließen.

Die beiden Postbeamten blieben wie erstarrt bewegungslos stehen. Hinter ihnen, in der Menschenschlange vor der Tür des Postamts, begann eine Frau laut zu schreien und ließ ihre Einkaufstüte fallen.

»Die Säcke loslassen, und dann zurück an die Wand!« kommandierte der Maskierte mit der Flinte. »Und spielt hier nicht die Helden!«

Der ältere Postbeamte, dessen Gesicht jegliche Farbe verloren hatte, ließ den Leinensack, den er in der Hand gehalten hatte, los. Sein Fahrer zögerte, war unsicher, was er tun sollte, und der schwere Hammer sauste durch die Luft und zerschmetterte ihm die Schulter. Der Postbeamte schrie auf, taumelte, brach beinahe zusammen, dann ließ auch er den Leinensack zu Boden fallen.

Einen Augenblick lang richtete sich der abgesägte Doppellauf der Flinte auf die Wartenden. Aber niemand hatte sich zu bewegen gewagt, niemand sprach ein Wort. Gegenüber, auf der anderen Straßenseite, wurde der Motor des Lieferwagens des Blumengeschäfts angelassen. Die beiden maskierten Räuber packten jeder einen der Säcke und rannten zu dem wartenden Wagen.

Dabei übersahen sie den Motorradfahrer. Er war jung, trug einen weißen Sturzhelm, einen weißen Pullover, und die ausgewaschenen Jeans steckten in Cowboystiefeln. Er war einfach so dahingefahren und hatte seine Aufmerksamkeit nicht voll auf die Straße vor sich gerichtet. Das erste, was er jetzt sah, waren die beiden Männer direkt vor ihm.

Er bremste, so fest er konnte. Die Maschine schlitterte und drohte auszubrechen, aber es gelang ihm, sie zum Stehen zu bringen. Dann starrte er offenen Mundes die beiden Männer an und bildete mit seinem Motorrad eine unerwartete Barriere zwischen ihnen und ihrem Fluchtfahrzeug.

Abgefeuert aus einer Entfernung von weniger als drei Metern, rissen ihn die Geschosse aus den beiden Läufen der Flinte aus dem Sattel, so daß er, Arme und Beine in die Luft werfend, auf die Straße stürzte. Das Motorrad fiel krachend neben ihn.

Die beiden Banditen hasteten an ihm vorbei und sprangen auf die Ladefläche des Lieferwagens. Der Wagen fuhr aufheulend an, noch bevor die hinteren Türen geschlossen waren und durch den Ruck hin und her schwangen.

Sekunden danach verschwand der Lieferwagen des Blumengeschäftes um die nächste Ecke.

Der Fahrer des Postautos lag auf den Knien, stöhnte und hielt sich die verletzte Schulter. Vom Postamt aus verfolgte die Schalterbeamtin gebannt die Szene und drückte dabei das Gesicht gegen die Glasscheibe. Die Leute in der Schlange standen da wie angewurzelt, gelähmt durch das Erlebnis dieser unerwarteten Gewalttat.

Der unverletzt gebliebene Postbeamte fing sich als erster wieder und lief zu dem auf der Straße liegenden Motorradfahrer hin. Er sah, was die doppelläufige Flinte angerichtet hatte, drehte sich um, unterdrückte ein Würgen im Hals, schloß die Augen, als wolle er den furchtbaren Anblick aus seinem Gedächtnis löschen.

»Ha!« sagte eine Stimme neben ihm. »Alles in Ordnung, Mann?«

Dem Postbeamten gelang es zu nicken. Der alte Mann, der neben ihn getreten war, hatte weißes Haar, war klein und schmächtig von Gestalt, aber völlig ruhig. Der Postbeamte erinnerte sich daran, ihn zuvor unter den Wartenden gesehen zu haben.

»Ja, ja.« Der Alte schnalzte mit der Zunge und wies dann auf den toten Motorradfahrer. »Scheußlich, was? Aber ich hab' noch viel Schlimmeres gesehen – bei der Armee. Erster Weltkrieg, das war wirklicher Krieg.« Er zögerte. »Die Säcke, die sie geraubt haben – war das das Geld für die Rentenauszahlung?«

»Ja«, antwortete der Postbeamte.

Jetzt vernahm er eine Polizeisirene, noch leise und weit entfernt. Die Tür des Postamts war geöffnet worden, und ein paar der Wartenden bemühten sich um seinen verletzten Kollegen.

»Wir brauchen Augenzeugen«, sagte er tonlos. »Sie haben doch alles genau gesehen, nicht wahr, Opa?«

»Ich?« Der alte Mann schüttelte den Kopf und setzte das Mienenspiel verfolgter Unschuld auf. »In meinem Alter lassen die Augen nach – tut mir leid.«

»Ich hab' alles gesehen«, meldete sich eine andere, entschlossen klingende Stimme.

Sie gehörte dem schwangeren Mädchen mit dem Kinderwagen. Die junge Frau zitterte, und ihr Gesicht war kalkweiß, aber sie nickte, als der Postbeamte sie ansah. Sie seufzte, und dann hörte man, wie sich die Polizeisirene näherte. Die Frau war noch sehr jung. Der Postbeamte mußte an seine eigene Tochter denken.

»Nein, haben Sie nicht«, erwiderte er mürrisch.

»Aber –«

»Seien Sie vernünftig, junge Frau.« Er lächelte bitter und warf einen Blick auf ihren gewölbten Leib. »Danke. Aber ich an Ihrer Stelle würde mich verdrücken. Wir finden schon noch Augenzeugen.«

Er hoffte bei Gott, daß er mit dieser Behauptung recht behielt. Die Menge der Neugierigen wuchs noch an, war begierig zu beobachten, was noch geschehen würde. Aber wer von ihnen hatte vorhin in der Schlange gewartet, und wer würde es zugeben? Vielleicht änderte die Tatsache, daß ein Mord geschehen war, einiges daran, aber in Donaldhill galt normalerweise der Grundsatz, daß man sich in nichts einmischte, was einen nichts anging.

Die junge Frau schien dem Postbeamten widersprechen zu wollen. Dann biß sie sich auf die Lippe, seufzte, nickte und schob mit ihrem Kinderwagen davon.

»He.« Das war wieder der Alte.

»Was wollen Sie denn schon wieder?« fragte der Postbeamte ungehalten.

»Wieviel haben die denn erwischt?«

»Ungefähr siebzigtausend Pfund.«

»Jesses.« Der Alte ließ wieder dieses Schmalzen hören, diesmal klang es fast bewundernd. Dann zog er die Stirn in Falten. »Und was ist mit meinem Geld?«

»Es kommt vermutlich ein zweiter Geldtransport«, sagte der Postbeamte barsch, als sei seine Geduld erschöpft. »Bald.«

Er schaute wieder auf das umgestürzte Motorrad und auf den toten jungen Mann mit den Cowboystiefeln. Sein Gesicht war so zerfetzt, daß man es kaum identifizieren konnte. Plötzlich überfiel den Postbeamten ein Gefühl völliger Hilflosigkeit, und er hatte Mühe, die Tränen zurückzuhalten.

»He«, sagte der Alte ungeduldig und zupfte ihn am Arm. »Wegen dem Geld. Was verstehen Sie unter bald?«

»Superintendent, wir haben über die Rechte des Bürgers gesprochen, wenn dieser mit der Polizei zu tun hat.« Debby Kinster, eine Fernsehreporterin, der es auf geheimnisvolle Weise gelang, immer noch unschuldig und frisch auszusehen wie das sprichwörtliche Mädchen von nebenan, beugte sich im Licht der Studioscheinwerfer ein wenig nach vorn. »Glauben Sie, der Durchschnittsbürger ist ausreichend über diese Rechte informiert?«

»Der Durchschnittskriminelle auf jeden Fall.« Detective Superindendent Colin Thane, der stellvertretende Leiter der Scottish Crime Squad, einer Sondereinheit zur Verbrechensaufklärung, rutschte etwas unbehaglich auf dem Sessel hin und her und versuchte, die Fernsehkamera zu ignorieren, die kaum einen Meter von ihm entfernt stand. »Er kann sie sogar auswendig hersagen.« Debby Kinster legte zweifelnd ihre Stirn in Falten, etwas, das sie sich im Laufe ihrer beruflichen Tätigkeit zu eigen gemacht hatte und zu ihr gehörte wie ihre skeptischen Fragen.

»Jeder hat seine Rechte, Superintendent. Oder sieht das die Polizei manchmal etwas anders?«

»Jeder hat seine Rechte«, wiederholte Thane etwas ungehalten. »Und zwar ohne jede Ausnahme.«

Er schätzte, daß von der vereinbarten Interviewzeit höchstens noch eine Minute zur Verfügung stehen konnte. Bis jetzt war es nicht schlecht gelaufen. Sie hatten allgemein über die Polizei und über ihr Verhältnis zur Öffentlichkeit gesprochen, aber Thane hatte sich dabei nicht angegriffen gefühlt. Jedenfalls nicht in dem Maße, wie man es ihm vorhergesagt hatte.

»Die Polizei in diesem Land kann zum Beispiel niemanden länger als sechs Stunden festhalten, ohne ihn dem Haftrichter vorzuführen oder ihn formell eines Verbrechens zu beschuldigen«, sagte Debby Kinster milde. »So lautet das Gesetz, Superintendent.« Sie lächelte und ließ ihre vollkommenen weißen Zähne blitzen, bleckte sie beinahe so, als habe sie es damit auf Thanes Kehle abgesehen. »Und wie war das in der vergangenen Woche, als Sie einen Mann vierzehn Stunden lang festgehalten haben, ohne daß ihm irgendeine Straftat vorgeworfen werden konnte?«

Thane starrte sie entgeistert an. Sie hatte ihn in eine Falle gelockt, ihn durch harmlose Fragen eingelullt und ihn so für den Todesstoß vorbereitet. Das Schlimmste daran: Es war wirklich so gewesen, er konnte es nicht einmal leugnen.

»Nun, Superintendent?« Sie wartete.

»Es ist nun mal passiert«, räumte Thane ein, in die Defensive gedrängt. Er warf einen kurzen Blick hinunter auf das kleine Mikrofon, das an seiner Krawatte befestigt war, und kam zu der Erkenntnis, daß er mit Vergnügen imstande gewesen wäre, Debby Kinster den Kragen umzudrehen. »Das war aber nicht Absicht.«

Es war nicht einmal seine Schuld gewesen, aber er war der Leiter der Operation. Eine Operation, die fast zwei Monate gedauert hatte und mit zehn Festnahmen erfolgreich zu Ende gegangen war. Man hatte eine ganze Serie von Einbrüchen und Überfällen auf Juweliergeschäfte aufgeklärt und einen wahren Berg von gestohlenem Schmuck wieder beigebracht.

»Warum wurde der Mann festgehalten, wenn nicht absichtlich?« forschte Debby Kinster nach.

Thane betrachtete sich selbst auf dem Studio-Monitor und fühlte sich noch miserabler als zuvor.

»Ein – äh – ein administratives Versagen«, erwiderte er schwach. »Niemand ist perfekt.«

»Nicht einmal die Polizei?« fragte sie mit schneidendem, ungerührtem Sarkasmus.

In jener Nacht war beinahe alles drunter und drüber gegangen. Ein paar Mitglieder der Bande ›sangen‹, andere leugneten alles ab. Die Liste der Anklagen las sich wie ein Buch; verschiedene Leute versuchten, von der Polizei Erklärungen zu erhalten; der gefundene Schmuck mußte gesichtet werden, und die Frau von einem der Festgenommenen erschien plötzlich auf der Szene – niemand konnte genau sagen, wie ihr das gelungen war – und fiel in völlige Hysterie.

Erst als alles schon so gut wie vorüber war, erinnerte man sich an Midge Reilly. Ein Mann in mittleren Jahren, gutmütig, kein geborener Verbrecher, der nur bei zwei Überfällen Schmiere gestanden hatte und im schlimmsten Fall bezahlter Helfer gewesen war.

Midge, um den sich niemand gekümmert hatte! Man hatte ihn schließlich gefunden, schlafend in seiner Zelle.

»Sie hätten Anklage erheben können gegen ihn, wenn es nicht dieses – wie sagten Sie? – dieses administrative Versagen gegeben hätte?«

»Ja.«

»Und deshalb wurde er dann entlassen?«

»Das ist richtig.«

Aber damit war die Sache noch nicht bereinigt gewesen. Fünf Minuten, nachdem man ihn freigelassen hatte, war Midge Reilly wieder im Revier aufgetaucht und hatte gesagt, er sei bereit aufzugeben und bekenne sich schuldig. Andernfalls könnten zu viele seiner Freunde auf die Idee kommen, er habe der Polizei ein paar Tips gegeben, und sein Leben würde keinen Pfifferling mehr wert sein.

Also sperrte man ihn wieder ein. Und anschließend wurden einige der zuständigen Polizeibeamten in die Mangel genommen.

»Wollen Sie noch einen abschließenden Kommentar dazu geben, Superintendent?« fragte Debby Kinster steif. Und nahezu übergangslos begann sie in die Kamera zu lächeln. »Schnitt – er hat genug gelitten.«

Immer noch lächelnd kam sie zu ihm herüber und half ihm, das Mikrofon abzunehmen. Thane stand auf, schüttelte verständnislos den Kopf und atmete dann tief durch.

»Wer, zum Teufel, hat Ihnen das verraten?« fuhr er Debby Kinster an.

»Wenn ich Ihnen das sage, stecke ich wirklich im Schlamassel.« Ihre blauen Augen blitzten. »Aber mir hat die Story gefallen, von Anfang an.«

Die Studiotür wurde aufgerissen. Der Schulungsleiter des Scottish Police College, der eintrat, schaute Thane an und begann dann schallend zu lachen. »Sie kommen mir vor wie ein ausgezählter Boxer«, erklärte er vergnügt. »Colin, diese Aufzeichnung kann das Image der Polizei um fünf Jahre zurückwerfen. Warten Sie, bis Sie das Playback sehen.«

Aber wenigstens war das Ganze nicht echt gewesen, sondern eine Übung im streng begrenzten Kreis der Polizeiakademie, die gerade eintägige Seminare für die leitenden Beamten einer jeden schottischen Polizeieinheit abhielt.

Thanes Gruppe, insgesamt ein Dutzend Männer, hatte den ganzen Vormittag Vorlesungen über die Notwendigkeit besserer Beziehungen zwischen der Polizei und den Medien über sich ergehen lassen – und über die Gefahren, die darin lagen, wenn solche Beziehungen zu eng wurden. Die Interviews begannen nach dem Lunch, wobei jeweils immer nur eine Person aus der Gruppe ausgewählt wurde, während den übrigen geheimgehalten wurde, was vor sich ging.

Aber die Lehrkräfte der Akademie hatten das Experiment nicht wegen der darauffolgenden Erleichterung und allgemeinen Heiterkeit organisiert. Man hatte bekannte Profis aus der Fernsehwelt eingeladen und warf ihnen die Polizeibeamten wie zum Fraß für die Interviews vor, wobei man die Fernsehleute ermuntert hatte, jeden Trick anzuwenden, und sei er noch so gemein und hinterhältig.

Die Lektion, die ihnen erteilt werden sollte, war nicht schwer zu begreifen. Das nächste Mal konnten die Fernsehkameras echt sein. Das nächste Mal war sich der Interviewte darüber im klaren, was passieren konnte, und würde sich jedes Wort noch genauer überlegen. Das hieß freilich nicht, daß er in der entgegengesetzten Richtung übertreiben durfte.

»Fertig für die nächsten?« fragte der Schulungsleiter und wandte sich dann wieder an Thane. »Colin, Sie müssen sich bei Ihrem Boß melden. Benutzen Sie mein Büro, wenn Sie wollen. Er hat vor ein paar Minuten hier angerufen, aber ich sagte ihm, Sie seien gerade beschäftigt.«

»Das wird ihm Freude gemacht haben«, erwiderte Thane trocken. Dann warf er dem Mädchen ein schiefes Lächeln zu. »Danke. Und wie ist es, wenn Sie mit harten Bandagen arbeiten?«

»Sie haben sich gar nicht schlecht gehalten.« Debby Kinster blinzelte ihn an, dann fuhr sie fort, die Informationen auf ihrem Notizblock zu studieren.

Thane verließ das Studio. Die Frau, die nach ihm hineingebeten wurde, das nächste Opfer also, arbeitete als Chefinspektor in Glasgow.

»Wie war's?« murmelte sie.

»Ein Kinderspiel«, log Thane.

Genau das hatte man ihm auch gesagt.

Das Büro des Schulungsleiters befand sich auf derselben Etage, nicht weit vom Studio entfernt. Eine breite Fensterfront ließ den Blick frei auf gepflegte Rasenflächen, sauber gestutzte Büsche und die dahinterliegende Parklandschaft und die sanften Hügel in der Ferne.

Colin Thane schloß die Tür hinter sich, hockte sich auf die Schreibtischkante, nahm den Telefonhörer ab und wählte die Nummer der Crime Squad in Glasgow.

Er war ein großer, grauäugiger Mann Anfang Vierzig. Heute trug er einen leichten, grauen Tweedanzug mit weißem Hemd und schlichter brauner Strickkrawatte; sein dichtes dunkles Haar hätte gelegentlich wieder einen Schnitt vertragen können, und seine Waage zu Hause sagte ihm allmorgendlich, daß er ein paar Pfund zu viel mit sich herumtrug. Aber noch war der durchtrainierte Körper eines Athleten unverkennbar, denn er hatte als durchaus aussichtsreicher Kämpfer an den alljährlichen Boxmeisterschaften der Polizei teilgenommen. Er hatte den Leistungssport erst aufgegeben, als er es leid geworden war, doch jeweils in den Semifinalrunden k. o. geschlagen zu werden.

Im Augenblick war er ein wenig verwirrt. Während er darauf wartete, daß am anderen Ende der Leitung jemand den Hörer abnahm, mußte er daran denken, daß er zu diesem Eintagesseminar geschickt worden war, ohne ihm eine Wahl gelassen zu haben. Jack Hart, der Leiter der Crime Squad, hatte entschieden, daß jemand teilnehmen müsse, und erklärt, Thane habe nichts auf der ›Pfanne‹, das nicht noch einen Tag länger vor sich hin schmoren könne.

Was hatte sich daran inzwischen geändert?

Er hörte ein Knacken in der Leitung, bevor sich der Mann in der Zentrale meldete, bat um Harts Nebenstelle und wurde sofort mit ihm verbunden.

»Freut mich sehr, daß Sie doch noch zurückrufen«, sagte Hart sarkastisch. »Ich bin wirklich sehr froh.«

Thane zuckte zusammen. Hart war normalerweise ein ruhiger, auf seine stille Art ein angenehmer und tüchtiger Mensch, den man nicht so leicht aus der Fassung bringen konnte. Er war ein guter Polizei- und Kriminalbeamter gewesen; jetzt war er ein noch besserer Abteilungsleiter und Chef. Wenn seine Stimme nervös klang, mußte etwas Entscheidendes schiefgelaufen sein.

»Probleme?« fragte Thane.

»Ja. Man bedrängt mich – und zwar hochnotpeinlich.« Für Hart ein ungewöhnliches Eingeständnis. »Man hat uns auf dem falschen Fuß und in einer verwundbaren Situation erwischt. Es trifft uns direkt.«

Thane zog die Stirn in Falten, er wußte, daß das großen Ärger bedeutete. So, wie die Crime Squad im allgemeinen funktionierte, würde die Nachrichtenabteilung zunächst einmal in aller Stille Einzelheiten über bestimmte Kriminelle oder Vorfälle sammeln. Dann, wenn der richtige Zeitpunkt gekommen zu sein schien, würde Jack Hart einen gezielten Einsatz vorbereiten. Thane konnte sich allerdings nicht vorstellen, welche der anstehenden Angelegenheiten so schnell brisant hatte werden können.

»Also, ich brauche Sie hier.« Hart war offenbar froh darüber, daß Colin Thane schwieg. »Sie übernehmen die Sache mit Ihrem üblichen Team und erhalten jede Unterstützung, die Sie dabei brauchen. Im Augenblick sitzt jemand vom Crown Office hier bei mir.«

Thane pfiff leise durch die Zähne. Wenn das Crown Office sich einschaltete, das aus Spitzenbeamten bestand, denen alle Mittel und Möglichkeiten zur Verfügung standen, dann lag etwas Besonderes in der Luft. Selbst Jack Hart, der immerhin den Rang eines Detective Chief Superintendent bekleidete, mußte die Anordnungen des Crown Office befolgen.

»Wann soll ich bei Ihnen sein?« fragte Thane.

»Sofort.« Hart brach ab und fluchte. Thane hörte aufgeregtes Stimmengemurmel, dann meldete sich Hart wieder. »Ich habe noch einen Anruf hier; warten Sie einen Augenblick.«

Thane wartete. Draußen vor dem Fenster stolzierte ein Pfau an einem Beet mit Buschrosen entlang. Ein paar Gärtner arbeiteten in der Nähe der ehemaligen Stallungen.

Es gab sicher nicht viele Abteilungen, die ein Schloß als Trainingszentrum für die Polizei benutzten. Doch Tulliallan Castle, ein schloßartiger Gebäudekomplex von viktorianischer Großzügigkeit und in die Vergangenheit zurückreichender Geschichte, war mit Bedacht für diesen Zweck ausgewählt worden. Er lag inmitten eines weitläufigen Geländes in der Stille der ländlichen Grafschaft Clackmannan. Von Glasgow und Edinburgh aus war es in einer Stunde zu erreichen, seine Lage war auch für die übrigen schottischen Einheiten nicht ungünstig, und obendrein bot es genügend Platz für eventuell notwendige Erweiterungen jeglicher Art.

Tulliallan Castle mit seinen Türmchen und vorgetäuschten Schieß-scharten, den eleganten Wohnräumen und den gediegenen Holztäfe-lungen, hatte schon erste Anzeichen drohenden Verfalls gezeigt, als es von den neuen Besitzern übernommen wurde. Man hatte einen Trakt mit Schlafsälen angebaut, eine Turnhalle, einen Swimming-pool und weitere erforderliche Einrichtungen hinzugefügt. Aus der riesi-gen Eingangshalle hatte man Gobelins und Gemälde entfernt; statt dessen hatte man hier jetzt Ausstellungen von Schlagstöcken, alten Polizeisäbeln sowie Vitrinen mit Polizeiplaketten aus aller Welt ein-gerichtet.

Thane wartete noch immer; er konnte das Stimmengemurmel am anderen Ende der Leitung hören, aber nur undeutlich. Er atmete tief und gleichmäßig und versuchte, ruhig zu bleiben.

Der Pfau stolzierte unter dem Fenster vorbei. Thane mußte bei seinem Anblick ein wenig lächeln.

Die früheren Besitzer wären vermutlich alles andere als glücklich gewesen über die uniformierten Einheiten, die jetzt durch die Kor-ridore trampelten, von einer Vorlesung zur nächsten hastend. Sie behandelten so verschiedene Themen wie das Verhör von Opfern von Vergewaltigungen und die Probleme mit jugendlichen Gesetzes-brechern. Sie wären entsetzt gewesen über die Anlage einer Übungs-strecke für Verfolgungsfahrten neben der Hauptzufahrt – aber an der Pflege des Gartens hätten auch sie vermutlich nichts zu bemängeln gehabt.

Die Gärtner wurden täglich mit dem Bus hergefahren, ausgewählte Insassen aus einem der Gefängnisse Ihrer Majestät. Immerhin: Bis jetzt war noch keiner von den Pfauen, die zum Schloßpark gehörten, auf Nimmerwiedersehen verschwunden.

»Tut mir leid«, sagte Jack Hart unvermittelt und sprach nun wieder mit Thane. »Aber es war sehr wichtig. Ein wichtiger Mann trifft mit dem nächsten Zubringerflug aus London am Flughafen ein – wir holen ihn ab.« Er brummte. »Der Mann ist das, was man einen interessierten Teilhaber nennen könnte. Aber er ist obendrein ein Experte – wir brauchen ihn.«

»Wozu?« fragte Thane. »Hören Sie, ich –«

»Sie wollen wissen, worum es, verdammt noch mal, eigentlich geht«, sagte Hart trocken. »Also gut: Es begann heute morgen mit

einem bewaffneten Raubüberfall in Donaldhill. Ein zufällig vorbei-
kommender Motorradfahrer ist mitten in die Schußlinie geraten ...«
Er brach ab, machte eine kleine Pause und fuhr dann mit beinahe
tonloser, leidenschaftsloser Stimme fort: »Einer von den Räubern hat
verrückt gespielt, seine abgesägte Flinte durchgezogen und unseren
Motorradfahrer abgeknallt.«

»Ganz schön brutal«, warf Thane ein. Aber er wunderte sich noch
immer. Bewaffnete Raubüberfälle waren normalerweise nicht das,
womit sich die Crime Squad befaßte. Bei ihren Fällen ging es meist
um wesentlich größere Fische. Er zog die Stirn in Falten. »Sie sagten,
unser Motorradfahrer.«

»Stimmt«, erwiderte Hart. »Die Räuber können Sie vergessen. Die
hatten wir schon nach dem Lunch hinter Gittern.«

»Also habe ich einen Toten als Ermittlungsziel?« fragte Thane
ungläubig.

»Als Aufhänger«, korrigierte Hart. Er lachte rauh. »Mal was anderes. Sind Sie bereit für die Einzelheiten?«

»Ja.« Thane langte nach einem Schreibblock und Kugelschreiber,
die auf dem Schreibtisch des Schulungsleiters lagen.

»Sein Name ist Edward Douglas. Er war ledig, ein arbeitsloser
junger Mann mit abgeschlossener Ausbildung, Anfang zwanzig,
wohnhaft in der Baron Avenue sechsundfünfzig. Das ist nördlich
vom Fluß, das Millside-Revier – Ihre alte Gegend.«

»Weißwein, Salzletten beim Fernsehen und Partys, die die ganze
Nacht dauerten – ja, das war es damals.« Thane schrieb schnell und
riß dann das oberste Blatt vom Block, schaute auf seine Armbanduhr
und dachte an die Fünfunddreißig-Meilen-Fahrt zurück in die Stadt.
»Ich kann gegen vier Uhr dort sein.«

»Versuchen Sie es«, sagte Hart knapp. »Jetzt kommt die Sache,
um die es geht. Haben Sie schon mal vom *Baum zum Hängen*
gehört?«

Thane zögerte. »Ist das dieses Hollywood-Ding?«

»Dieses Ding ist ein verdammt großer, verdammt teurer amerika-
nischer Superknüller, ein richtiger Erfolgsfilm«, zischte Hart und gab
damit seine Gefühle preis. »Läuft noch in den amerikanischen Erst-
aufführungskinos, gewinnt haufenweise Preise und Auszeichnun-
gen, sogar Oscars. Eigentlich sollte er noch gar nicht in Europa sein.
Aber Freund Douglas hatte drei Videokopien von *Der Baum zum*

Hängen in seiner Satteltasche – natürlich Raubkopien. Es ist das erste Mal, daß sie irgendwo auftauchten.«

Allmählich bekam die Sache einen Sinn für Thane. Seit Wochen hatte sich die Nachrichtenabteilung auf Harts Befehl mit Raubkopien von Videobändern und mit denen befaßt, die sie verbreiteten.

»Wir haben also offenbar einen Kurier der vordersten Front erwischt«, fuhr Hart in bitterem Ton fort. »Der *Baum zum Hängen* wurde von den Amerikanern wie unsere Kronjuwelen gehütet, und jetzt bricht natürlich die Hölle los – auf allen Ebenen. Interpol hat sich bereits eingeschaltet, und ich habe sogar schon vom Außenministerium die schlimmsten Drohungen vernommen.«

»Und wir haben nichts weiter als diesen Douglas?«

»Douglas und den *Baum zum Hängen*«, bestätigte Hart. »Den Medien ist bisher seine Identität noch nicht bekanntgegeben worden, aber ich fürchte, wir können die Presse und das Fernsehen nicht mehr lange hinhalten.« Er stieß ein knurrendes Geräusch aus, das übers Telefon seltsam rauh klang. »Colin, ich weiß nicht, ob Sie so etwas nötig haben, aber lassen Sie sich das trotzdem eine Warnung von mir sein. Auf der untersten Ebene sind die Herstellung und der Vertrieb von Raubkopie-Videobändern ungefähr so kriminell wie falsches Parken – nur wesentlich unterhaltsamer. Doch oben an der Spitze, da ist das organisierte Verbrechen, so schmutzig und gemein, wie man es sich nur denken kann.«

Darin lag eine gewisse Ironie. Thane wußte, daß Jack Hart ein, wie er selbst oft von sich gesagt hatte, ausgesprochener Video-Narr war, wie übrigens viele Beamte der Polizei, wegen ihrer ungewöhnlichen Arbeitszeiten. Ihm war aber auch klar, daß Hart recht hatte. Thane hatte einiges Material aus den Akten des Nachrichtendienstes der Polizei eingesehen – zum Beispiel, wie in ziemlich kurzer Zeit das illegale Geschäft mit Raubkopien aus dem Nichts entstanden und inzwischen zu einer der gewinnträchtigsten ›Branchen‹ geworden war – ein Geschäft, das den Drahtziehern ein Vermögen einbrachte.

»Wußten denn die Amerikaner, daß der *Baum zum Hängen* kopiert – ich meine gestohlen worden war?« fragte er.

»Nein«, erwiderte Hart müde. »Sie dachten, das Material sei rund um die Uhr geschützt.«

»Was ist dann mit diesem Douglas? Haben wir sonst noch irgend etwas über ihn?«

»Keine Spur von irgendwelchen Kontakten mit der Polizei, und bis jetzt auch noch nichts aus dem Computer«, antwortete Hart. »Ich schlage vor, Sie fangen da an, wo er gewohnt hat und versuchen dort alles herauszufinden, was Sie bekommen können – anschließend bitte ich Sie, um fünf Uhr zu einer Besprechung hier zu sein. Also, bis dann.«

Hart hatte aufgelegt. Thane seufzte, legte den Hörer auf die Gabel zurück, dann öffnete sich die Tür, und der Schulungsleiter kam herein.

»Wir sind fertig«, teilte er Thane kurz und bündig mit. »Es dauert nur noch ein paar Minuten, bis die Bänder zurückgespult sind, dann können wir mit der Playback-Sitzung anfangen.« Er nickte in Richtung auf das Telefon. »Sind Sie durchgekommen?«

Thane nickte. »Ich muß leider gleich weg.«

»Gleich?« Der Schulungsleiter setzte eine enttäuschte Miene auf. »Und was ist mit Ihrem Playback?«

»Mein Schaden«, entgegnete Thane hölzern. »Aber ich kann Ihnen sagen, was Sie damit anfangen können.«

»Sehr komisch«, erwiderte der Schulungsleiter unfreundlich. »Meinetwegen. Und weshalb diese plötzliche Abberufung?«

»Sie wissen ja, wie so etwas geht.« Thane grinste ihn an. »Mein Agent hatte eben ein besseres Angebot.«

»Was denn, zum Beispiel?« knurrte der Schulungsleiter. »Ein Angebot, mit Dschingis Khan zu spielen? Sie beide wären ein reizendes Komikerpaar.« Und nach einer Pause: »Viel Glück dabei – was es auch ist.«

Thane ließ ihn allein. Auf dem Weg nach draußen blieb er in einem der Korridore stehen, um eine Gruppe von Neuankömmlingen vorbeizulassen. Sie waren alle jung; ihre Uniformen sahen noch nagelneu aus, und ein schlanker, ehrgeizig wirkender Schulungs-Sergeant bellte ihnen beim Marschieren seine Befehle zu. Der junge Schulungs-Sergeant erkannte Thane; ihre Blicke begegneten sich, und der junge Mann blinzelte Thane kurz zu, was mehr sagte als alle Worte.

Die Gruppe verschwand. Thane ging weiter, ließ die Ausstellung von Schlagstöcken in der großen Eingangshalle hinter sich, verließ das Schloß und ging hinüber zum Parkplatz, wo er seinen Wagen abgestellt hatte.

Eine andere Gruppe von Neulingen in blauen Overalls übte auf dem Rasen den unbewaffneten Nahkampf, unter den wachsamen Augen eines Sergeants. Die Beste in der Gruppe war ein schlankes Mädchen mit pechschwarzem Haar. Sie drehte sich ruckartig um, machte eine Aufwärtsbewegung mit den Armen, und der schlaksige, einsfünfundachtzig große, junge Kerl, der ihr Übungspartner war, flog im Bogen über ihre Schulter. Das Mädchen lachte und trat ein paar Schritte zurück. Der Sergeant war mit zwei Schritten hinter ihr, packte sie unter den Armen und schleuderte sie auf den Boden, bevor sie auch nur begriff, was da vor sich ging.

»Wenn man einen Angreifer zu Boden geworfen hat, muß man damit rechnen, daß sein Kumpel auf eine Chance zum Eingreifen wartet«, brüllte er. »Ich sag' es dir nun schon zum x-tenmal. Wie wär's, wenn du es dir endlich mal merken würdest?«

Es war eine ziemlich rauhe Lektion gewesen, aber der Sergeant hatte recht, dachte Thane, als er weiterging.

Für die Ausbildung standen nur ein paar Wochen zur Verfügung, um den neuen Bewerbern eine Menge Praxis für ihre spätere Arbeit beizubringen. Dann kehrten sie zu ihren Abteilungen zurück, immer noch Anfänger, und man gab ihnen einen erfahrenen Beamten zur Seite für die nächste Stufe der Ausbildung – auf den Straßen.

Diejenigen, die bei der Stange blieben, tauchten während ihrer Laufbahn immer wieder einmal auf Tulliallan Castle auf, ganz gleich, welchen Rang sie im Laufe der Jahre erreicht hatten. Es gab immer wieder neue Trainingskurse, neue Übungspläne.

Der Schutz der Gesellschaft erforderte mitdenkende Polizeibeamte – auch wenn dieses Ziel nicht immer erreicht wurde.

»Superintendent – Mr. Thane …«

Die Anrede veranlaßte Thane sich umzudrehen. Der Schulungs-Sergeant der Klasse, die den unbewaffneten Kampf trainierte, kam zu ihm herübergelaufen, und jetzt erkannte Thane ihn. Er war bei der Squad gewesen, als Detective Constable, und am Ende der üblichen, dreijährigen Dienstzeit befördert und versetzt worden.

»Wollte nur mal fragen, wie es den Jungs geht, Sir«, sagte der Mann und grinste breit. »Ist Francey Dunbar noch Ihr Sergeant?«

»Den werde ich so leicht nicht los«, antwortete Thane trocken. »Es hat sich nicht viel verändert. Und wie kommen Sie voran?«

»Hier?« Der Sergeant warf einen Blick über die Schulter auf die jungen Leute. »Die Klasse ist nicht so schlecht, und das Leben hier auch nicht. Trotzdem –« Er schaute Thane fast wehmütig an. »Na ja, sagen Sie den Jungs alles Gute, ja, Sir?«

»Wird gemacht«, versprach Thane.

Er blickte dem Mann nach, wie er gedankenverloren zurücktrottete zu seiner Klasse, und dabei fiel ihm plötzlich ein, daß er Vass hieß. Er hatte die Crime Squad wenige Tage nach Thanes Auskunft verlassen – das lag nun auch schon fast wieder ein Jahr zurück.

Vor dieser Zeit hatte Thane als Detective Chief Inspector, also als Leiter der Kriminalpolizei, im Glasgower Stadtteil Millside Dienst getan. Millside war eine harte, unschöne Seite der Stadt, bestimmt von den Docks, den Slums und einem Vergnügungsviertel, das alles nur noch schlimmer machte. Aber es war sein Viertel gewesen, er hatte dort die Polizei geleitet, sich dort ausgekannt – und er hatte sich seltsam verloren gefühlt, nachdem man ihn zur Zentrale abberufen und zum Detective Superintendent befördert hatte – verbunden mit der Versetzung zur schottischen Crime Squad.

Danach war es ihm vorgekommen, als ob er ins Exil verbannt worden sei. Aber mittlerweile schien die Zeit von Millside Jahrhunderte zurückzuliegen. Wenn er jetzt dorthin zurückkehrte, war er der Außenseiter.

Er erreichte seinen Wagen, einen verdreckten Ford aus der Fahrbereitschaft der Squad. Während er sich hinter das Lenkrad setzte, warf er einen Blick auf das Paket, eingewickelt in Geschenkpapier, das auf dem Beifahrersitz lag, und zuckte zusammen.

Wenn die Konferenz bei Jack Hart länger dauerte, ergab sich für ihn ein weiteres Problem. Selbst einem Polizeibeamten sollte es möglich sein, an seinem Hochzeitstag mit seiner Frau zum Abendessen ausgehen zu können.

Er ließ den Motor des Ford an und versuchte, sich in Gedanken auf Videobänder zu konzentrieren.

Die Fahrt dauerte knapp eine Stunde, anfangs über kleinere Straßen zur Kincardine Bridge, dann in einem langgezogenen Bogen über den schlammigen Oberlauf des River Forth und von dort aus zur Einmündung in die stark befahrene M 80, die Schnellstraße, die von Norden her nach Glasgow führt.

Der Verkehr lief reibungslos bis zur Stadtgrenze, wo ein schleudernder Lastwagen einen Lieferwagen erfaßt hatte und die beiden

Wracks zwei Fahrspuren blockierten. Thane reihte sich in die Fahrzeugschlange ein und fuhr an der Engstelle vorbei, dann schaltete er die Scheibenwischer ein, da inzwischen leichter Nieselregen eingesetzt hatte.

Grau unter den tiefhängenden Wolken lag die Skyline von Glasgow vor ihm. Es war eine Mischung aus hohen, modernen Geschäftsblocks und schlanken Kirchtürmen, aus dunklen Mietshausdächern und düsteren Fabrikschornsteinen. Nur wenige der Schornsteine rauchten. Zu viele der Fabriken hatten ihre Tore geschlossen und die *Zu verkaufen*-Schilder aufgestellt.

Glasgow hatte zu spüren bekommen, was Rezession bedeutete.

Der Nieselregen ließ nach, als Thane an einer Verkehrsampel rechts abbog und über eine Nebenstraßenroute fuhr, auf der er das Stadtzentrum meiden und Zeit sparen konnte. Stadtrandsiedlungen mit Bungalows machten älteren Häusern Platz; dann fuhr er durch eine Industriegegend, wo nur ungefähr die Hälfte der Betriebe noch zu arbeiten schien; bei den übrigen waren die Fenster zerbrochen.

Minuten später war er am Ziel.

Nichts hatte sich verändert.

Die Baron Avenue war in den dreißiger Jahren entstanden, ein Produkt jener damals beliebten ›Schuhkartonarchitektur‹ aus Beton. An den dreistöckigen Blocks, die winzige Wohnungen beherbergten, hatte im Lauf der Jahre der Zahn der Zeit genagt, und sie sahen schäbig aus. Und die ursprünglich vorhandenen öffentlichen Gärten und Parks hatten Asphalt und Beton weichen müssen.

Immerhin waren die Wohnungen auf die Bedürfnisse der Alleinstehenden und der jungen, kinderlosen Ehepaare zugeschnitten, die hier wohnten. Sie arbeiteten entweder in Büros oder lebten von Stipendien fürs Studium. Sie hatten nichts gegen Rockmusik um drei Uhr nachts oder gegen Autotüren, die zu jeder Tages- und Nachtzeit zugeknallt wurden.

Und wenn, dann zogen sie wieder weg von hier. So lebte man eben in der Baron Avenue: Selten wurde mehr als gelegentliche Raufereien oder Einbrüche gemeldet, und die ältere Generation kam höchstens mal besuchsweise an den Sonntagnachmittagen bei den Kindern vorbei.

Colin Thane fuhr im Schrittempo dahin und sah sich nach den Hausnummern um. Doch dann entdeckte er einen grauen Mini aus dem Fuhrpark der Crime Squad, der am Randstein parkte. Er hielt dahinter und stieg aus.

Das Haus Nummer 56 war nur ein paar Meter entfernt. Ein schlanker dunkelhaariger Mann, gekleidet in eine schwarze Lederjacke und ausgebleichte Jeans und ein graues Sweatshirt aus Baumwolle lehnte an der Ziegelwand neben dem Eingang. Er richtete sich ein wenig auf, als Thane näher kam, und setzte ein schiefes Lächeln auf.

»Machen Sie Pause, Francey?« fragte Thane mit mildem Sarkasmus.

»Ich verstecke mich, Sir.« Detective Sergeant Francey Dunbar wies mit dem Daumen auf die Haustür. »Die Freundin von Douglas ist vor zehn Minuten aufgetaucht. Sie wußte noch von nichts.«

Thanes Gesichtsausdruck bewies Mitgefühl. »Wer ist bei ihr?«

»Sandra«, antwortete Dunbar. »Die wird damit fertig.«

Thane nickte. Sandra Craig, ein Detective Constable aus seinem regulären Team, übernahm die Aufgaben, wie sie kamen. Aber manchmal war es doch sinnvoll, wenn man gewisse Angelegenheiten von Frau zu Frau regelte.

»Sonst noch jemand hier?« fragte er.

»Momentan nicht«, antwortete Dunbar. Er war etwas über mittelgroß und Anfang Zwanzig, ein buschiger Schnurrbart unter der kräftigen, ausgeprägten Nase zierte sein Gesicht. »Die Kriminalbeamten des hiesigen Polizeireviers wollen später noch einmal herkommen – sie hatten die Schlüssel von Douglas, aber wir haben einen zweiten Satz in der Wohnung gefunden.« In seinen dunklen Augen blitzte ein kurzes, belustigtes Funkeln auf. »Die haben mir ein paar Storys erzählt aus der Zeit, als Sie noch hier in Millside Dienst taten.«

»Alles Lügen«, erklärte Thane mit Nachdruck. »Gibt es Videobänder in der Wohnung?«

»Ungefähr ein Dutzend, verschiedene Titel, in einem Schrank gestapelt«, meldete Dunbar mit geringer Begeisterung. »Ich habe sie Commander Hart geschickt – er will sie überprüfen lassen.«

»Sonst nichts?«

Dunbar zuckte mit den Schultern. »Ich habe die Wohnung mit Sandra zweimal durchsucht, aber wir haben nichts gefunden. Douglas war ein ganz gewöhnlicher Typ – so sieht es jedenfalls aus.«

»Wenn er ein so gewöhnlicher Typ gewesen wäre, dann wären wir nicht hier«, erinnerte ihn Thane mit steinerner Miene. »Ich habe

26

gehört, man hat die Kerle, die mit dem Gewehr herumgeballert haben, schon hinter Schloß und Riegel. Wie ist das gelaufen?«

»Eine Streifenwagenbesatzung hat Glück gehabt«, berichtete Dunbar in seiner trockenen Art. »Die haben das Fluchtfahrzeug zufällig gesehen und sind ihm gefolgt; daraufhin hat der Bandit am Steuer in einer Kurve die Kontrolle über das Fahrzeug verloren und ist gegen eine Mauer gerast. Danach brauchten wir nur noch aufzuwischen – sozusagen. Drei ziemlich ramponierte Banditen, das Geld und das Gewehr.«

»Bekannte von uns?«

Dunbar nickte. »Sie haben alle drei ein beachtliches Strafregister, aber der bewaffnete Raubüberfall scheint eine Premiere gewesen zu sein.« Er schnalzte bedauernd mit der Zunge. »Und das war Pech für Douglas. Glück für uns, daß er einen Ausweis bei sich hatte.«

»Unter anderem.« Thane steckte die Hände in die Hosentaschen und zog die Stirn in Falten. »Wann haben wir eigentlich das mit den Videobändern erfahren?«

Eine Frage, die ihn auf der ganzen Fahrt hierher beschäftigt hatte und die er Hart gestellt hätte, wenn mehr Zeit zur Verfügung gewesen wäre.

»Einer der Beamten, die an dem Donaldhill-Fall arbeiten, ist ein Videonarr«, sagte Dunbar spöttisch. »Er interessierte sich für die Bänder und teilte es seinem Abteilungsleiter mit, nachdem sich die Sache schon ein wenig beruhigt hatte. Der Abteilungsleiter wußte, daß alles, was Raubvideos betrifft, mit dem unsichtbaren Aufkleber ›Crime Squad benachrichtigen‹ versehen ist.« Er hielt inne und kratzte sich am Hals; dabei klimperte das schwere Silberarmband, das er am rechten Handgelenk trug. Das Namensschild des Armbands war leer, aber auf der Unterseite war seine Blutgruppe eingraviert. »Jetzt, glaube ich, darf ich eine Frage stellen, Sir. Was, zum Teufel, geht hier eigentlich vor?«

»Es ist eine gezielte Operation.« Thane entging nicht, daß Dunbar damit nicht zufrieden war. »Es geht um Raubkopien, Francey – und um diese ganz speziell. Wir haben uns den Job wie eine Krankheit zugezogen –«

»Meinen Sie das im Ernst?« Dunbar starrte ihn an, sein Mund stand weit offen, dann begann er zu lachen. »Was sollen wir denn tun? Die ganze Bevölkerung überprüfen? Jeder, der einen Videorecorder besitzt, hat mit Raubkopien zu tun: Er kauft sie, er leiht sie aus – hören Sie, ich selbst hab' das auch schon gemacht!« Er verhehlte seine Geringschätzung nicht. »Demnächst erzählt man uns noch, daß es nicht mehr genug echte Verbrechen gibt.«

»Demnächst bekommen Sie meinen Stiefel zu spüren – am Hintern«, sagte Thane humorlos. »Ich sage Ihnen, es ist eine gezielte Operation, es gibt eine Riesenakte – und wenn die Befehle von noch weiter oben kämen, dann könnten Sie sie in Form von Druckplatten bewundern. Versuchen Sie mal logisch zu denken, Sergeant. Wenn Douglas ein Kurier war, dann ist er die unterste Sprosse einer speziellen Leiter. Wissen Sie, daß er den *Baum zum Hängen* bei sich hatte?«

»Ja, aber –«

»Dadurch wird die Leiter für einige Leute zu etwas ganz Besonderem. Sie wollen nämlich wissen, wer auf der obersten Sprosse sitzt.«

Dunbar seufzte, zog die Stirn in Falten, sagte aber nichts.

Jeder in der Crime Squad hätte die Zeichen erkannt. Francey Dunbar war nicht überzeugt, und wenn das der Fall war, konnte er sich sehr stur verhalten. Das war einer der Gründe, weshalb man ihn als Verbindungsmann zur Polizeigewerkschaft gewählt hatte, wo er aussichtslos scheinende Fälle mit grimmiger, sturer Entschlossenheit verfolgte. In seinem Privatleben allerdings war er unberechenbar. Er teilte seine Aufmerksamkeit zwischen einer ganzen Sammlung hübscher Mädchen und seinem hellroten BMW-Motorrad, aber manchmal setzte er sich einfach auf seine Maschine und verschwand – um in irgendeinem Wochenend-Meditationscamp wieder aufzutauchen.

»Tun wir mal der Einfachheit halber so, als ob Sie davon überzeugt wären«, sagte Thane resigniert. »Was wissen wir über diesen Douglas?«

»Nicht viel.« Dunbar sprach mit verletzter Würde. »Die Nachbarn sagen, er war ruhig; einer, der nicht viel mit den Leuten aus seiner Umgebung zu tun haben will. Das heißt, niemand weiß etwas über ihn. Er ist vor etwa einem Jahr hier eingezogen und hat kurz danach seinen Job verloren, weil die Firma, bei der er arbeitete, pleite gegangen ist.«

»Familie?«

»Er ist ein Einzelkind – der Vater Handelsmarine, Kapitän übrigens, und die Mutter lebt im Norden. Man wird beide benachrichtigen.«

»Gut.« Irgendwo mußte immer irgendein Polizeibeamter diese Aufgabe übernehmen. Thane fuhr fort, seine in Gedanken aufgestellte Liste durchzugehen. »Und das Mädchen?«

»Janice Darrow, zwanzig, Krankenschwester.« Dunbar schien aufrichtig besorgt. »Die hat die Sache schwer getroffen. Ich – ich weiß nicht, wie es ihr jetzt geht.«

»Sehen wir doch einfach nach«, schlug Thane vor. Dann schaute er hinauf zu den Fenstern der oberen Stockwerke. »Wo hat er gewohnt? Im obersten Stock?«

Dunbar mußte unwillkürlich lächeln und nickte dann. Wenn man Polizeibeamter war, passierte alles stets im obersten Stockwerk. Manchmal kam es einem so vor, als wohne niemand in den unteren Etagen.

Sie betraten das Haus. Die Graffiti an den Wänden waren im Stil der Baron Avenue eher politisch als pornographisch, und der Spray-Künstler beherrschte sogar die Rechtschreibung. Er verkündete in fünfzig Zentimeter hohen Lettern, daß er, wenn er die Bombe schon nicht bannen könne, wenigstens wisse, wo man sie anbringen sollte – und seine Auswahl war ziemlich bizarr.

Thane überließ Dunbar den Vortritt, während sie die Treppe hinaufgingen. Im ersten Stock quoll ihnen eine Geruchswolke von indischem Essen entgegen; weiter oben stand ein kränkelnder Gummibaum auf einem Fensterbrett und klammerte sich in einer alten Holzwanne ans Leben. Irgendwo plärrte ein Radio, und Thane bemerkte einen Stockfleck, der sich, hervorgerufen durch die Feuchtigkeit, vom Dach an der Wand entlang nach unten zog.

Die Tür zur Wohnung von Douglas war die erste von dreien am obersten Treppenabsatz. Francey Dunbar drückte auf die Klingel, und nach ein paar Sekunden ging die Tür auf. Das Mädchen, das herausschaute, war groß, schlank, rothaarig und ungefähr im gleichen Alter wie Dunbar. Sie schaute ihn düster an und schenkte dann Thane ein unsicheres Lächeln.

»Hallo, Sir.« Sie bat die beiden Männer in die Wohnung. Detective Constable Sandra Craig trug Jeans und einen cremefarbenen Rollkragenpulli, darüber eine Jacke. Sie schaute Dunbar wieder düster an, während sie die Tür schloß. »Die Ratte kehrt zurück auf das sinkende Schiff. Danke, Francey; du hast dich schnell genug davongemacht.«

Dunbar zuckte mit den Schultern. »Ich kenne meine Grenzen.«

»Wie geht es ihr?« fragte Thane, ohne auf die Sticheleien der beiden zu achten.

»Ein bißchen hat sie geredet, Sir.« Sandra Craig deutete in der kleinen, einfach möblierten Diele auf eine der Türen. »Sie ist dort drinnen.«

»Und was haben Sie von ihr erfahren?«

»Sie hat Douglas vor ein paar Monaten auf einer Party kennengelernt.« Sandra Craig sprach leise und deutlich. »Er hätte sie heute mittag zu Hause abholen sollen – sie wohnt drüben in Monkswalk, am Watson Drive, und hat heute ihren freien Tag. Als er nicht auftauchte, hat sie mehrmals versucht, ihn telefonisch zu erreichen. Dann –«, sie zuckte mit den Schultern, »– nun ja, dann kam sie eben hier vorbei, um nachzusehen, ob etwas nicht in Ordnung war.«

»Und wie stand es zwischen den beiden?«

»Sagen wir, ihm war an ihr gelegen.« Sandra Craig schürzte die Lippen. »Douglas wollte, daß sie zu ihm zieht. Sie hätte es gern getan, aber es gab da ein Problem. Sie hat einen Bruder, der bei ihr wohnt, und er ist im Falkland-Krieg verwundet worden. Also wußte sie, daß er sie brauchte.«

»Vielleicht brauchen Sie sich jetzt gegenseitig«, meinte Thane nüchtern. Er warf einen Blick auf Dunbar. »Wo ist das Telefon?«

»In der Küche.« Dunbar zeigte mit dem Daumen auf eine weitere Tür.

»Rufen Sie den Erkennungsdienst, Francey. Und sagen Sie den Leuten, ich will, daß die ganze Wohnung eingehend auf Fingerabdrücke untersucht wird.«

Dunbar blinzelte. »Warum?«

»Die Frage sollte wohl ›Wozu, Sir?‹ lauten«, erinnerte ihn Thane geduldig. »Weil sie vielleicht doch etwas finden; zum Beispiel, ob einer von den Besuchern hier bei uns in den Akten zu finden ist.«

»Entschuldigen Sie, ich habe nicht gedacht«, gestand Dunbar.

»Und das scheint zur Gewohnheit zu werden«, stichelte Sandra Craig nachdrücklich.

»Genug«, erklärte Thane und stellte sich zwischen die beiden. »Streitet gefälligst in eurer Freizeit.«

Er ließ Sandra vorausgehen in den bescheiden möblierten Wohnraum, wo Janice Darrow sie erwartete. Sie saß auf einer Couch: ein kleines, etwas pummeliges, blondes Mädchen in einem dunkelbraunen, zweiteiligen Hosenanzug. Als die drei eintraten, schaute sie auf. Ihr Gesicht war jung und hübsch, aber die Augen waren von Tränen gerötet.

Auf einem Fernsehapparat in einer Ecke des Zimmers stand das gerahmte Foto eines jungen, dunkelhaarigen Mannes, gekleidet in einen schwarzen Talar. Unter dem Fernsehgerät bemerkte Thane einen Videorecorder. Er ging hinüber und warf einen Blick auf das Foto. Dann schaute er Sandra Craig an. Sie nickte, und er nahm das Foto zur Hand und ging dann hinüber zur Couch.

»Hallo, Janice.« Er setzte sich neben das Mädchen. »Mein Name ist Thane.« Er zeigte auf das Foto. »Was hat er studiert?«

»Sozialwissenschaften. Er hat sein Examen mit Erfolg abgelegt.«

»Ich hätte gern mehr über ihn gewußt.« Thane zog ein Zigaretten-päckchen aus der Jackentasche. Das Mädchen nahm eine Zigarette, und er bot ihr Feuer an, dann steckte er die Packung wieder weg. »Janice, ich habe einen ziemlich weiten Weg hinter mir, und eine Tasse Tee würde mir guttun. Möchten Sie nicht auch eine?«

Das Mädchen brachte ein schwaches Lächeln zustande und nickte. Thane gab Sandra Craig ein Zeichen, und die ging leise hinaus.

»Na schön.« Thane legte das Foto beiseite; dabei wirkte er noch immer entspannt und freundlich. »Er hat also sein Examen bestanden – dennoch war er arbeitslos. Das kommt allerdings oft genug vor.«

»Nein, das hilft heutzutage gar nichts.« Die Zigarette zwischen den Fingern von Janice Darrow zitterte ein wenig, und ihre Stimme schwankte. »Bitte, Superintendent, hat das denn nicht Zeit?«

Thane zuckte mit den Schultern. »Würden Sie sich lieber in ein Mauseloch verkriechen?«

»Nein, aber –«

»Ich werde dafür bezahlt, daß ich Fragen stelle«, erklärte er leise. »Er hat also sein Examen gemacht – und dann?«

»Ted sagte mir, er habe keinen Arbeitsplatz gefunden, wo er sein Studium hätte anwenden können. Also arbeitete er als Angestellter bei einem Reisebüro – bis es pleite gegangen ist.«

»Und danach?«

»Gelegenheitsarbeiten – alles, was er kriegen konnte.« Sie tat einen Zug aus der Zigarette. »Und das war nicht viel.«

»Aber er konnte die Wohnung halten.« Thane vollführte eine unbestimmte Geste. »Eine solche Wohnung kostet Geld.«

»Ted ist sparsam mit seinem Geld umgegangen.«

»Und Sie haben ihn auf einer Party kennengelernt. Wie kam es dazu?«

»Es war eine Verlobungsparty.« Sie biß sich auf die Unterlippe. »Das Mädchen war eine Krankenschwester, die ich kannte. Ted war der Freund ihres Verlobten. Wir – na ja, wir haben uns eben kennengelernt.«

Thane nickte verständnisvoll. »Sie sagten, er hätte Gelegenheitsarbeiten angenommen. Was waren das für Arbeiten?«

»Meistens hat er Lieferwagen gefahren. Er kannte ein paar Firmen – wenn dort mal einer krank wurde, haben sie ihn angerufen, und er ist eingesprungen.« Sie schaute auf ihre Zigarette, erhob sich abrupt und drückte sie in einem Aschenbecher aus, der auf einem Tisch in der Nähe stand. Dann drehte sie sich um und lächelte unsicher. »Ich rauche eigentlich gar nicht mehr. Das macht die alte Gewohnheit.«

»Ich versuche immer noch, damit aufzuhören.« Thane wartete, bis sie sich wieder gesetzt hatte. »Wenn er Sachen ausgefahren hat – arbeitete er da vielleicht auch für eine Video-Firma?«

»Ich –« Sie starrte ihn an, und in ihren Augen zeigte sich einen Moment lang etwas, das einer Panik nicht unähnlich war. »Warum fragen Sie?«

»Als er heute vormittag getötet wurde, hatte er Videokassetten bei sich«, sagte Thane. Allmählich wurde seine Stimme härter. »Waren die vielleicht für Sie bestimmt? Oder haben Sie eine Ahnung, wo sie herkommen?«

Das Mädchen gab keine Antwort. Dann, bevor er fragen konnte, ging die Tür auf. Thane stieß in Gedanken einen Fluch aus, als Sandra Craig hereinkam. Sie brachte ein Tablett mit zwei Tassen Tee, dazu Zucker, Milch und ein paar Kekse auf einem Teller.

»Da sind wir.« Sie stellte das Tablett auf den kleinen Tisch und schob ihn näher zu den beiden hin. Dann bemerkte sie Thanes Blick und verstand. »Entschuldigung. Ich lasse Sie wieder allein.«

Als sie gegangen war, gab Thane zum Tee in einer der Tassen einen Schuß Milch. Er wartete, bis sich Janice bedient und einen Schluck Tee getrunken hatte, dann versuchte er es noch einmal.

»Ich muß alles über diese Videokassetten wissen, Janice.«

»Aber warum?« fragte sie mit erschöpft klingender Stimme. »Er ist tot. Was haben die Kassetten noch für eine Bedeutung?«

»Für uns sind sie sehr wichtig.« Thane nahm seine Tasse in beide Hände. Er fühlte die Wärme der Flüssigkeit durch das dünne Porzellan. Was er jetzt tun mußte, war ihm alles andere als angenehm. »Ich muß Ihnen diese Fragen stellen.«

»Aber warum? Weil es Raubkopien waren?« Sie überraschte ihn durch den Zorn, mit dem sie reagierte. »Ja, Ted hat hier und da welche mitgebracht. Er – er kannte jemanden, der an so was rangekommen ist. Aber er hat sie Ted nicht verkauft, Superintendent. Es waren Geschenke. Er wußte, daß mein Bruder sie in seinem Geschäft brauchen konnte.«

»Ihr Bruder hat ein Geschäft?« Thane zog die Augenbrauen hoch.

»Ja.« Ihre Stimme klang gepreßt. »Mein Bruder John. Er hat einen Arm verloren, als sein Schiff von einer Rakete getroffen wurde und explodiert ist. Er hat also jetzt ein Geschäft. Er verkauft Zeitungen und Illustrierte – und nebenher hat er eine kleine Videothek.«

»Und Ted hat ihm gelegentlich ein paar neue Filme gebracht – umsonst, um ihm zu helfen.« Thane atmete tief ein. »Er muß doch irgend etwas darüber erzählt haben, wie er an die Kopien rangekommen ist.«

»Hab' ich doch schon vorhin gesagt. Also, mir hat er erklärt, daß er einen Freund hat, der die Kopien beschaffen kann. Und, wissen Sie, es gibt Dinge, danach fragt man lieber nicht.«

»Na schön.« Thane nickte und war ziemlich sicher, daß sie ihn nicht belog. »Wo arbeiten Sie, Janice?«

»Im Krankenhaus, im Royal Infirmary. Ich bin Operationsschwester und habe meistens Nachtdienst.«

»Also hatten Sie genügend Zeit, Ted tagsüber zu sehen.« Er schaute sich in dem Zimmer um, das so ordentlich aufgeräumt war, wie es für einen alleinstehenden Mann kaum typisch war; dabei bemerkte er, daß das ausgefranste Ende eines Vorhangs neu eingesäumt worden war und sah, wie das Tageslicht auf dem polierten Messing schimmerte. »Außer wenn er gearbeitet hat. Kennen Sie die Firmen, bei denen er diese Aushilfsjobs bekommen hat?«

»Nein.« Sie schüttelte den Kopf. »Ted hat gesagt, es sind kleine Firmen – Leute, die er mehr oder weniger kannte. Wir – nun ja, er hat nicht darüber geredet.«

»Und Sie haben sich nie gefragt, warum nicht darüber gesprochen wurde?«

»Natürlich«, antwortete sie zögernd. »Vielleicht habe ich geahnt, daß dabei etwas nicht ganz hasenrein war – aber mir war es wichtiger, daß es zwischen uns beiden gestimmt hat.«

Er glaubte ihr. Er stellte seine Tasse ab, erhob sich und blieb dann einen Augenblick lang stehen. Er hörte irgendwo draußen ein Kind schreien, und das Zimmer, in dem sie sich befanden, begann seltsamerweise eine kalte, leere Atmosphäre auszuströmen.

»Janice, ich möchte Ihnen einen guten Rat geben.« Er wartete, bis er sicher sein konnte, daß sie zuhörte. »So, wie Ted umgebracht wurde, wird darüber überall berichtet werden. Das bedeutet Reporter und Fotografen. Sie werden auch zu Ihnen kommen – das ist ihr Beruf, und Sie sind für die Medien das, was man ›menschliches Interesse‹ nennt.«

Sie nickte, sagte aber nichts.

»Die Reporter werden nichts von den Videokassetten wissen«, fuhr Thane fort. »Sagen Sie es ihnen nicht. Das macht die Sache leichter für Sie und Ihren Bruder – und auch für uns.«

»Wie Sie meinen.« Sie blickte zu ihm auf, Tränen in den Augen. »Ehrlich, es ist mir völlig egal, um was es da jetzt noch geht, Superintendent. Ich habe ihn geliebt.«

Thane ließ sie im Wohnzimmer zurück und ging wieder hinaus in die Diele. Sandra Craig erwartete ihn. Ihre Miene verriet, daß sie gelauscht hatte und ihr das, was sie dabei hörte, gar nicht gefiel.

»Nie so zuschlagen, daß es hinterher noch zu sehen ist«, erklärte er mit Sarkasmus. »Meinetwegen, dann bin ich eben brutal. Wie ist sie hergekommen?«

»Mit dem Bus und dann zu Fuß, Sir.«

»Kümmern Sie sich darum, daß sie nach Hause gefahren wird.« Er wartete, sah das halbverzehrte Sandwich, das Sandra noch in der Hand hatte, und verzog das Gesicht zu einem schiefen Grinsen. Die Antwort von Detective Constable Sandra Craig auf die meisten Probleme begann damit, daß sie sich etwas hinter die Kiemen schob. »Aber zuvor sollten Sie es noch mal mit ihr versuchen. Ich muß Namen wissen – die der Freunde von Douglas und seiner möglichen Kontaktleute.«

»Das wird ihr wenig Spaß machen«, erwiderte Sandra nachdenklich.

»Wem macht das schon Spaß«, konterte Thane.

Er fand Francey Dunbar in der kleinen, gut eingerichteten Küche.

»Glück gehabt?« fragte Dunbar. Er lehnte an der Kühl-Gefrier-schrank-Kombination und trank Tee aus einem Keramikbecher.

»Ein bißchen.« Thane entdeckte das Telefon, das neben dem Fenster an der Wand befestigt war. Er benützte ein Taschentuch, um den Hörer abzunehmen, wählte seine Privatnummer, aber niemand meldete sich. Thane zuckte mit den Schultern und hängte wieder ein. »Francey —«

»Sir?«

»Douglas war doch eigentlich arbeitslos. Wie schätzen Sie diese Wohnung ein?«

»Falsch.« Dunbar öffnete den Tiefkühlschrank und deutete auf den Inhalt. Die meisten Schubfächer waren gefüllt. »Nicht unbedingt das, was man sich unter dem Asyl eines armen Schluckers vorstellt. Wollen Sie mehr sehen, Sir?«

Thane nickte. Sie gingen ins Schlafzimmer, und Dunbar öffnete einen Kleiderschrank. Er enthielt mehrere Anzüge und dazu passende Hemden und Krawatten. Die Flasche Rasierwasser auf der Kommode war französischer Herkunft und nicht gerade billig.

»Geld oder Wertsachen?« fragte Thane.

»Ein paar goldene Manschettenknöpfe, einiges in bar, ein Sparbuch.« Dunbar zeigte sie Thane. »Alles, was er bei sich hatte, ist noch in Donaldhill.«

Die Manschettenknöpfe waren offensichtlich antik und wiesen eine Gravur mit Initialen auf; das Bargeld belief sich auf insgesamt zwanzig Pfund. Thane schaute sich das Sparbuch genauer an. Es wies eine Summe von etwas mehr als 200 Pfund auf. Die letzte Eintragung, eine kleine Summe war abgehoben worden, stammte aus einer Zeit vor über drei Monaten.

»Nun?« fragte er Dunbar.

»Bescheiden«, stimmte Dunbar betrübt zu. »Alle Rechnungen, die wir gefunden haben, tragen den Vermerk ›bezahlt‹. Aber woher er das Geld hatte —« Er zuckte mit den Schultern. »Ich sagte Ihnen schon, wir haben die Wohnung genauestens durchsucht, Sir. Was er auch gemacht hat – er bekam die Entschädigung dafür in bar auf die Hand, und er ist sehr sparsam und vorsichtig damit umgegangen.«

»So vorsichtig, daß er nicht einmal seiner Freundin darüber Auskunft gegeben hat.« Thane ging ans Fenster und sah hinaus. Der Blick war nicht gerade überwältigend; man schaute hinunter auf den Hinterhof. Es hatte wieder zu regnen begonnen. Das einzige Lebewesen draußen war ein großer schwarzer Bastardhund, der an einer Reihe von Garagen entlangschlich. Thane beobachtete den Hund ein paar Sekunden lang, dann drehte er sich um und zog die Stirn in Falten. »Hat Douglas eigentlich sein Motorrad dort unten irgendwo eingestellt?«

Dunbar nickte. »In einem der Garagenabteile. Ich habe es mit einem Kollegen vom Millside-Team überprüft. Aber – nun ja –« Er kaute an seinem Schnurrbart und ließ Verlegenheit erkennen, was für ihn recht ungewöhnlich war. »Wir haben eigentlich nur nach Videokassetten gesucht. Ich –«

Er folgte Thane zur Tür.

Draußen regnete es mittlerweile stärker. Die beiden Männer überquerten rasch den Hinterhof. Dunbar zog einen Schlüsselbund aus einer seiner Hosentaschen. Der schwarze Hund sprang auf sie zu, bellte sie an, während Dunbar die dritte Garage in der Reihe aufschloß, dann, als das Tor weit aufschwang, folgte er ihnen hinein.

Die nackten Ziegelwände und der Zementfußboden rochen nach Motorenöl, Auspuffgasen und Feuchtigkeit. Thane fand den Lichtschalter, eine Neonröhre an der Decke begann zuckend zu leuchten, und er schaute sich in der Garage um. Eine Werkbank und ein Werkzeugregal, ein paar Blechdosen und Kartons und mehrere schmierige Overalls, die an einem Haken hingen. Der Hund strich um Thanes Hosenbeine, winselte, und Thane bückte sich, um den Hund am Kopf zwischen den Ohren zu kraulen.

»Also?« Er warf Dunbar einen Blick zu, und die beiden Männer machten sich an die Arbeit.

Es gab nur eine Möglichkeit, die Kartons durchzusehen: Sie mußten ihren Inhalt ausleeren, und wenn sie eine Blechdose überprüfen wollten, mußten sie eine Probe ihres Inhalts nehmen. Nach einer Viertelstunde war der Boden der Garage übersät mit Schrauben, Bolzen und Motorrad-Ersatzteilen. Dunbar hatte sich sein Jackett mit Öl verschmiert und hatte Farbe an den Fingern. Thane hatte sich in den Finger geschnitten mit einer Rasierklinge, die in einer der Overalltaschen steckte. Er verklebte den Schnitt mit einem Pflaster, das er in einer anderen Tasche des Overalls gefunden hatte.

Der Hund hatte inzwischen seine wachsame Haltung aufgegeben

und schnüffelte interessiert. Nach kurzer Zeit begann er an der Ziegelwand zu kratzen, dort, wo die Overalls hingen.

»Hör schon auf«, sagte Dunbar mürrisch zu dem Tier. »Wenn du eine Ratte haben willst, ich gebe dir ein paar gute Adressen.«

Der Hund kratzte weiter. Dunbar schaute genauer hin, zog die Stirn in Falten, bückte sich, drückte den Hund mit den Ellbogen beiseite und klopfte mit den Knöcheln gegen die Wand. Dann schaute er sich um.

»Können Sie mir bitte einen Schraubenzieher oder so was Ähnliches reichen, Sir?«

Thane fand einen auf dem Werkzeugregal und gab ihn Dunbar. Vorsichtig versuchte dieser, den Mörtel aus der Fuge zwischen zwei Ziegeln zu kratzen, aber die Spitze des Schraubenziehers versank in weichem Material, und der Hund kam wieder näher und begann mit Begeisterung zu bellen.

»Verdammt, geh mir aus dem Weg«, brummte Dunbar ärgerlich.

Mit dem Schraubenzieher entfernte er den Kittrand von den zwei Ziegelsteinen. Dann benützte Dunbar den Schraubenzieher als Brechstange, und die Ziegel lösten sich. Er zog sie aus der Wand, scheuchte den Hund weg, langte in die entstandene Öffnung, tastete darin herum und zog ein kleines Paket heraus, das in Plastikmaterial gehüllt und mit einer Schnur verschnürt war.

Sie gingen damit hinüber zur Werkbank, schnitten die Schnur mit der Rasierklinge durch und wickelten das Paket auf.

»Halleluja«, entfuhr es Dunbar leise. »Das bekommt man bestimmt nicht von der Sozialfürsorge.«

Der Hund hatte seine Vorderpfoten auf die Werkbank gelegt, als Thane den Inhalt des Pakets ausbreitete.

Als erstes fiel ihr Blick auf einen britischen Reisepaß. Er war ausgestellt auf den Namen Paul Nord, aber das Foto zeigte eindeutig Douglas. Als nächstes kamen drei dicke Bündel mit Banknoten zum Vorschein, jedes mit einem Gummiband umwickelt.

Dunbar nahm eines der Bündel und wog es abschätzend in seiner Hand.

»Da dürfte jedes ungefähr tausend Pfund ausmachen«, schätzte er.

Thane nickte. Er betrachtete das, was sie noch zutage gefördert hatten und nun auf der Werkbank lag. Eine alte 38er Browning-Pistole mit gefülltem Magazin.

»He, ihr zwei!« rief plötzlich eine Stimme hinter ihnen. »Was macht ihr mit meinem Hund?«

Sie fuhren herum. Die Frau, die an der Tür stand, war klein, geradezu fett und Mitte dreißig. Sie trug einen bodenlangen Mantel und einen hellgrünen Hut aus wasserdichtem Material.

»Na, wird's bald?« Sie funkelte die beiden Männer an und kam einen Schritt aus dem Regen auf sie zu.

»Ist das Ihr Hund?« Thane trat ein paar Schritte vor, um ihr die Sicht auf die Werkbank zu versperren. »Er ist grade reingekommen – wahrscheinlich suchte er Gesellschaft.«

»Andrew ist ein Streuner.« Sie war noch immer argwöhnisch. »Aber heutzutage werden so oft Hunde gestohlen.«

»Ja, man kann gar nicht vorsichtig genug sein«, pflichtete ihr Dunbar bei. »Er heißt also Andrew, ja? Das ist ein guter Name für einen –« Jetzt brach er ab, schluckte und schaute an sich hinunter auf sein Hosenbein, das plötzlich naß geworden war, und auf die kleine Pfütze neben seinem Fuß.

»Das ist ungezogen, Andrew.« Die Frau kam noch ein paar Schritte näher und befestigte den Karabinerhaken einer Leine am Halsband des Hundes. Dann lächelte sie Dunbar an. »Aber das tut er nur bei Leuten, die er mag.«

»Wirklich nett von ihm«, sagte Dunbar mit Mühe.

»Ja, wenn man Hunde mag«, stimmte ihm die Frau zu.

Sie drehte sich um und ging davon, wobei der Hund neben ihr hertrottete. Dunbar fluchte leise, aber giftig.

»Wir sind ihm das schuldig«, sagte Thane milde.

Dann betrachtete er wieder prüfend ihren Fund. Ted Douglas war also jederzeit zur Flucht vorbereitet gewesen, und obendrein auch dazu entschlossen, wenn nötig, eine Schußwaffe zu tragen. Thane erinnerte sich an die Warnung von Jack Hart, als er ihm klarzumachen versucht hatte, worauf er sich bei diesem Fall einlassen mußte. Plötzlich hatte die Warnung viel an Realität gewonnen.

Sie nahmen Reisepaß, Geld und Pistole, schlossen, als sie gingen, die Garage hinter sich ab und kehrten zurück in das Apartment von Douglas. Als sie es betraten, stießen sie auf Sandra Craig in der kleinen Diele.

»Wir hatten zwei Anrufe«, sagte sie leise. »Der eine von der Kriminalpolizei im Revier Millside. Sie meinten, es würde Sie interessieren, daß sie den Namen von Douglas freigegeben haben – er wurde bereits von der östlichen Radiostation verbreitet.«

Thane verzog gequält das Gesicht. »Das mußte ja früher oder später passieren. Und der andere Anruf?«

»Das war merkwürdig.« Sie schaute die beiden Männer an und zuckte mit den Schultern. »Ich habe mich nur mit der Nummer gemeldet. Aber wer auch immer am anderen Ende der Leitung war, er hat nichts gesagt und sofort aufgelegt.«

»Entweder eine falsche Verbindung, ein Spaßvogel – oder jemand, der interessiert ist«, sagte Thane grimmig. »Was ist mit dem Mädchen?«

»Sie fängt jetzt, glaube ich, zu reden an, Sir.«

Thane nickte. »Versuchen Sie es noch ein bißchen weiter, und bringen Sie sie weg, bevor hier die Aasgeier von der Presse aufkreuzen. Fragen Sie sie, ob ihr der Name Paul Nord etwas sagt.«

Er wartete, bis die rothaarige Sandra Craig hinübergegangen war ins Wohnzimmer, dann wandte er sich an Dunbar.

»Sie bleiben noch eine Weile, Francey. Kümmern Sie sich um das, was man hier vielleicht noch herausfindet, und dann machen Sie Feierabend. Morgen früh geht es wieder los damit.«

»Ich überlege gerade«, sagte Dunbar langsam.

»Schon wieder?« fragte Thane mit steinerner Miene.

»Dieses Geld, und wie die ganze Geschichte plötzlich aussieht ...«, fuhr Dunbar beharrlich fort. »Vielleicht habe ich mich doch getäuscht. Es könnte eine oberfaule Geschichte sein.«

»Ja.« Thane wartete ein paar Sekunden, schniefte und schaute ihn dann nachdrücklich an. »Und noch etwas, Francey. Dieser Hund – ich fürchte, Sie fangen an zu stinken.«

Er ging, ehe sein Sergeant etwas erwidern konnte.

Kapitel

2

Die schottische Crime Squad wurde im Telefonbuch von Glasgow ohne eigene Nummer aufgeführt, lediglich als Nebenstelle des Polizeipräsidiums; auf diese Weise konnten unerwünschte Anrufe ausgefiltert werden. Tatsächlich aber war sie in mehreren bescheidenen

Gebäuden untergebracht, in der vergleichsweise zur Stadt stillen Abgeschiedenheit von Bäumen und Wiesen am Stadtrand südlich des River Clyde, nicht weit von der Schnellstraße M 8 entfernt.

Colin Thane nahm die Autobahnroute Richtung Süden über die Kingston Bridge mit dem einsetzenden abendlichen Rückflutverkehr. Es regnete noch immer, und der Fluß unter der Brücke sah kalt und verschmutzt aus. Ein riesiger Frachter hatte sich zu den Frachtkähnen gesellt, die an den Kais vor Anker lagen. Die meisten von ihnen, gleichgültig, unter welcher Flagge sie fuhren, lagen schon lange genug leer und unbeschäftigt dort unten, so daß sie zur gewohnten Szenerie gehörten. Auf einem von ihnen überwucherten schon Gras und Unkraut das Vorderdeck.

Solange sich die wirtschaftliche Lage nicht änderte, würde man sich damit abfinden müssen.

Thane näherte sich seiner Ausfahrt. Er wechselte die Spur, reihte sich in den langsameren Verkehr ein, bog kurze Zeit später in eine Zufahrt ein und passierte ein Tor in einem hohen Zaun. Das Tor bewachte ein Posten, und auf einem Schild war *Polizeiübungsgelände* zu lesen, was zumindest zum Teil stimmte. Die nächsten Nachbarn der Crime Squad waren die berittene Bereitschaftspolizei von Strathclyde und das Hunde-Ausbildungszentrum des Präsidiums.

Aber sowohl Tiere wie Menschen schienen den Beschluß gefaßt zu haben, daß es zu naß war, um sich im Freien aufzuhalten. Alles lag wie ausgestorben da, als Thanes Ford durch die Pfützen zum Parkplatz der Crime Squad pflügte. Thane hielt direkt vor dem Gebäude, in welchem das Hauptquartier untergebracht war, da er wußte, daß die Überwachungskameras ohnehin bereits seine Ankunft registriert hatten. Er stieg aus, eilte durch den strömenden Regen auf die Eingangsglastüren zu, trat ein und blieb im hellerleuchteten Foyer kurz stehen, um sich die Wassertropfen aus dem Gesicht zu wischen.

»Haben Sie keinen Mantel?« fragte eine Frauenstimme.

Er mußte lachen. Maggie Fyffe, die Sekretärin des Chefs, stand auf der anderen Seite des Empfangs. In mittleren Jahren und sehr schick angezogen, war sie nicht gerade die typische Witwe eines Polizisten, und sie wußte zumindest ebensogut Bescheid über das, was sich hier abspielte, wie alle anderen.

»Ich gehöre zu denen, die man tropfnaß aufhängen muß, Maggie.«

Er zeigte auf das still vor sich hin tackernde Telexgerät, das neben ihrem Ellbogen stand. »Viel zu tun?«

»Sie wissen genau, daß ich hier nicht zum Vergnügen herumsitze«, antwortete sie gespielt mürrisch. »Und Sie sind schuld daran – wenigstens zum Teil.«

Sie blickte lächelnd zwei Constables nach, die mit eingezogenen Köpfen hinausgingen in den strömenden Regen. Thane nickte ihnen zu, als sie an ihm vorüberkamen. Unrasiert und in Overalls machten sie sich an die Arbeit, einen Ring von Autodieben zu sprengen, der eine rund um die Uhr geöffnete Werkstatt als seriöses Aushängeschild benützte. Und der Besitzer ließ es zu, weil er nicht riskieren wollte, daß man ihn unter Druck setzte oder ihm sämtliche Knochen im Leib brach.

»Ist Commander Hart in seinem Büro, Maggie?« fragte Thane.

»Er wartet auf Sie«, bestätigte sie. »Sie können gleich hineingehen.«

»Gut.« Er langte nach dem Hörer des Telefons, das auf der Empfangstheke stand. »Darf ich mal kurz telefonieren?«

»Aber machen Sie's wirklich kurz«, ermahnte ihn Maggie Fyffe. »Er ist in einer miserablen Laune.«

Thane lächelte sie an und wählte wieder seine Privatnummer. Es läutete am anderen Ende, und diesmal ging jemand an den Apparat.

»Sie ist nicht hier«, sagte die Stimme seiner Frau.

»Dann muß ich eben mit dir vorliebnehmen«, erwiderte Thane freundlich. »Was geht denn da vor?«

»Ach, du bist es.« Mary Thane lachte. »Entschuldige. Ich bin seit zehn Minuten zurück und habe bereits vier Anrufe für Kate erhalten.«

Es sind die Teenager, dachte Thane, die den Telefongesellschaften aus den roten Zahlen helfen.

»Ich bin zurück aus Tulliallan«, erklärte und wußte genau, daß sich Maggie Fyffe für den Inhalt seines Gesprächs brennend interessierte. »Aber Jack Hart hat noch eine Besprechung anberaumt. Es könnte später werden.«

»Sag ihm, er kann –« Sie brach ab und seufzte. »Wann kommst du frühestens weg?«

»In einer Stunde«, sagte er hoffnungsvoll. »Wenn nötig, durchs Fenster. Es bleibt dabei, wir gehen zum Essen aus. Ich habe schon versucht, dich anzurufen.«

»Ich habe beim Friseur unter der Trockenhaube gesteckt«, erklärte sie. »Weißt du, ich wollte mich ein bißchen verschönern lassen – also vergiß nicht, mir zu sagen, daß es dir gefällt.«

Thane lachte, verabschiedete sich und legte auf. Maggie Fyffe hatte sich nicht von der Stelle bewegt.

»Ein Problem?« fragte sie jetzt voller Mitgefühl.

»Das Wort lautet Hochzeitstag«, erklärte Thane.

»Dann sehen Sie zu, daß Sie weiterkommen.« Sie zog die Stirn in Falten und schubste ihn ein Stück in Richtung Korridor. »Bei mir vergeuden Sie nur kostbare Zeit.«

Thane ging den Flur entlang und blieb vor einer Tür mit der Aufschrift *Commander* stehen, wo er auf einen Klingelknopf drückte. Neben dem Knopf leuchtete auf einem Schirm das grüne *Herein* auf. Thane öffnete die Tür und trat ein.

Jack Harts Büro war ein großer Raum, mindestens doppelt so groß wie Thanes Büro, und als Leiter der Spezialeinheit genoß er auch das Privileg eines Teppichbodens. Als Thane das Büro betrat, saß Hart an seinem Schreibtisch und legte gerade den Hörer des Telefons auf: ein Mann Ende Vierzig mit faltigem Gesicht, traurig blickenden Augen und schütter werdendem grauem Haar. Jetzt lehnte er sich zurück und begrüßte Thane mit einem Kopfnicken.

»War auch langsam Zeit«, erklärte er abrupt. »Machen Sie die Tür zu, suchen Sie sich einen Stuhl, und begrüßen Sie unseren Gast.« Er deutete auf den Mann, der ihm gegenüber am Schreibtisch saß. »Das ist John La Mont, unser Experte, der soeben aus London eingetroffen ist.«

»Wir haben über Sie gesprochen, Superintendent.« La Mont erhob sich und lächelte, als sie sich die Hände schüttelten. Er sprach mit deutlichem kanadischen Akzent und war Mitte Dreißig – ein Hüne von einem Mann mit lockigem braunem Haar, einem gepflegten Bart und scharfen, hellen Augen. »Ich arbeite als Sonderberater bei der Dachorganisation der Film- und Videoproduzenten.« Dabei schaute er Thane etwas merkwürdig an. »Sie haben noch nie von uns gehört, nicht wahr?«

»Nicht bis jetzt«, gestand Thane ein, holte sich einen Stuhl und stellte ihn neben den Besucherstuhl, auf dem La Mont saß.

»Außerhalb der Filmindustrie ist das nichts Ungewöhnliches.« La Mont ließ sich nicht aus dem Konzept bringen. Wie Hart trug auch er einen dunkelblauen Anzug, aber der Kanadier kombinierte ihn mit einem weißen Rollkragenpullover und knöchelhohen Wildlederstiefeln; außerdem trug er eine dünne Goldkette um den Hals. Er lehnte sich zurück, die Beine übereinandergeschlagen, und zuckte mit den Schultern. »Wir stehen auf der Seite der Guten, Superintendent. Wir behüten das Urheberrecht und versenken ›Piraten‹ auf beiden Seiten des Atlantiks, und inzwischen auch in ganz Europa.«

»Mr. La Mont wird uns mit Informationen über technische Besonderheiten und Hintergrundmaterial unterstützen«, betonte Hart. Sein Gesicht blieb ausdruckslos. »Mr. La Mont ist sich über seine – äh – seine Kompetenzen im klaren.«

»Die haben uns Leute wie Sie oft genug buchstabiert«, erwiderte La Mont unbekümmert. Dann blinzelte er Thane zu. »Und das ist mir auch ganz recht so, Superintendent. Fragen Sie nicht mich, wenn jemand den Eindruck haben sollte, ich sei hier, um mir den Schädel einschlagen zu lassen. Ich bin eher ein friedfertiger Typ.«

Thane war nicht sicher, ob er es auch wirklich meinte. La Mont kam ihm vor wie einer, der das, was er wollte, mit allen Mitteln zu erreichen versuchte – notfalls auch mit dem Kopf durch die Wand.

Harts Büro sah so aus, als habe La Mont bereits einen ersten Versuch dazu gestartet. Der Schreibtisch war buchstäblich bedeckt mit Videokassetten. Die Vorhänge an den Fenstern waren zugezogen. Ein Klapptisch war neben dem Schreibtisch aufgestellt worden, darauf standen ein Fernsehmonitor und zwei Videorecorder, und dazwischen schlängelte sich ein Gewirr von Kabeln.

»Wir haben gearbeitet«, sagte Hart, als er Thanes Blick bemerkte. »Mr. La Mont scheint ein Mann zu sein, der für Überraschungen gut ist.«

La Mont wehrte ab. »Ich bin Rechtsanwalt und habe mich auf Urheberrecht spezialisiert, Superintendent. Daneben kenne ich mich ein bißchen mit den einfacheren Tricks in der Elektronik aus.« Er nahm eine der Videokassetten in die Hand und schüttelte dazu bedauernd den Kopf. »Vielleicht hätte ich ganz gewöhnlicher Rechtsanwalt werden sollen. Die Körperschaft, für die ich jetzt tätig bin, repräsentiert derzeit keineswegs eine heile Welt, wegen dem da. Haben Sie schon gesehen?«

Thane schüttelte den Kopf und nahm die Kassette aus der Hand des Kanadiers entgegen. Sie steckte in einer schwarzen Plastikhülle und war mit einem Aufkleber *Der Baum zum Hängen* versehen.

Spuren von grauem Puder ließen darauf schließen, daß die Kassette auf Fingerabdrücke hin untersucht worden war.

»Kennen Sie den Hintergrund?« fragte La Mont.

»Nur in großen Zügen«, gestand Thane.

»Dann lassen Sie mich Ihnen genauere Informationen geben«, sagte La Mont ohne große Begeisterung. »Um damit zu beginnen: Eine autorisierte Videofassung dieses Films wird frühestens nächstes Jahr auf dem Markt sein. Der Film selbst wird erst in drei Monaten in Europa uraufgeführt, und zwar anläßlich einer Galavorstellung in Anwesenheit der Königin, von Prinz Charles und Prinzessin Di. Mit anderen Worten: eine Premiere, wie sie im Buche steht.« Er stieß einen Laut des Unwillens aus. »Aber bis dahin wird mindestens ein Viertel der Bevölkerung Großbritanniens den Film bereits zu Hause gesehen haben.«

»Und bis dahin hat jemand das große Geld schon gemacht?« vermutete Thane.

»Ein paar Millionen.« La Mont bemerkte, daß Thane ihn ungläubig anschaute. Er nahm die Kassette zurück. »Ich meine es im vollen Ernst, Superintendent. Als nächstes werden sie den Film in anderen Sprachen synchronisieren –«

»Worum sich dann auch jemand anders kümmern soll«, unterbrach ihn Hart. »Bleiben wir bei dem, was wir momentan vor uns haben. Diese Raubkopie ist sonst noch nirgends aufgetaucht –«

»Das ist nur eine Frage der Zeit«, erklärte La Mont düster. »Morgen oder übermorgen. Ich weiß es.«

»Ich nicht – noch nicht.« Hart schnitt ihm stirnrunzelnd das Wort ab und wandte sich an Thane. »Was gab's in der Baron Avenue?«

Thane schüttelte den Kopf. »Nicht viel.«

Er schilderte ihnen kurz das Apartment, berichtete von dem Mädchen und davon, was er und Dunbar in der Garage gefunden hatten. Als er geendet hatte, schien La Mont nicht sonderlich beeindruckt zu sein.

»Wir müssen, glaube ich, bei diesen gelegentlichen Lastwagenfahrten ansetzen«, erklärte er und schlug wie zur Bekräftigung mit der Hand auf den Schreibtisch. »Besorgen Sie sich die Namen der Auftraggeber, besorgen Sie sich –« Er bemerkte Harts Miene und brach schuldbewußt ab. »Entschuldigung.«

»Guter Rat ist uns stets willkommen.« Hart verstand es deutlich zu machen, daß er das Gegenteil davon meinte.

Die Gegensprechanlage auf dem Schreibtisch summte. Er drückte auf die Antwort-Taste, eine Stimme war undeutlich zu hören, und Hart schaute erleichtert auf.

»Schicken Sie es her«, sagte er kurz. Dann ließ er die Taste los und wandte sich wieder an La Mont. »Wir sind soweit wohl fertig, glaube ich. Aber vielleicht können Sie Thane noch von den anderen Kassetten berichten, die in der Baron Avenue gefunden worden sind?«

»Das ist schnell geschehen.« La Mont zuckte mit den Schultern und zeigte geringes Interesse. »Eine Sammlung bestehend aus Kopien von Fernsehsendungen, ein oder zwei rechtmäßige Kopien, der Rest Raubkopien. Nichts, was ich nicht schon zuvor gesehen hätte, Gott sei Dank. Aber *Der Baum zum Hängen* ist auch mehr als genug.«

Sie vernahmen ein zaghaftes Klopfen an der Bürotür, dann wurde sie geöffnet. Der untersetzte Detective Constable, der eintrat, hieß Joe Felix, ein fähiger Beamter in mittleren Jahren, mit dem Thane oft zusammenarbeitete. Außerdem war er einer der Spezialisten der Squad für technische Probleme und Überwachungen.

»Hallo, Sir.« Er grinste Thane an, schloß die Tür und trat mit zwei Videokassetten in der Hand an den Schreibtisch. Dann sah er Hart an. »Gleich, Commander?«

Hart nickte, und Felix ging zu dem Klapptisch hinüber. Er legte in jeden der Videorecorder eine der Kassetten ein und betätigte ein paar Schalter.

»Bei vierzehn Minuten«, sagte La Mont.

»Vierzehn Minuten und siebzehn Sekunden«, verbesserte ihn Felix, ohne von seiner Tätigkeit aufzuschauen.

»Wenn Sie meinen.« La Mont lachte.

»Für den Fall, daß es Sie verwundert, Colin: Ich selbst habe davon bisher auch nur gehört«, warf Hart ein. Er schwang seinen Sessel herum, so daß er die beiden Bildschirme im Blickfeld hatte. »La Mont und Felix haben nur zu zweit damit herumgespielt.«

La Mont gab ein Zeichen, und Felix drückte einen Schalter. Sofort wurden auf dem rechten Bildschirm undeutliche Konturen sichtbar, während das Band im Suchlauf weitertransportiert wurde. Man hörte nichts als das Geräusch der Spulen.

»Jetzt kommt es gleich«, sagte Felix.

Er drückte einen anderen Schalter. Die Bilder auf dem Schirm zitterten, und die Spulen liefen mit normaler Geschwindigkeit. Das Bild wurde deutlich: eine Nachtszene. Ein Wagen mit aufgeblendeten Scheinwerfern fuhr durch eine schmale Allee.

»Beobachten Sie die rechte obere Ecke«, sagte La Mont leise. »Zwei weiße Flecken, einer nach dem anderen.«

Kurz darauf erschien ein kleiner weißer Fleck wie ein leichter Materialfehler in der rechten oberen Ecke und verschwand sofort wieder. Der bullige Kanadier begann leise zu zählen, und nach ein paar Sekunden wechselte die Szene. Ein Mädchen starrte direkt in die Kamera. Ihr Gesicht drückte Angst aus; sie tat ein paar Schritte vorwärts, dann öffnete sie den Mund zu einem stummen Entsetzensschrei. Plötzlich füllte ihr Gesicht den ganzen Bildschirm aus – und wieder erschien ein weißer Punkt in der rechten oberen Ecke, genau wie zuvor.

»Das ist es«, sagte La Mont geradezu fröhlich.

Joe Felix stoppte das Band, so daß das Gesicht des Mädchens und der weiße Punkt stehenblieben.

»Interessant«, warf Hart ein.

»Wollen Sie es noch mal sehen, Sir?« fragte Felix. »Ich habe den Abschnitt kopiert.«

Hart nickte. Der Bildschirm des anderen Monitors wiederholte in Zeitlupe die letzten zwanzig Sekunden, einschließlich des weißen Punkts.

»Wir bezeichnen sie als Schlüsselpunkte«, erklärte La Mont. Er stand auf und ging zu den Monitoren hinüber. »Sie befinden sich in jedem Film. Die Kopieranstalten fügen sie dem Originalfilm bei – sie sind ein Signalsystem, das einen Szenenwechsel anzeigt oder dem Vorführer sagt, daß er die Spulen wechseln muß.« Er strich sich mit der Hand über das bärtige Kinn. »Die Leute, die das Geld für den *Baum zum Hängen* zur Verfügung gestellt haben, wußten, daß man versuchen würde, von dem Film Raubkopien anzufertigen. Sie haben viel Geld aufgewendet, um dies mit Hilfe eines besonderen Sicherungssystems zu verhindern. Aber für den Fall, daß es dennoch passierte, haben sie sich etwas Neues einfallen lassen: einen zusätzlichen Schlüsselpunkt, einen, der eigentlich nicht da sein sollte und der sich auf jeder Kopie an einer anderen Stelle befindet.«

Hart zog die Stirn in Falten. »Damit Ihre Leute jenseits des Atlantiks feststellen können, von welcher Kopie die Raubkopie stammt?«

La Mont nickte. »Genau das ist es, Commander. Es gibt nicht sehr viele Kopien, und jeder, der eine in die Hand bekam, ist uns bekannt. Man wird schließlich einen Vorführer ausfindig machen oder jemanden in einem Filmtheater, der gut genug bezahlt wurde, daß er die Filmdosen über Nacht zum Kopieren herausgeschmuggelt hat.«

»Und – hilft uns das weiter?« fragte Thane knapp.

»Vermutlich nicht«, räumte La Mont ein. Er zögerte, blickte Thane an und zuckte dann mit den Schultern. »Hören Sie, die Leute, die hinter solchen Geschäften stecken, hinterlassen keine Visitenkarten. Ich spreche von organisiertem Verbrechen, von Mafia-Verbindungen und allem möglichen.« Er schaute Thane erneut ernst an. »Ich sage das nicht zum Spaß. Immerhin können wir über dieses Sicherungssystem dafür sorgen, daß jemand ins Gefängnis wandert, und vielleicht haben wir auf diese Weise wieder ein Leck gestopft.«

»Aber nicht hier«, sagte Thane nachdenklich.

»Stimmt.« La Mont verzog bitter das Gesicht. »Auf dieser Seite des Atlantiks war die Operation vermutlich auf die üblichen Verfahrensweisen beschränkt: Ein Kurier fliegt nach London mit einer Videokopie in seinem – oder vielleicht auch in ihrem Koffer. Die Kopie wird übergeben. Die Videopiraten arbeiten an ihren Kopiergeräten und mit ihrem Verteilersystem ... Verdammt, einige davon haben sogar schon Starttermine für Großbritannien bekanntgegeben.« Er zuckte mit den Schultern. »Es ist anzunehmen, daß mindestens ein halbes Dutzend größere Unternehmen auf diese Weise tätig ist, doch es ist uns bisher nicht gelungen, auch nur einem davon in die Nähe zu kommen.«

Jack Hart schwieg und ordnete die Kassetten, die vor ihm lagen, zu einem Stapel, bevor er sie über den Schreibtisch schob.

»Sie wollten sich diese hier ausleihen. Und was ist mit den Geräten?«

»Ja, also –« La Mont warf einen Blick auf Felix.

»Das kann ich organisieren, Sir«, meinte Felix zuversichtlich.

»Aber ich brauche etwas Zeit.« La Mont trat an den Schreibtisch heran und nahm die Kassetten an sich. »Lassen Sie es mich wissen, wenn etwas passiert?«

»Ja«, versprach Hart.

Joe Felix begleitete den Kanadier hinaus, und Hart lehnte sich erleichtert in seinem Sessel zurück.

»Nun hat er erst einmal was zu tun«, sagte er erschöpft. »Und wie sieht es bei Ihnen aus?«

»Es könnte sein, daß wir noch was aus dieser Janice Darrow herausbekommen.« Thane wartete und schüttelte dann den Kopf. »Aber ich erwarte mir nicht sonderlich viel davon.«

»Bis jetzt ist sie so ungefähr alles, was wir überhaupt haben«, erinnerte ihn Hart. Dann warf er einen Blick auf seine Armbanduhr. »Ich werde ein paar von unseren Nachtschichtleuten abkommandieren. Sie sollen versuchen ein paar Hintergrundinformationen zu bekommen. Diese Aushilfsjobs von Douglas, Namen, alles, was sonst auftauchen könnte. Das andere …« Er schaute Thane direkt an und lächelte verschmitzt. »Das hat mir Maggie durchgegeben. Sie hat mir verboten, Sie allzu lange aufzuhalten, und mir auch verraten, warum. Also ab mit Ihnen. Es gibt nichts, was nicht bis morgen früh warten könnte.«

»Danke.« Thane stand rasch auf.

»Nur eines noch.« Hart rief ihn zurück, als er schon an der Tür war. »Wie ist es in Tulliallan gelaufen?«

»Ich versuche, es zu verdrängen«, sagte Thane mit schiefem Grinsen.

Hart lachte und scheuchte ihn mit einer Handbewegung hinaus.

Maggie Fyffe war noch am Empfang im Foyer. Thane kam ein Gedanke, als er sie sah, und ging zu ihr hinüber.

»Maggie, wegen dieses Seminars in Tulliallan«, sagte er sanft. »Hat Ihnen irgendwer gesagt, daß Debby Kinster dort sein würde?«

»Ja.« Sie schaute ihn unschuldig an. »Commander Hart hat es gewußt. Sie hat ihn angerufen, und die beiden haben sich eine Weile unterhalten. Warum?«

»Ach, nichts.« Thane fluchte in Gedanken, verwünschte alle weiblichen Reporter und sadistischen Commander, dann ging er hinaus zu seinem Wagen.

Es hatte aufgehört zu regnen, und die Straßen begannen bereits während der Zwanzig-Minuten-Fahrt nach Hause abzutrocknen. Nirgends standen mehr Pfützen, als er den Ford in die schmale Einfahrt vor seinem Haus lenkte.

Sein Heim war ein kleiner Bungalow in einer Vorstadtstraße, wo jedes Haus mit dem seiner Nachbarn beinahe identisch war, einschließlich der Hypotheken. In seinem letzten Sommerurlaub hatte er das Holz frisch lackiert, aber alle Nachbarn schienen gepflegtere Gärten zu haben als er. Als er aus dem Wagen stieg, sah er das Unkraut schon wieder wuchern, und gab dem am nächsten stehenden Büschel einen schuldbewußten Fußtritt.

Eine Frau, die auf der Straße vorüberging, schaute Thane an und wandte sich dann rasch ab, wobei sie ihre Schritte beschleunigte. Sie wohnte am anderen Ende der Straße, und bei ihr war in der vergangenen Woche eingebrochen worden. Daraufhin hatte sie Thane klargemacht, daß es seine persönliche Pflicht gewesen wäre, den Einbruch zu verhindern.

Thane lachte leise, nahm das Päckchen in Geschenkpapier an sich, schloß den Wagen ab und bemerkte dann, daß die Haustür bereits offenstand. Mary küßte ihn inniger als sonst, bevor sie ihn einließ.

»Meine besten Wünsche zu unserem Hochzeitstag.« Er überreichte ihr das Geschenk, dann fiel es ihm wieder ein. »Deine Frisur gefällt mir.«

Er wußte nicht genau, was anders daran war; sie trug das blaue Kleid, das er so gern mochte, und die silberne Brosche, die er ihr zu Weihnachten geschenkt hatte. Mary Thane war eine schlanke, attraktive, dunkelhaarige Frau. Sie hatte noch immer eine Figur, die es kaum glaublich erscheinen ließ, daß sie zwei Kinder im Teenager-Alter hatte, und soweit Thane das beurteilen konnte, hatte sie sich auch sonst nicht verändert.

»Soll ich es gleich aufmachen?« Sie tastete vorsichtig das Päckchen ab.

»Nicht hier.« Er machte die Tür hinter sich zu und folgte ihr ins Wohnzimmer. Clyde, der Boxerhund, stürmte auf ihn zu und wedelte mit seinem Stummelschwanz, dann kehrte er zu seinem Platz auf dem Teppich vor dem offenen Kamin zurück. Thane schaute zu, wie Mary das Päckchen öffnete, und räusperte sich verlegen. »Du kannst es – äh – umtauschen, haben sie gesagt.«

»Ich –« Sie brach ab, stieß einen unterdrückten Freudenschrei aus, dann drehte sie sich entzückt um und hielt sich das spitzenbesetzte, rosa Negligé an die Schultern. »Umtauschen? Ich finde es bezaubernd.«

»Gut.« Thane lächelte erleichtert. »Aber sie hatten auch eines in schwarz, sehr sexy –«

»Ich sagte doch, ich finde es wunderschön. Und weil wir gerade von schönen Dingen reden – ich liebe dich.« Mary legte das Negligé beiseite, umarmte ihn, trat dann einen Schritt zurück und runzelte scherzhaft die Stirn. »Das heißt – findest du, ich habe schwarze Spitze nötig?«

»Nein.« Er schüttelte entschieden den Kopf.

»Du brauchst es nur zu sagen.« Dann deutete sie auf die Anrichte. »Die sind auch gekommen.«

Er ging hinüber zu dem halben Dutzend Rosen, die in einer Kristallvase arrangiert waren. Auf der Karte stand ›Von Tommy und Kate‹. Kate hatte die Karte geschrieben, und die Blumen mußten ein gehöriges Loch in ihr Taschengeldbudget gerissen haben. Thane lächelte, dann erst wurde ihm klar, daß die beiden jungen Thanes längst von der Schule hätten zurücksein müssen.

»Wo sind sie eigentlich?« fragte er.

»Ausgegangen.« Mary schaute ihn unschuldig an. »Ich habe gesagt, sie können bei Freunden übernachten.«

»Hast du?« Thane nickte ernst. »Das wird ihnen Spaß machen.«

»Sie hatten jedenfalls nichts einzuwenden.« Mary Thane sah, wie sein Grinsen breiter wurde, dann schüttelte sie energisch den Kopf. »Ich habe Hunger. Du hast versprochen, daß wir zum Essen ausgehen.«

Sie aßen in einem italienischen Restaurant, wo die Speisen und der Wein gut waren, die Bedienung ausgezeichnet und die Rechnung in Grenzen blieb. Thane hatte sich einen Ecktisch reservieren lassen, etwas abseits von der kleinen Tanzfläche und der Band.

Trotzdem war es noch nicht Mitternacht, als sie nach Hause fuhren.

In den frühen Morgenstunden klingelte das Telefon, das auf dem Nachttisch stand. Thane wachte auf, tastete nach dem Hörer und schaute zugleich auf das Leuchtzifferblatt des Weckers, der neben dem Telefon stand. Die Zeiger standen auf 5.30 Uhr, und er hörte, wie Mary einen schläfrigen Protest murmelte, als er den Hörer an sein Ohr drückte.

»Thane«, sagte er mürrisch.

»Kriminalbüro Millside«, antwortete eine etwas ängstlich klingende Stimme am anderen Ende der Leitung. »Tut mir leid, Sie zu stören.«

»Das hilft mir.« Thane unterdrückte ein Gähnen. »Aber nicht viel. Mit wem spreche ich?«

»Detective Constable Harris, Sir. Ich bin – äh – ich bin neu hier, das heißt, ich war noch nicht da, als Sie bei uns gearbeitet haben.« Der Mann am anderen Ende schien Sinn zu haben für Sarkasmus in den frühen Morgenstunden. »Wir dachten, es interessiert Sie, daß in der Wohnung von Douglas in der Baron Avenue eingebrochen worden ist.«

»Wann?« Thane stützte sich auf die Ellbogen auf.

»Das können wir noch nicht genau sagen. Aber in der Wohnung ist wirklich das Unterste zuoberst gekehrt worden, und die Einbrecher haben auch die Garage aufgebrochen.« Harris machte eine Pause. »Wir können noch nicht sagen, ob etwas fehlt.«

»Ich komme hin.«

Thane legte auf, fluchte leise und schaltete die Nachttischlampe ein. Mary hatte sich tiefer unter die Decke vergraben, und als er sie ansprach, murmelte sie nur und schlief gleich danach weiter.

Er stand auf und zog sich leise an, dann ging er hinunter in die Küche, wo ihn der Hund argwöhnisch von seinem Korb aus beobachtete, während sich Thane eine Tasse Kaffee bereitete. Er kritzelte ein paar Sätze für Mary auf einen Zettel und lehnte ihn gegen die Kaffeedose. Dann nahm er seine Schaflederjacke vom Haken in der Diele und ging hinaus zu seinem Wagen.

Es war ein kalter Morgen, noch dunkel, und nichts rührte sich im Licht der Straßenbeleuchtung. Thane wischte mit dem Jackenärmel den leicht angefrorenen Tau von der Windschutzscheibe, bevor er einstieg. Als er hinterm Lenkrad saß, startete er den Motor und ließ ihn danach eine Weile im Leerlauf drehen, während er sich eine Zigarette anzündete. Dann schaltete er die Scheinwerfer ein, legte den Gang ein und fuhr los.

Es berührte ihn seltsam, als er an dem Haus in seiner Straße vorüberkam, wo vor kurzem eingebrochen worden war. Obwohl er so leise wie möglich fuhr, würde die Frau, die dort wohnte, sich vermutlich dennoch beschweren, er habe sie aus dem Schlaf gerissen.

Es war eine Zwanzig-Minuten-Fahrt durch eine Stadt, die gerade die ersten Lebenszeichen von sich zu geben begann. Hier und da ein erleuchtetes Fenster, ein paar Nachtschichtarbeiter, die nach Hause gingen, und die ersten Fahrzeuge des Tages, überwiegend Lastwagen, die die Zeitungen ausfuhren.

Thane erreichte die Baron Avenue kurz nach sechs Uhr. Vor dem Wohnblock, in dem sich das Apartment von Douglas befand, parkten zwei Wagen der Polizei, und Thane stellte seinen Ford dahinter ab. Als er ausstieg, verließ ein Mann einen der beiden anderen Wagen und kam auf ihn zu.

»Hallo, Sir«, sagte er mit leicht amüsiertem Ton. »Tut mir leid, daß man Sie so früh aus dem Bett geholt hat.«

»Gehen Sie zum Teufel, Beech«, erwiderte Thane trocken. Detective Constable Beech war schon zu seinen Zeiten ein junger, liebenswürdiger Dorn im Fleisch der Kriminalbereitschaft von Millside gewesen. Nach seinem Grinsen zu urteilen, hatte er sich nicht geändert. »Wer ist sonst noch da?«

»Chief Inspector Andrews ist oben. Er ist erst vor ein paar Minuten angekommen, und er wirkt nicht allzu glücklich.«

»Sein gutes Recht«, antwortete Thane. Andrews hatte die Leitung der Außenstelle übernommen und von Beginn an klargemacht, daß er der neue Besen war, der sich nicht im geringsten darum kümmerte, wie der alte gekehrt oder besser, angeordnet hatte. »Ist jemand hinter dem Haus, bei den Garagen?«

Beech nickte.

»Na, dann gehe ich mal rauf und rede mit Ihrem Chef.« Thane blieb noch einen Augenblick stehen. »Wie geht es Ihren Zwillingen?«

»Die kriegen gerade Zähne«, antwortete Beech. »Ich bin froh, daß ich für die Nachtschicht eingeteilt bin.«

Thane grinste und ging hinein ins Haus. Als er das Apartment von Douglas erreichte, stand die Tür offen – das heißt genauer, sie lag in der Diele auf dem Boden. Gesplittertes Holz am Türrahmen bewies, daß sie mit Gewalt eingedrückt worden war.

Drinnen brannte Licht, und ein uniformierter Constable stand in der Diele, grüßte und deutete auf den Wohnraum. Thane ging an ihm vorbei, blieb dann stehen und stieß einen leisen Pfiff aus.

Das Wohnzimmer war ein einziges Chaos. Die Schubladen waren auf den Boden ausgeleert, die Polster aus den Sesseln gerissen worden, und der Inhalt des Geschirrschranks lag zertrümmert überall verstreut.

»Der Rest der Wohnung sieht nicht anders aus«, sagte Chief Inspector Andrews, ein großer, magerer Mann, der so aussah, als schlafe er noch halb. Über dem dicken Pullover, den er trug, schaute der Kragen seiner Pyjamajacke heraus. Andrews kam herüber und runzelte die Stirn. »Hatten Sie mit so etwas gerechnet, Superintendent?«

»Nein«, antwortete Thane. »Nein, wirklich nicht.«

»Und uns hat man nicht beauftragt, das Apartment zu bewachen«, fuhr Andrews fort.

»Stimmt.« Thane blickte ihn mit unbewegter Miene an.

»Trotzdem fürchte ich, daß es nicht gut aussehen wird, Sir.« Andrews besaß nicht genügend Fingerspitzengefühl, die Sache auf sich beruhen zu lassen. Die Falten auf seiner Stirn vertieften sich, während er auf das Durcheinander deutete. »Die Wohnung eines Ermordeten total verwüstet – also, mir gefällt das nicht.«

»Ich bin auch nicht gerade glücklich darüber«, erwiderte Thane knapp.

Andrews schniefte. »Aber das hier ist zufällig mein Zuständigkeitsbereich, Sir. Ihre Leute sind heute hier und morgen woanders – das ist der Unterschied.«

Der Constable draußen in der Diele schaute dezent in eine andere Richtung, lauschte dem Gespräch aber zweifellos. Thane ging zur Wohnzimmertür, schloß sie mit Nachdruck und wandte sich dann wieder an den Leiter der Außenstelle Millside.

»Tun Sie mir einen Gefallen, Andrews«, sagte er leise, und seine Stimme klang dabei kalt und gleichgültig. »Hören Sie auf zu jammern, als ob Sie sich in die Hose gemacht hätten. Das hilft uns auch nicht weiter.«

Andrews richtete sich steif auf und errötete. »Bei allem Respekt, Sir –«

»Den Respekt können Sie sich schenken. Wir kommen beide ohne aus«, schnitt ihm Thane das Wort ab. »Berichten Sie mir lieber, was passiert ist – oder was wir darüber wissen.«

»Der Constable, der hier Streife geht, hat festgestellt, daß die Tür mit Gewalt geöffnet worden ist«, sagte Andrews schmollend. »Sein Einsatzleiter hat ihm aufgetragen, ein Auge auf die Wohnung zu werfen, wegen der Publicity, wie er meinte.«

»Zur Abwechslung mal ein mitdenkender Einsatzleiter«, sagte Thane. »Und?«

Andrews zuckte mit den Schultern. »Er hat stündlich vorbeigeschaut, bis drei Uhr morgens, und kam kurz vor fünf wieder vorbei. Zu diesem Zeitpunkt war die Tür bereits aufgebrochen. Er warf einen Blick hinein, gab einen Funkspruch durch, bat um Unterstützung, und ein Wagen der Kriminalpolizei, der gerade in der Nähe war, antwortete. Dann stellte man fest, daß auch die Garage aufgebrochen war.«

»Nachbarn?«

»Sie sagen, sie haben nichts gehört, und ich glaube sogar, daß das stimmt.« Andrews schürzte die Lippen. »Ich habe den Erkennungsdienst bestellt, aber die Leute haben zu tun. Wir müssen warten, bis sie zwei Messerstechereien und einen Lagerhauseinbruch bearbeitet haben.«

Das Team des Erkennungsdienstes mit seinen Kameras, dem Fingerabdruckbesteck, den Linsen und Pinzetten und seinem stets vorhandenen Vorrat an Plastiktüten war immer unterwegs. Thane schwieg und schaute sich wieder in dem Zimmer um.

Es war keineswegs ungewöhnlich, daß in Wohnungen eingebrochen wurde, deren Besitzer erst vor kurzem gestorben war. Diebe kannten diesbezüglich keine Skrupel. Einmal, vor Jahren, hatte Thane einen Fall bearbeitet, bei dem ein junges Ehepaar vom Krankenbett ihres Kindes im Krankenhaus nach Hause zurückgekommen war und feststellen mußte, daß ihre Wohnung ausgeräumt worden war. Aber das hier war etwas anderes – jeder gewöhnliche Dieb hätte in Ermangelung von Besserem wenigstens den Fernseher und den Videorecorder mitgehen lassen. Aber beides war noch vorhanden, und auch sonst hatte Thane nicht den Eindruck, als ob etwas fehlte.

»Ich zeige Ihnen den Rest«, schlug Andrews vor.

Sie gingen hinaus, vorüber an dem Constable, und Thane warf kurz einen Blick in die anderen Räume. Sie waren alle in der gleichen Weise verwüstet worden. Der Eindringling hatte sorgfältig gearbeitet und nichts übersehen – selbst der Kühlschrank in der Küche war geleert worden. Thane stieß einen Karton mit auftauendem Gefriergemüse zur Seite und schaute dann wieder Andrews an. Der Mann schien immer noch zu schmollen und war nervös. Auch um seine Augen zeigten sich Falten der Müdigkeit, und die mühsam aufrechterhaltene Haltung konnte nicht die Sorge verbergen, die dahinter verborgen lag. Die Leiter von Kriminal-Außenstellen hatten in der Regel die Nase voll von vorgesetzten Kollegen, die nur daherkamen und gewissermaßen ihre Beete zertrampelten.

Thane seufzte. »Andrews –«

»Sir?« Der Mann war ein Musterbeispiel steifer Höflichkeit.

Thane zuckte mit den Schultern. »Manchmal bin ich zu so früher Stunde nicht gerade in Hochform.«

Andrews blinzelte, aber seine Miene änderte sich nicht.

Thane gab es auf. »Ich schaue mich noch draußen um. Sie brauchen nicht mit hinunterzukommen – aber Commander Hart wird eine Kopie von Ihrem Bericht haben wollen.«

Er ging hinaus, wieder vorüber an dem Constable, der ihn ausdruckslos, aber voller Interesse musterte. Vorgesetzte, die sich Rededuelle lieferten, gaben immer ergiebigen Gesprächsstoff ab, wenn die Schicht zu Ende war.

Es war immer noch kalt im Freien. Frost glitzerte auf den Dächern der geparkten Wagen, und Detective Constable Beech stand da, hatte die Hände in den Taschen vergraben, den Kragen seines Mantels hochgestellt und wartete. Dann ging er mit Thane auf die Reihe von Garagen zu. Ein erstes Anzeichen des anbrechenden Tages ließ den Horizont im Osten grau werden.

»Vorsichtig, Sir«, warnte ihn Beech plötzlich. Er steuerte Thane auf die Seite, dann leuchtete er mit seiner Taschenlampe auf den Boden. »Wir hätten sie zuerst auch fast übersehen.«

Auf dem mit Rauhreif wie weiß gepuderten Boden waren deutliche Fußabdrücke auszumachen. Mehrere Abdrücke, aber zwei verschiedene Spuren waren von den übrigen offenbar unversehrt gelassen worden. Sie führten zu der Reihe von Garagen und dann wieder zurück.

»In der anderen Richtung haben wir sie bis zur Straße verfolgt«, erklärte Beech. »Dort sind die beiden vermutlich aus einem Wagen gestiegen.«

Thane nickte. Die Fußabdrücke waren deutlich zu erkennen, bei einem sogar das Muster der Sohlen. Thane hoffte, daß die Männer von der Spurensicherung früh genug erschienen; anderenfalls würden die Abdrücke auf dem Reif durch die Wärme des Tages weggetaut werden.

Danach gingen die beiden Männer weiter. Ein zweiter Detective und ein Sergeant in Uniform warteten vor der Garage von Douglas und trampelten gegen die Kälte mit den Füßen auf. Die Tür der Garage hing offen und schief in den Angeln, und Beech leuchtete mit der Taschenlampe hinein.

»Die zwei wußten, wie man so etwas macht«, murmelte der Sergeant, und sein Atem war beim Sprechen wie eine kleine Rauchwolke vor dem Mund. »Aufbrechen, reingehen, alles lautlos durchsuchen – da waren Profis am Werk, Sir.«

»Wunderbar«, sagte Thane sarkastisch. »Das engt den Kreis der Täter auf höchstens ein paar Tausend ein.«

Der Sergeant grinste.

Thane hatte genug gesehen; jetzt sorgte er sich um etwas anderes: um Janice Darrow. Er deutete auf das Funkgerät, das der Sergeant an einem Riemen über der Schulter hängen hatte.

»Hat es irgendwelche Meldungen aus Richtung Monkswalk gegeben, sagen wir, aus der Gegend vom Watson Drive?«

»Nichts, Sir.« Der Mann schüttelte den Kopf und schaute Thane verblüfft an.

Thane verabschiedete sich und ging zurück zu seinem Wagen. Dann ließ er den Motor an, drehte die Heizung voll auf und blieb einen Augenblick sitzen, bis das Gebläse warme Luft ins Wageninnere blies. Dann erst fuhr er los.

Monkswalk lag auf der anderen Seite von Millside, am eigentlichen Stadtrand: ein Gewirr von großen, älteren Häusern mit ausgedehnten Gärten, dazwischen kleinere, aufgeteilte Grundstücke mit Reihenhäusern darauf, bewohnt von Leuten, die es in Kauf nahmen, mit ihren Nachbarn in engeren Kontakt treten zu müssen.

Der Watson Drive zweigte nach links von der Hauptstraße ab. Thane bog ein, dann sah er ein Geschäft vor sich, dessen Fenster erleuchtet waren. Er verlangsamte die Fahrt und fuhr im Schrittempo daran vorüber. Auf einem Schild über der Tür stand *John Darrow*, und er konnte einen Mann hinter der Theke geschäftig arbeiten sehen.

Zeitungsläden öffneten meistens früh, aber es war noch keine sieben Uhr. Thane hielt ein Stück von dem Laden entfernt und ging zu Fuß zurück. Es war ein kleiner Laden, ein einzeln stehendes Gebäude mit einer Wohnung im oberen Stockwerk, wie es schien. Eine schmale Gasse führte auf die Rückseite des kleinen Hauses. Auch hier gab es Fußspuren auf dem Rauhreif, Abdrücke, die auf der anderen Seite des Hauses begannen und an der Tür endeten, deren

Holz rings um das Schloß gesplittert war. Thane schaute sich die Abdrücke genauer an. Ein Satz wies das gleiche Muster auf wie die Abdrücke, die er in der Baron Avenue gesehen hatte. Er drückte leicht gegen die Tür, und sie ging einen Spalt weit auf.

Thane öffnete sie ganz und betrat den hinteren Raum des Ladens. Noch ein paar Schritte, und er befand sich im vorderen Teil. Der Mann, der an der Theke Zeitungen sortierte, wandte ihm den Rücken zu, aber Thane bemerkte dennoch, daß er jung und blond war und nur einen Arm hatte.

»Guten Morgen«, sagte Thane leise.

Der Mann ließ die Zeitungen mit einem unterdrückten Schrei fallen und griff nach dem schweren Hammer, der neben ihm lag.

»Polizei«, beruhigte ihn Thane. »Sind Sie John Darrow?«

»Ja.« Darrow fuhr mit der Zunge über die Lippen, ließ aber den Hammer nicht los.

»Ich habe mit Ihrer Schwester gesprochen.« Thane zeigte seinen Dienstausweis. »Und zwar in der Wohnung von Ted Douglas.«

»Sie hat es mir erzählt.« Darrow stieß einen Seufzer aus, ließ den Hammer los und zwang sich zu einem Lächeln. »Sie – Sie haben mich ganz schön erschreckt.«

»Tut mir leid.« Hinter der Theke stand ein Barhocker. Thane setzte sich darauf, knöpfte seine Schaffelljacke auf und schaute Darrow einen Augenblick lang an.

»Haben Sie Besuch gehabt?«

Darrow zuckte mit den Schultern. Sein Gesicht war blaß, und er war unrasiert. Er trug einen alten Militärpullover über einer grauen Hose, und der leere linke Ärmel des Pullovers war an der Seite festgenäht.

»Ich habe keine Anzeige erstattet«, sagte er, und sein Unbehagen klang in seiner Stimme mit.

»Nein.« Thane wartete.

»Was wollen Sie also?«

»Ich bin neugierig«, antwortete Thane. »Zwei Männer sind in die Wohnung von Ted Douglas eingebrochen und haben dort alles durchgewühlt. Dann – na ja, ich hatte einen Riecher und bin hierhergefahren; ich dachte mir, vielleicht haben die zwei auch Ihnen einen Besuch abgestattet. Sieht ganz so aus, als ob ich damit recht gehabt hätte.«

»Ich habe die Polizei nicht gerufen«, sagte Darrow stur. »Und wenn ich sage, daß gar nichts war?«

Thane schüttelte den Kopf und deutete mit dem Daumen hinter sich auf das Telefon, einen Wandapparat. Die Leitung war aus der Wand gerissen und hing lose herunter.

»Es kommt äußerst selten vor, daß Leute ihre eigenen Türen aufbrechen und selbst die Telefondrähte abschneiden«, sagte er milde. »Was ist los, John? Angst?« Er deutete Darrows Gesichtsausdruck richtig und fuhr leise fort: »Nach meiner Erfahrung sind Menschen, die Angst haben, zugleich auch Menschen mit Gefühl. Sie, John, haben einen Krieg miterlebt und kennen Angst wahrscheinlich besser als ich.«

»Kann sein.« Darrow nickte widerwillig, dann sagte er langsam: »Hören Sie, ich – ich will keinen Ärger – gar keinen.«

»Darum kann ich mich kümmern«, beruhigte Thane. »Ich will von Ihnen nur ein paar Informationen, das ist alles. Es wird keinen Bericht an die hiesige Polizei geben, es sei denn – wo ist eigentlich Janice?«

»Oben; sie schläft.« Darrow schien erleichtert. »Ich habe ihr gestern abend zwei Schlaftabletten gegeben. Sie schläft noch immer fest.« Er deutete auf einen Stapel Zeitungen. »Haben Sie das schon gesehen?«

Thane kam herüber. Die Schießerei von Donaldhill stand auf der ersten Seite fast aller Tageszeitungen. Die meisten veröffentlichten auch ein Foto von Ted Douglas, einige auch ein Bild von Janice Darrow.

»Sie haben ihr ja vorhergesagt, daß die Reporter sich auf sie stürzen würden«, sagte ihr Bruder bitter. »Und das haben sie getan. Ich möchte sie aus all dem raushalten.«

»Ich möchte Sie beide aus allem raushalten«, erklärte Thane. »Also erzählen Sie mir, was passiert ist.«

John Darrow biß sich auf die Unterlippe, dann holte er tief Luft.

»Ich schlafe nicht sehr gut, seit –«, er warf einen kurzen Blick auf den leeren Ärmel, »– seit ich zurück bin. Ich habe gehört, wie sie die Tür aufgebrochen haben, ungefähr um halb fünf. Ich bin einfach im Bett liegengeblieben, habe gelauscht und gehofft, daß sie wenigstens uns in Frieden lassen würden.« Er lächelte Thane schief und verbittert an. »Und sie haben uns in Ruhe gelassen. Ich habe gehört, wie sie zehn Minuten lang unten herumrumort haben, vielleicht auch ein bißchen länger. Dann – na ja, dann sind sie verschwunden, und ich bin aufgestanden. Wenn sie zurückgekommen wären –« Er warf einen Blick auf den Hammer, schüttelte aber den Kopf. »Ich weiß nicht.«

Thane nickte und konnte sich gut vorstellen, wie sich der einarmige Darrow gefühlt haben mußte.

»Aber Sie wissen, warum die zwei Sie heimgesucht haben, oder?« fragte er schlicht.

»Ich weiß, was sie mitgenommen haben.« Darrow ging zu einer leeren Vitrine in der Nähe der Tür. »Sämtliche Videokassetten, die ich hier aufbewahrte und im Hinterzimmer.« Er strich mit einem Finger über die leeren Regale. »Ich hatte ungefähr hundert Kassetten hier, eine Videothek – zum Ausleihen.«

»Gehören dazu auch die Raubkopien, die Sie von Douglas bekommen haben?«

»Die hab' ich schon gestern abend verbrannt«, entgegnete Darrow. »Vielleicht hätte ich eine Nachricht darüber zu den anderen legen sollen. Aber ich fürchtete eher, daß Leute wie Sie hier auftauchen würden.« Er ging wieder hinter die Theke, bückte sich, holte eine Thermoskanne hervor und schaute Thane an. »Ich habe einen zweiten Becher hier, wenn Sie einen Schluck Kaffee mögen.«

»Danke.« Thane schaute zu, wie er den Kaffee einschenkte. Dann, als ihm Darrow einen Becher über die Theke zuschob, fragte er: »Hat er Ihnen auch den *Baum zum Hängen* gegeben?«

»Ich hab' nicht mal gewußt, daß es den schon gibt.« Darrow schaute ihn überrascht an.

Thane zuckte mit den Schultern. »Es gibt ihn aber.«

»Dann wird mir einiges klar.« Darrow trank einen Schluck Kaffee, dann zog er die Stirn in Falten. »Ich war vielleicht nicht allzu begeistert darüber, daß er mit Janice gegangen ist, aber ich wollte nicht den großen Bruder bei ihr spielen.« Er schüttelte den Kopf. »Es war seine Idee, daß ich hier eine Videothek aufziehe, als Nebengeschäft, mit Kommissionsware. Aber dann, wie es so geht, ist er hier und da mit solchen Kassetten aufgekreuzt – solche, die unter der Theke verliehen werden mußten. Ich habe nicht gefragt, wo sie her sind.«

Eine Faust hämmerte gegen die Tür, die zur Straße führte. Ein Mann schaute durch den offenen Türspalt. Darrow schüttelte den Kopf, bildete mit den Lippen das Wort *Geschlossen*, und der Kunde schüttelte den Kopf und ging weiter.

»Was waren das für Gelegenheitsjobs, die Douglas bekommen hat?« fragte Thane. »Hat er mit Ihnen darüber gesprochen?«

»Mit mir?« Darrow brachte den Becher in kreisende Bewegungen, um den Zucker aufzulösen. »Nur eine Andeutung, gelegentlich, ziemlich vage, genau wie Janice gegenüber. Aber einmal ist er hier mit einem Lieferwagen vorgefahren; Janice arbeitete im Krankenhaus, und ich sollte ausrichten, daß er länger arbeiten muß. An den Türen des Wagens stand ›Falcon Services‹, mit dem Zeichen eines Vogelkopfes und einer auswärtigen Telefonnummer, und er hatte einen Beifahrer, der aber im Wagen geblieben ist.«

»Fällt Ihnen in diesem Zusammenhang noch etwas ein?« drängte Thane.

»Nur eine Sache – weil sie mir damals so seltsam vorgekommen ist.« Darrow biß sich einen Augenblick lang wieder auf die Lippen und zog die Stirn in Falten. »Er ist mal an einem Nachmittag dahergekommen, um Janice abzuholen, zu einer Fahrt auf seinem Motorrad. Sie schlug vor, zum Loch Lomond zu fahren, aber Ted winkte ab, das wäre ja eine Ochsentour.«

Thane zog die Augenbrauen hoch. »Aber er hat nicht gesagt, warum?«

Darrow schüttelte den Kopf. Dann stellte er selbst eine Frage. »Angenommen, ich schließe das Geschäft für ein paar Tage, um mit Janice irgendwo hinzufahren?«

»Sie müssen mir nur sagen, wohin«, erwiderte Thane. »Ansonsten finde ich die Idee sehr gut.«

Darrow ließ ihn zur Ladentür hinaus. Während Thane zu seinem Wagen ging, näherten sich zwei Kunden dem Geschäft. Thane blieb stehen und drehte sich um; so konnte er in den Laden sehen und beobachten, wie Darrow die beiden bediente.

Thane war sich völlig darüber im klaren, was er da versprochen hatte. Darrow und seine Schwester hatten es verdient, von nun an nicht mehr behelligt zu werden. Aber Thane würde sich keine Orden verdienen, wenn irgendein höherer Vorgesetzter der Kriminalaußenstelle etwas von diesem Handel erfuhr.

Er lächelte vor sich, nahm sich vor, keine weiteren Gedanken darauf zu verschwenden, und ging weiter zu seinem Wagen.

Ein Nachtcafé unten bei den Docks bot schon um diese Zeit ein Frühstück aus Rührei mit fettem Schinken und Kaffee an. Es war so schmierig und überfüllt wie immer; außerdem waren dort die meisten Tageszeitungen erhältlich. Thane kaufte sich drei verschiedene und las, während er frühstückte, die Titelseiten.

Die Polizei hatte sich auf das beschränkt, was bekanntgegeben werden mußte, wenn in einem Fall Verhaftungen erfolgt waren, aber die Reporter hatten sich nach Kräften bemüht, mehr herauszufinden. Ted Douglas, den eine Zeitung den ›Märtyrer auf dem Motorrad‹ nannte, war für sie das unschuldige, zufällige Opfer einer Schießerei, und diesen Aspekt spielten sie nach allen Regeln der Kunst aus.

Zwei Zeitungen hatten angeblich enge Freunde von Douglas aus seiner Studienzeit ausfindig gemacht. Dabei versäumten die Berichterstatter nicht, einen Seitenhieb auf die wirtschaftliche Situation eines Staates anzubringen, in dem Hochschulabsolventen, die ihr Studium mit Prädikat beendeten, anschließend keine Stellung finden konnten. Aber obwohl in jeder Zeitung kurze Interviews mit Janice Darrow abgedruckt waren, bot keiner der Berichte irgendwelche Überraschungen, wie Thane zu seiner Erleichterung feststellte.

Er beendete sein Frühstück, zündete sich eine Zigarette an und lehnte sich zurück. Ein kleiner, magerer, drahtiger Mann an einem der Tische schaute ihn an; ihre Blicke begegneten sich, und über das Gesicht des Mannes huschte ein flüchtiges Lächeln. Als Thane ihn das letztemal gesehen hatte, war der Mann gerade von den Geschworenen freigesprochen worden; die Anklage hatte ihm fünf Fälle von Diebstahl vorgeworfen. Aber die Geschworenen hatten auch nicht gewußt, daß er einer der geschicktesten Taschendiebe von Glasgow war.

Thane tastete gelassen nach seiner Brieftasche, zuckte mit den Schultern und wandte sich dann dem Sportteil der Zeitungen zu. Als er ausgeraucht hatte, stand er auf und ließ die Zeitungen auf der schmierigen Tischplatte liegen.

Jemand würde sie zusammenlegen und vielleicht noch einmal verkaufen. Und der Besitzer des Nachtcafés machte jedes Jahr im Winter zwei Wochen Ferien auf den Bermudas.

Es war acht Uhr morgens und schon hell, als Thane auf das Gelände der Crime Squad fuhr, den Wagen parkte und das Hauptgebäude betrat.

Die Männer der Tagesschicht trafen bereits ein. Thane ging zunächst in sein Büro, hängte seine Jacke auf den Haken hinter der Tür, warf einen kurzen Blick auf die Papiere, die sich im Lauf der Nacht auf seinem Schreibtisch gesammelt hatten, dann ging er hinüber in den Bereitschaftsraum.

Francey Dunbar telefonierte gerade an einem der Schreibtische. Thane deutete ihm an, daß er warten wolle. Die Männer und Frauen, die sich nach und nach zum Dienst einstellten, gähnten, redeten miteinander und machten sich für einen neuen Arbeitstag bereit. Die Karten an den Wänden ergänzten sich zu einem Bild von ganz Schottland; die Stellen, wo besondere Operationen im Gange waren, hatte man mit bunten Stecknadeln markiert. Zwei Frauen, die noch so jung aussahen, als ob sie zur Schule gingen, benutzten gemeinsam einen großen Make-up-Spiegel, der an einem Aktenschrank lehnte. Das jugendliche Aussehen war Absicht: ein Glasgower Anwalt, von dem einige unangenehme Angewohnheiten und obendrein Verbindungen zum Rauschgifthandel bekannt geworden waren, interessierte sich für das, was die beiden seiner Meinung nach zu bieten hatten.

»Morgen, Sir.« Dunbar hatte sein Telefongespräch beendet und kam herüber. Er grinste Thane an. »Man munkelt, daß Sie heute besonders früh ans Werk gegangen sind.«

»Dann munkelt man richtig«, sagte Thane humorlos. »Noch nichts von Sandra?«

Dunbar schüttelte den Kopf, dann schaute er Thane erwartungsvoll an. »Irgendwas Brauchbares in der Baron Avenue, Sir?«

»Zwei von seinen Freunden sind vorbeigekommen, um ihm einen Besuch abzustatten. Wenn Sie mehr wissen wollen – fragen Sie aber nicht Chief Inspector Maxwell. Wir machen ihm schon Kummer genug.« Thane hielt kurz inne, als die beiden ›Schulmädchen‹ in einer Wolke billigen Parfüms hinausschwebten. Die eine zwinkerte Thane herausfordernd zu. »Francey, ich brauche schnell Informationen über eine Firma mit dem Namen Falcon Services. Wo sie ihren Sitz hat, wer sie betreibt, was sie betreibt und so weiter … Douglas hat dafür gearbeitet.«

Dunbar blinzelte. »Von wem stammt das?«

»Von John Darrow. Wir haben uns unterhalten.« Thane ließ es dabei bewenden.

»Falcon Services.« Dunbar wußte, daß er alles übrige später erfahren würde. »Das einzig Neue, was ich zu bieten habe, stammt vom Erkennungsdienst: der Bericht über seinen ersten Besuch in der Baron Avenue – das von heute morgen haben sie noch nicht beisammen.« Er vergrub die Hände in den Taschen seiner ausgebleichten Jeans und schaute Thane mit nachdenklichem Respekt an. »Sie hatten recht. Die meisten Fingerabdrücke gehörten zu Douglas und seinem Mädchen – Sandra hat die Tasse mitgenommen, die die Kleine benutzt hat. Aber es gibt auch noch ein paar andere, abgenommen von einer leeren Bierdose im Abfalleimer in der Küche.«

»Jemand, den wir kennen?« fragte Thane ohne großes Interesse.

»Ein Martin Herbert Tuce; drei Haftstrafen wegen Betrugs und zwei wegen Körperverletzung.« Dunbar zuckte mit den Schultern. »Ich kenne ihn nicht, aber wir werden ja sehen, was uns der Computer alles über ihn zu erzählen weiß. Sandras Bericht und alles, was wir sonst noch haben, liegt auf Ihrem Schreibtisch.«

Thane verließ den Bereitschaftsraum und ging zurück in sein Büro. Es war kälter dort, und er stieß mit dem Fuß gegen den Radiator der Zentralheizung. Der blubberte und gluckste, doch davon wurde es nicht wärmer. Das Fenster ging hinaus auf den Parkplatz, wo die letzten Reste des Rauhreifs schmolzen. Der Himmel war klar; es würde ein angenehm warmer Tag werden.

Thane ließ sich hinter seinem Schreibtisch nieder und begann die Computerausdrucke der vergangenen Nacht durchzusehen. Sie umfaßten sämtliche Ermittlungen in der Stadt Glasgow, eine Beschattung auf Bitte des Hauptquartiers in Strathclyde und etwa fünfzig der wichtigsten Aktionen der vergangenen Nacht, wobei jede einzelne irgendeinem Polizeibeamten äußerst wichtig erschien, wie sich Thane klarmachte.

Er schaute ein paar davon durch. Ein Mordverdächtiger, den die Zentrale suchte, war aufgetaucht: tot und im Clyde schwimmend. Die Außenstelle Nord hatte Probleme mit einem falschen Pfarrer, der für eine ebenso falsche Mission sammelte. Eines der Fahrzeuge bei einer Massenkarambolage auf der Straße Glasgow-Edinburgh hatte ein Schweißgerät im Kofferraum gehabt und eine Ladung von antikem Silber. Und die Spezialabteilung forderte alle Dienststellen auf, einen Mann unbehelligt zu lassen, der überall Schußwaffen anbot. Er war einer von ihren Leuten.

Die Ausdrucke und ein paar Routine-Überwachungsberichte wanderten auf den Stapel für Maggie Fyffe. Der Rest ging in das, was sie sein ›Körbchen für morgen‹ nannte.

Blieb noch die Sammlung von Unterlagen, die sich mit der Affäre des *Baums zum Hängen* befaßte, und dieser Stapel war nicht allzu dick. Etwa ein Dutzend Freunde von Ted Douglas und eine Kusine waren aufgespürt und befragt worden, die meisten dank der Auskünfte von Janice Darrow.

Die Resultate waren alles andere als vielversprechend. Thane zog die Stirn in Falten und breitete die maschinegeschriebenen Blätter wie einen Fächer auf seinem Schreibtisch aus.

Der Bericht über die Studienzeit von Ted Douglas zeichnete ein positives Bild von ihm: Er hatte sich von allen politischen Gruppierungen ferngehalten und war in seiner Umgebung beliebt gewesen; seine Geldprobleme in dieser Zeit sahen nicht viel anders aus als die der meisten. Nach dem Examen war er nicht der einzige gewesen, der feststellen mußte, daß ein Diplom keine Garantie war für einen guten Job in Zeiten einer wirtschaftlichen Regression. Er schien daher sehr froh gewesen zu sein, den Job bei dem Reisebüro bekommen zu haben.

Aber als die Firma dann pleite machte, hatte Ted Douglas allmählich schon die Verbindung zu seinen Freunden und Studienkollegen abgebrochen. Manche hatten ihn monatelang nicht gesehen. Niemand konnte Genaueres sagen über das, womit er sein Geld verdiente. Wer ihn direkt danach fragte, erhielt als Antwort höchstens ein Grinsen und ein Schulterzucken.

Nein, mit diesem Material kam Thane nicht weiter.

Die Gegensprechanlage auf seinem Schreibtisch gab einen leisen Ton von sich.

»Kommen Sie gleich rüber, Colin«, sagte Jack Hart. Der Stimme nach zu urteilen, schien der Leiter der Squad bei guter Laune zu sein, obwohl es ungewöhnlich war, daß er schon so früh hier auftauchte.

Thane legte die Blätter mit den Interviews beiseite und machte sich auf den Weg zum Chef. Die Tür zu Harts Büro stand offen. Maggie Fyffe saß neben Hart und hatte ihren Stenoblock aufgeschlagen auf den Knien. Der andere Mann im Raum war grauhaarig, mit freundlichem Blick; er humpelte ein wenig, als er sich jetzt umdrehte und vom Fenster herüberkam. Detective Superintendent Maxwell war der direkte Stellvertreter von Hart und für Thane fast ein Fremder: Seit über zwei Monaten arbeitete er an einem Bestechungsfall, an dem Regierungsstellen in den nördlichen Countys beteiligt waren.

»Nur auf Besuch«, sagte Maxwell fröhlich. Dabei blinzelte er Thane an. »Dachte, ich sehe mal nach, ob es die große Stadt überhaupt noch gibt. Aber vielleicht hätte ich das besser bleiben lassen.«

Hart stieß ein spöttisches Knurren aus. Er unterzeichnete ungelesen Briefe, die in einem Stapel vor ihm lagen.

»Versucht noch eine Minute lang den Mund zu halten, ihr beiden«, sagte er säuerlich. »Ich muß erst diesen Wust hier erledigen.«

Tom Maxwell zuckte nur gespielt zusammen, hielt sich aber daran.

Keiner der beiden beneidete Hart um seinen Job, der mehr aus Verwaltungs- als aus Polizeiarbeit bestand, wobei zudem gerade diese Dienststelle nur allzuoft ihre Berechtigung gegen Eifersüchteleien von innen und politischen Druck von außen verteidigen mußte.

Die größte Belastung lag für die Crime Squad darin, daß sie die einzige Abteilung ihrer Art war, einzigartig deshalb, da sie direkt von der Regierung finanziert wurde, und zum anderen, daß sie sich um keine Einschränkungen scheren mußte und die Mitarbeiter, Männer wie Frauen, aus allen Polizeidienststellen des Landes zusammenziehen durfte. Außerdem wandte man bei der Crime Squad nicht selten Methoden an, mit denen man sich nicht immer nur Freunde machte, und setzte eine spezielle, sorgfältig ausgewählte Technik ein, vom eigenen Kurzwellensender bis zu komplizierteren Dingen.

Aber die schottische Crime Squad verfügte nicht über eine einzige Zelle für Gefangene. Die mußten bei der nächsten oder einer günstig gelegenen Polizeiwache untergebracht werden, und die Dienststellen hatten die Aufgabe, alle anfallenden Einzelheiten zu erledigen. Die Übergabe eines Gefangenen war für die Beamten einer Polizeidienststelle nicht selten der erste Hinweis darauf, daß jemand vom Squad in ihrem Revier Jagd auf jemanden machte. Auch wenn der zuständige Chef insgeheim darüber in Kenntnis gesetzt worden war.

Ein erneutes Knurren von Hart zeigte an, daß er den Schreibkram erledigt hatte. Der Commander schob die unterzeichneten Briefe zu Maggie Fyffe hinüber, blickte auf und deutete mit dem Daumen auf Maxwell.

»Tom ist auf ein Problem gestoßen«, erklärte er. »Wir fahren nach Edinburgh, um mit einem Richter zu reden, und das wird fast den ganzen Tag in Anspruch nehmen – Maggie weiß aber, wie sie sich mit mir in Verbindung setzen kann.« Er ließ eine Pause entstehen und zog dabei voller Unmut die Augenbrauen hoch. »Mußten Sie unbedingt Federn rupfen drüben in der Außenstelle Millside? Ich bin von der Zentrale in Strathclyde angerufen worden.«

Thane zuckte mit den Schultern. »Es gibt eben Leute, die lassen sich leicht rupfen, Sir.«

»Ja.« Hart legte beide Hände flach auf den Schreibtisch und seufzte. »Na schön. Ich will gar nicht wissen, worum es gegangen ist. Als Diplomat wären Sie jedenfalls eine ziemliche Katastrophe. Wie sieht es ansonsten aus?«

»Jemand macht sich Sorgen«, berichtete Thane. »Sie haben in der vergangenen Nacht nicht nur das Apartment von Douglas gefilzt, sondern haben sich auch bei seiner Freundin umgesehen.«

»Ich verstehe.« Hart schürzte die Lippen. »Übrigens, wenn Sie Joe Felix suchen sollten – der ist eine Weile nicht zu haben. Ich habe ihm den Auftrag gegeben, dafür zu sorgen, daß sich unser Videoexperte auch wirklich an die Arbeit macht. Setzen Sie sich im Lauf des Tages mit den Gerichtsmedizinern von Strathclyde in Verbindung – die bearbeiten das Beweismaterial der Donaldhill-Schießerei und wissen, daß Sie daran interessiert sind.« Er zog eine Schreibtischschublade auf, nahm einen Umschlag heraus und reichte ihn Thane. »Das hat uns Donaldhill geschickt: die persönlichen Dinge, die Douglas bei sich hatte. Fragen Sie mich nicht, was drinnen ist. Ich hatte nicht einmal die Zeit, das zu prüfen.«

»Sir.« Maggie Fyffe blickte demonstrativ auf ihre Armbanduhr.

»Ich weiß«, winkte Hart ab. »Ich bin so gut wie fertig, Maggie.« Dann wandte er sich wieder an Thane. »Brauchen Sie noch Unterstützung?«

»Im Augenblick nicht.«

Tom Maxwell lachte leise. »Man sieht, er hat schon eine Menge gelernt. Immer alle Möglichkeiten offenlassen, nicht wahr, Colin? Wenn es schlimm kommt, wird es vielleicht noch schlimmer.«

»Auf diese Philosophie, die unverkennbar aus dem Norden stammt, kann ich verzichten«, knurrte Hart, lachte aber dazu. »Ich kann Ihnen nur eines sagen: *Der Baum zum Hängen* ist es wert, daß man ihn genauer unter die Lupe nimmt. Ich habe mir gestern abend eine von den Kassetten mit nach Hause genommen und sie angeschaut.« Er warf den beiden Männern einen prüfenden Blick zu.

»Rein beruflich, versteht sich!«

»Im Rahmen der Untersuchung«, bestätigte Thane steinern und hörte Maggie kichern.

Dann ging er wieder hinüber in sein Büro. Francey Dunbar und Sandra Craig warteten vor der Tür, und er bat sie hinein. Sandra trug eine schwarze Samtjacke und einen Rock, was nicht oft vorkam, jedenfalls nicht, wenn sie im Dienst war. Außerdem sah sie so aus, als ob sie nicht viel geschlafen hätte, aber Thane entschloß sich, nicht nach dem Grund dafür zu fragen.

»Nun?« Er schaute Dunbar an.

»Zu dieser Firma Falcon Services.« Dunbar lehnte sich zurück und strich mit einem Finger über seinen schwarzen Schnauzbart. »Es gibt ein paar Firmen mit ziemlich ähnlichen Namen, alle ganz legal, aber ich glaube, ich habe die herausgefunden, die uns interessiert. Der richtige Name ist ›Falcon-Kühldienst‹. Es ist eine Art Agentur, klein, aber ertragreich. Sie vermittelt Einzelteile und Ausstattungen verschiedener Kühlsysteme, und die Firma hat ihren Sitz außerhalb der Stadt, wie sie vermuteten, Sir. In East Kilbride.«

Thane zog die Stirn in Falten. »Nicht am Loch Lomond?«

»Nein.« Dunbar schaute ihn verdutzt an. East Kilbride lag im Süden, Loch Lomond im Norden.

»Wer leitet die Firma?«

»Der Chef ist ein gewisser Alex Garrison, mehr hab' ich bis jetzt noch nicht rausbekommen«, gestand Dunbar. »Außer, daß Falcon Services über einen guten Ruf in der Branche verfügt und eigene Fahrzeuge besitzt. Wollten Sie noch mehr über diesen Tuce?«

»Der Fingerabdrücke auf Bierdosen hinterläßt – ja.« Thane nickte.

»Das ist einer, der stets Ärger macht«, erklärte Dunbar. Dann schaute er schräg hinüber zu Sandra, die fast eingeschlafen zu sein schien, und grinste boshaft. »Sie wissen schon, Sir, bei ihr ist es wie bei den Matrosen, die in jedem Hafen eine Braut haben –«

»Geh zum Teufel«, zischte sie Dunbar an. »Er ist Lieutenant Commander.«

»Zwei Bräute in jedem Hafen.« Dunbar merkte, daß Thanes Geduld allmählich am Ende war. »Tuce ist ein Hiesiger, im Alter von Douglas, war eine Weile eine Nummer in der Drogenszene von London, wurde aber ausgebootet und ist zurückgekommen nach Glasgow. Seine Betrugsfälle kennzeichnen sich unter anderem dadurch aus, daß Ladys verprügelt wurden, wenn sie die falschen Fragen stellten.«

»Klingt ganz so, als ob er ein reizender Mensch wäre.«

»Wir haben eine mögliche Adresse und einen Spitznamen – der *Glasmann*«, beendete Dunbar seinen Bericht. »Er macht es gern mit zerbrochenen Flaschen. Hat sie in den beiden Fällen verwendet, wo er wegen Körperverletzung verurteilt wurde.«

Thane nickte. »Sandra?«

»Nicht viel, Sir.« Sie schüttelte den Kopf. »Einen Paul Nord – der Name auf dem gefälschten Reisepaß – scheint es nicht zu geben. Und die weiteren Kontaktpersonen –« Sie deutete auf seinen Schreibtisch. »Ich habe die Berichte hier abgeliefert. Vielleicht, wenn wir diesen Tuce schnappen –«

»Ja.« Thane betastete den Umschlag, den er von Harts Büro herübergebracht hatte. Es gab noch ein Gebiet, das sie bis dahin so gut wie gar nicht berührt hatten. »Was ist mit Donaldhill?« Er sah, daß die beiden nicht verstanden, was er damit meinte. »Ted Douglas war am frühen Vormittag dort, und die Gegend ist immerhin ziemlich weit von der Baron Avenue entfernt. Nach der Richtung, in der er fuhr, ist es denkbar, daß er nach Hause wollte.« Die beiden anderen schienen nicht zu begreifen, worauf er hinauswollte, und er seufzte. »Er hatte diese verdammten Kassetten bei sich. Denkt doch mal nach: Wo könnte er gewesen sein, wo könnte er sie bekommen haben, oder wo hatte er sie abgestaubt bei einer Lieferung, die so umfangreich war, daß man es gar nicht merkte, wenn ein paar fehlten?«

»Ja, die Antwort darauf könnte einiges klären.« Dunbar spielte mit dem Gedanken und rieb die Hände aneinander, daß sein silbernes Armband klimperte. Er schaute Sandra an, dann fügte er leise und nüchtern hinzu: »Es kann ja ein Job gewesen sein, der vielleicht die ganze Nacht dauerte. In dem Fall war er auf dem Weg nach Hause.«

Sandra nickte und wandte dabei den Blick nicht von Thane. »Sie haben den Loch Lomond erwähnt, Sir. Wenn man von dort zurückfährt, in die Baron Avenue, kommt man durch Donaldhill.«

»Es ist immerhin denkbar.« Thane fand es dennoch unwahrscheinlich, wußte aber, daß man keine der Möglichkeiten außer acht lassen durfte. Jetzt öffnete er den Umschlag und schüttete den Inhalt auf die Schreibtischplatte. »Mal sehen, ob wir sonst noch was haben.«

Es war keine aufregende Sammlung; jeder Gegenstand war bereits mit einem Anhänger versehen, der der Nummer in der Aufstellung entsprach. Ted Douglas hatte ein paar Pfund in bar bei sich gehabt, ein kleines Taschenmesser mit scharfen Klingen, eine Christophorus-Medaille an einer gerissenen Kette und eine kleine, ziemlich abgenutzte Brieftasche. Thane überprüfte ihren Inhalt: zwei Kreditkarten, eine Scheckkarte, ein dünnes Heftchen mit Briefmarken, eine quittierte Rechnung für eine Motorradreparatur und zuletzt, hinter einem aufgerissenen Saum, ein zusammengefaltetes Stück festes Papier, fast schon dünne Pappe.

Thane faltete es auseinander und fand eine Zahlenliste zwischen eins und vierzig, in keiner erkennbaren Reihenfolge und in zwei vertikalen Spalten angeordnet.

»Eine Art Code?« fragte Sandra, als er ihr das Papier zuschob.

»Brillant«, spottete Dunbar. Er nahm das Stück Papier, neigte sich darüber und machte dann selbst einen genialen Vorschlag. »Auf jeden Fall etwas, was er brauchte – warum hätte er es sonst aufgehoben? Vielleicht hat es mit den Kassetten zu tun, die er auslieferte –«

»Nun, jetzt haben wir es, und es läuft uns nicht davon.« Thane steckte das Papier wieder in die Brieftasche und legte sie zur übrigen Kollektion. »Francey, schnappen Sie sich diesen Tuce – das heißt, Sie müssen ihn zuerst ausfindig machen. Sagen Sie ihm nicht, warum, lassen Sie ihn ruhig ein bißchen schwitzen, und sehen Sie zu, was wir aus ihm herausbringen. Sandra bleibt bei mir. Wir besuchen später gemeinsam den Falcon-Kühldienst.« Er ließ eine Pause entstehen und schaute die beiden an. »Es sei denn, einer von Ihnen hat einen besseren Vorschlag.«

»Sir, ich –« Sandra brach ab und seufzte, als das Telefon zu klingeln begann.

Thane nahm den Hörer ab. Der Anrufer war John La Mont, und es klang so, als ob der kanadische Videoexperte mit sich und seiner Welt zufrieden wäre.

»Ich dachte, es interessiert die Polizei«, sagte er knapp, »daß wir die Raubkopien vom *Baum zum Hängen* bis in die Vereinigten Staaten zurückverfolgen konnten, wie ich das vorhergesagt habe. Es war sozusagen ein Raum an der Quelle: ein verdammter Vorführer im Studio selbst, der nicht Bescheid wußte über den Sicherheitspunkt.« Dann gab er sich verständnisvoll und mitleidig. »Aber das hilft Ihnen nicht viel weiter, fürchte ich.«

»Nein«, gab Thane ehrlich zu. »Es sei denn, Sie können den Weg der Kopien auch diesseits des Ozeans verfolgen.«

»Wir können es versuchen.« Nun klang die Stimme von La Mont nicht mehr so hoffnungsvoll. »Ich beschäftige mich zur Zeit mit diesen anderen Piratenkassetten. Kann ich Felix noch eine Weile behalten? Er ist sehr nützlich.«

»Behalten Sie ihn.« Thane grinste. Joe Felix war vermutlich in seinem Element.

»Danke.« La Mont wartete, dann kam ein Geräusch über die Leitung, das wie ein Seufzer klang. »Superintendent, ich glaube, ich sollte Ihnen alles berichten – ich meine, was den Filmvorführer betrifft.«

»Nur zu.« Thane bemerkte ein gewisses Unbehagen im Unterton des Kanadiers. »Was ist passiert?«

»Er ist tot«, sagte La Mont. »Es passierte einen oder zwei Tage nachdem die Filmrollen aller Wahrscheinlichkeit nach kopiert worden sind.«

»Und – wie?«

»Er ist von einem Dach gesprungen – so hat es jedenfalls ausgesehen. Er hatte finanzielle Sorgen, mußte hohe Alimente zahlen ... Aber jetzt sieht es natürlich etwas anders aus.«

»So, als ob er hinuntergestoßen worden wäre?« sagte Thane ausdruckslos.

»Genau.« La Monts Stimme klang jetzt sehr nüchtern. »Ich sagte Ihnen, Superintendent, das ist ein Geschäft, bei dem es um Millionen von Dollar geht. Und bei dem Abfindungen in einer ganz besonderen Form bezahlt werden. Ich melde mich wieder.«

Thane legte auf.

»Schlimm?« fragte Francey Dunbar.

Thane nickte.

Die Piraten der Vergangenheit waren skrupellos gewesen, wenn sie die Schiffe enterten und dann versenkten. Es schien, als ob die Videopiraten einiges von ihren Traditionen übernommen hätten.

»Sir.« Sandra Craig räusperte sich. »Ich habe noch nicht gefrühstückt, und –«

»Das ist Pech«, sagte Thane mitleidig. »Sie werden vorläufig hungrig bleiben müssen.«

East Kilbride war ein verschlafenes, kleines Dorf gewesen, das gut zehn Meilen von Glasgow entfernt lag – bis in die fünfziger Jahre, als ein Segen von Regierungsmitteln über das Dorf hereinbrach und die Möglichkeit bot, East Kilbride in eine moderne Gemeinde zu verwandeln.

Inzwischen hatte es eine Einwohnerzahl von rund achtzigtausend erreicht, wies mehr Kinder unter fünf als die meisten vergleichbaren Gemeinden auf und obendrein eine Vielzahl moderner Industriebetriebe, die es ermöglichten, die Auswirkungen der Rezession in Grenzen zu halten. Und ein Betrieb, der bestimmt niemals schließen würde, befand sich im Hochhausblock Centre One, wo das Computer-Rechenzentrum der Steuerbehörde für das ganze Land untergebracht war.

Colin Thane warf einen Blick auf die Wegweiser-Skizze, die man ihm gegeben hatte. Er saß auf dem Beifahrersitz von Sandra Craigs schwarzem Volkswagen, den Sandra selbst steuerte. Die Fahrbereitschaft hatte Thanes Ford für ein paar Stunden zu einer Routine-Wartung zurückgefordert.

»Nehmen Sie die nächste rechts.« Er lehnte sich zurück, während Sandra nach rechts steuerte. Sie befanden sich in den Außenbezirken der Stadt: auf der einen Seite grüne Wiesen mit grasendem Vieh, auf der anderen Fabrikgebäude, die parallel zur Straße verliefen. Der Himmel war wolkenlos und die Sonne hell genug, um die Fenster der Fabriken zum Funkeln zu bringen. »Die nächste links, dann müßten wir dasein.«

Sandra Craig versuchte, ein Gähnen zu unterdrücken, und nickte. Sie hatte auf der ganzen Fahrt gegen ihre Müdigkeit angekämpft.

»Wie lange haben Sie eigentlich in der letzten Nacht geschlafen?« fragte Thane.

»Nicht sehr lange.« Ein reuevolles Lächeln spielte um ihre Lippen. »Es war – na ja, man könnte sagen, es war eine Abschiedsfeier.«

»So genau wollte ich es gar nicht wissen«, sagte Thane. Wenn sie wollte, war Sandra einer der besten Fahrer der Squad, aber an diesem Vormittag schien sie froh zu sein, sich am Lenkrad festhalten zu können. »Ich hoffe nur, daß Sie nicht beim Fahren einschlafen.«

»Ich fühle mich wohl, Sir.« Sie zog verärgert die Stirn in Falten und mußte schon wieder gähnen. »Wohl, aber halbverhungert. Ich sagte es schon.«

Thane ging nicht darauf ein. Nach ein paar hundert Metern bogen sie nach links ab. Der Sitz der Firma ›Falcon Services‹ lag vor ihnen, ein langer, ebenerdiger Bau mit dem Zeichen eines Falken auf dem Dach. Daneben ein Fahrzeugpark, von einem hohen Maschendrahtzaun umgeben. Ein halbes Dutzend Kleinlieferwagen und Lastwagen stand in der Nähe einer Laderampe, wo mehrere Männer arbeiteten.

Das Tor war offen. Sie fuhren hindurch, parkten dicht beim Büroeingang und stiegen aus.

»Halten Sie Augen und Ohren offen, Sandra«, meinte Thane leise. »Reden Sie mit den Fahrern, mit jedem, der Ihnen freundlich vorkommt. Wir müssen langweilige Routineermittlungen über den Tod von Ted Douglas anstellen – Sie wissen ja, wie man so etwas macht.« Er schaute sie an und grinste. »Ich würde nicht gerade sagen, daß Sie wachen Auges und munteren Sinnes wären – aber tun Sie wenigstens so, verdammt noch mal!«

Er ließ sie stehen und ging hinein in das Bürogebäude. Das junge Mädchen am Schreibtisch des Vorzimmers nickte, als er seinen Dienstausweis gezeigt und nach Alex Garrison gefragt hatte. Sie telefonierte, dann lächelte sie ein wenig nervös und begleitete ihn über einen kurzen Korridor. Die Tür am Ende war aus edlem Holz, und darauf prangten die Messingbuchstaben *Privat*.

»Gehen Sie einfach hinein«, sagte das Mädchen rasch, dann floh es zurück ins Vorzimmer.

Thane klopfte an die Tür, öffnete sie und trat ein. Dann blieb er überrascht stehen.

Der Raum war bescheiden, was die Größe betraf, einfach möbliert, und wurde von einem großen Schreibtisch beherrscht. Die Frau, die dahinter saß, war Ende Dreißig, vielleicht Anfang Vierzig, und hatte blondes Haar und blaue Augen. Sie schaute ihm direkt ins Gesicht und lächelte in einer Weise, die mehr war als das Lächeln bei einer üblichen Begrüßung. Ja, auch er kannte sie. Er kannte sie – aber wer war sie?

»Hallo, Colin.« Sie stand auf und kam um den Schreibtisch herum auf ihn zu. Eine stattliche Frau; sie trug ein marineblaues Kostüm mit einer weißen Hemdbluse. Sie blieb stehen, ihr Lächeln wurde breiter und schien amüsiert, und sie schaute ihn ein paar Sekunden lang sehr genau an. Dann begann sie leise zu lachen. »Du hast dich nicht sehr verändert.«

Ihre Stimme brachte die Erinnerung schlagartig zurück.

»Alexis?« Thane starrte sie an.

»Versuch's noch einmal, und besser. Zum Beispiel: ›Alexis, Liebste, wie schön, dich zu sehen nach all den Jahren.‹« Eine Hand berührte seinen Arm. Ihre blauen Augen blinzelten. »Beruhige dich, es war nur ein Scherz. Hast du es nicht gewußt?«

»Ich wollte jemanden sprechen, der Alex Garrison heißt.« Thane lachte verlegen und schüttelte den Kopf. »Bist du das?«

Sie nickte. »Die meisten nennen mich heutzutage Alex.«

Aber vor Jahren, als er ein junger, sehr grüner Detective Constable gewesen war, hatte ihr Name Alexis Bolton gelautet, und sie hatte bei einem Anwalt gearbeitet. Eine Weile hatte es ganz so ausgesehen, als ob – aber nein, es war nicht dazu gekommen. Ganz allmählich, ohne daß ein Wort darüber gesprochen worden wäre, ja, ohne daß Thane auch nur den Grund dafür ahnte, war es zu Ende gegangen.

Ein paar Monate später hatte er Mary kennengelernt und war glücklich mit ihr geworden.

»Ich hörte, daß du geheiratet hast«, sagte er etwas unsicher.

»Ich hörte das gleiche von dir.« Sie lud ihn mit einer Handbewegung ein, Platz zu nehmen, und ließ sich dann ihm gegenüber in einem Sessel nieder, vor einer Reihe von Aktenschränken, auf denen Grünpflanzen standen. »Hat es bei dir geklappt?«

»Ja.«

»Kinder?«

Er nickte. »Zwei – einen Jungen und ein Mädchen. Und du?«

»Ich bin Witwe. Keine Kinder.« Sie sagte es beiläufig. »George ist vor drei Jahren gestorben – er war mein zweiter Mann. Der erste –« Sie machte eine abfällige Handbewegung. »Du lieber Gott, der ist schon nach ungefähr einem Jahr mit einer anderen durchgebrannt. Ich glaube, er lebt jetzt irgendwo im Vorderen Orient.«

»Das tut mir leid.« Thane fluchte in Gedanken darüber, daß ihn Francey Dunbar völlig unvorbereitet in diese Geschichte hatte hineingeraten lassen.

»Das braucht dir nicht leid zu tun, Colin. Es ist keine Tragödie. George und ich, wir hatten ein paar gute Jahre miteinander.« Sie hielt inne und blickte ihn mit ihren blauen Augen offen an. »Weißt du, als ich deinen Namen hörte, habe ich erst einen Moment gebraucht, bis ich wußte, wer dahintersteckt.«

Er nickte und musterte sie nun seinerseits. Aus dem gutaussehenden jungen Mädchen war eine selbstbewußte, überlegene und äußerst attraktive Frau geworden.

»Und du führst Falcon Services?« fragte er.

»Ich führe die Firma, ich besitze sie, und ich mache Geld damit«, sagte sie fröhlich. »Es war das Geschäft von George, und ich hab' ihm geholfen. Danach hab' ich den Betrieb einfach übernommen. Es war nicht besonders schwierig.« Sie ließ wieder eine Pause entstehen und zog leicht die Stirn in Falten. »Aber nun solltest du mir sagen, warum du hergekommen bist. Ted Douglas?«

»Wir haben gehört, daß er hier arbeitete«, sagte Thane vorsichtig.

»Das stimmt; manchmal hat er ein paar Aufträge für uns erledigt.« Sie stand auf und ging zu den Grünpflanzen hinüber, blieb davor stehen, betrachtete sie und wendete Thane dabei den Rücken zu. Dann strich sie sanft mit den Fingern über die Blätter einer Pflanze. »Ich habe erfahren, was geschehen ist. Es hörte sich ziemlich scheußlich an. Aber – nun ja, was willst du über ihn wissen?«

»Alles«, sagte Thane einfach. »Wir müssen einfach mehr über ihn in Erfahrung bringen.«

»Ich verstehe.« Alexis Garrison ging wieder zu ihrem Schreibtisch und ließ sich dahinter nieder. Dann seufzte sie. »Und du bist also Detective Superintendent geworden?«

Er nickte.

»Ich erinnere mich, daß das ein ganz hoher Rang ist«, meinte sie nachdenklich. »Ich habe einmal einen jungen Polizeibeamten gekannt. Ihm hätte ich genau diese Position zugetraut – es sei denn, mir wäre ein guter Grund bekannt geworden, der dagegen gesprochen hätte.«

»Vielleicht gab es den«, räumte er ein.

»Nicht für mich«, sagte sie entschieden.

»Ich habe ja nicht gesagt, daß es so sein muß«, erinnerte sie Thane.

»Na schön. Wir sind eine ziemlich uninteressante, ziemlich gewöhnliche, kleine schottische Firma, die sehr um ihren Gewinn kämpfen muß.« Sie nahm eine Zigarette aus einem Etui auf ihrem Schreibtisch und hatte ein Feuerzeug in der Hand, bevor Thane das seine aus der Tasche nehmen konnte. Dann rauchte sie den ersten Zug und schaute Thane wieder nachdenklich an. »Weißt du, was unsere Firma tut?«

»Sag es mir«, bat er sie.

»Wir handeln mit Ersatzteilen für Tiefkühlgeräte und Gefrieranlagen – wir sind eine Art Generalagentur.« Die Hand mit der Zigarette unterstrich ihre Worte. »Wir haben uns auf die Industrie und den Partyservice-Markt spezialisiert. Wenn jemand rasch mal einen neuen Kompressor braucht, liefern wir ihn, sofort und ohne Komplikationen, ganz gleich, wie weit der Betrieb entfernt ist.«

»Also braucht ihr Fahrer.« Thane rutschte ein wenig tiefer nach unten in seinem Sessel und war entschlossen, erst einmal die Grundlagen zu erforschen. »Wie viele?«

»Zehn sind fest angestellt. Alle anderen sind – nun ja, so wie Ted Douglas: Leute, die wir kennen und die uns aushelfen, falls das nötig sein sollte.«

»Und die übrigen Angestellten?«

»Ein paar Lagerarbeiter, ein Vorarbeiter und die Leute vom Büro.« Sie zuckte mit den Schultern. »Wir sind keine große Firma, Colin, aber wir kommen ganz gut über die Runden. Wir arbeiten mit Kunden, die im Druck sind – sie bekommen, was sie wünschen, und sie erhalten es schnell. Dafür müssen Sie bezahlen. Außerdem sind wir gerade dabei, einen Service mit Vertragsreparaturen aufzuziehen.«

Er brachte sie auf sein eigentliches Thema zurück. »Wann hat Douglas angefangen, bei dir zu arbeiten?«

»Vor ungefähr acht Monaten. Ich –«

Sie brach ab, da die Tür geöffnet wurde. Der Mann, der hereinkam, war eine magere, erschreckte Gestalt, die Thane zunächst gar nicht zu bemerken schien.

»Alex, die Polizei ist hier«, sagte er mit Panik in der Stimme. »Sie –«

»Ich weiß.« Alexis Garrison beruhigte ihn mit einem Lächeln und zeigte dann auf Thane. »Wir haben einen Gast. Detective Superintendent Thane – ich kenne ihn von früher. Colin, das ist mein Schwager, Jonathan Garrison.«

Garrison, der Mitte Dreißig sein mußte, hatte schon fast eine Glatze und eine dicke Brille auf der Nase. Er trug ein schäbiges Sportsakko aus Tweed mit Lederflicken an den Ellbogen. Jetzt blinzelte er durch die starken Gläser und räusperte sich, während er

Thane die Hand schüttelte.

»Draußen ist eine Frau«, begann er.

»Detective Constable Craig.« Thane nickte. »Sie hat mich begleitet.«

»Es geht um Ted Douglas«, erklärte Alexis Garrison geduldig. Dann wandte sie sich an Thane. »Jonathan ist die beste Adresse, wenn du Näheres wissen willst, Colin. Er hat die Versandleitung der Firma unter sich.«

»Gut.« Thane dachte, daß Jonathans toter Bruder ein ganz anderer Typ gewesen sein mußte, wenn Alexis ihn geheiratet hatte. »Es ist keine große Sache, Mr. Garrison. Ich habe nur ein paar Fragen über ihn.«

»Wenn ich Ihnen behilflich sein kann.« Der Mann blinzelte ihn wieder durch die starken Brillengläser an. »Ich war entsetzt über das, was passiert ist, Superintendent – wirklich entsetzt.« Er schniefte. »Aber es gibt ohnehin so viel Verbrechen in unseren Straßen, so viel Gesetzlosigkeit –«

»Ted Douglas«, erinnerte ihn Alexis Garrison und schnitt ihm damit das Wort ab. »Wie lange hat er für uns gearbeitet, Jonathan? Etwa acht Monate, nicht wahr?«

»Ja.« Garrison zögerte und schaute wieder betrübt drein. »Aber nur als Gelegenheitsfahrer, Superintendent. Er war immer zuverlässig, ein guter Arbeiter – das einzige, was ich merkwürdig fand, war, daß ich ihm vorgeschlagen hatte, er könnte als fester Angestellter für uns arbeiten oder zumindest nicht nur als Teilzeitfahrer, und ich würde ihn Alex empfehlen – aber er war nicht daran interessiert.«

Thane zog eine Augenbraue hoch. »Hat er gesagt, warum?«

»Nun ...« Garrison senkte den Blick und schien peinlich berührt zu sein. »Teilzeitarbeit ist lohnend. Wenn er daneben illegal Arbeitslosenunterstützung bezogen hat und erklärte, daß er arbeitslos sei – mich ging das alles nichts an.«

»Mich auch nicht«, murmelte Thane. »Wie hat er bei Ihnen angefangen?«

»Er war einfach eines Tages da und hat sich nach Arbeit erkundigt«, sagte Garrison etwas vage. »Ich glaube, erst hat er mit Alex gesprochen.«

Sie nickte und drückte ihre Zigarette in einem Aschenbecher aus. »Er hatte gehört, daß wir Teilzeitfahrer einstellen. Er besaß einen

Führerschein, schien auch sonst in Ordnung zu sein, und wir brauchten gerade einen zusätzlichen Mann. Also habe ich ihn zu Jonathan geschickt.«

Thane hatte das Gefühl, daß er in dieser Richtung nicht weiterkam, wollte es aber dennoch versuchen.

»Hat er irgendeine reguläre Route gefahren?«

Garrison schaute ihn überrascht an. »Nein. Ich habe ihn immer dann eingesetzt, wenn ich ihn brauchte, überallhin.«

»Gibt es auch Fahrten, die während der Nacht durchgeführt werden?«

»Gelegentlich. Douglas ist ein paarmal über Nacht gefahren.« Garrison schaute unsicher drein. »Das kommt vor, wenn es sich um größere Entfernungen handelt und wenn die Auslieferung sehr dringend ist. Aber es ist mindestens zwei Wochen her, seit wir ihn zuletzt beschäftigt haben – wir brauchten in letzter Zeit keine zusätzlichen Fahrer.«

Thane spitzte die Lippen. Mit dieser Information hatte er nicht gerechnet.

»Kennen Sie irgendwelche anderen Firmen, für die er gearbeitet hat?« fragte er Garrison.

»Nein. Und ich glaube auch nicht, daß er für andere gearbeitet hat.« Garrison schaute auf seine Armbanduhr und leckte sich dann über die trocken gewordenen Lippen. »Haben Sie noch mehr Fragen? Ich muß ein paar dringende Bestellungen auf den Weg bringen.«

»Nein, ich bin fertig.« Thane stand auf. »Danke für Ihre Hilfe.«

Jonathan Garrison ging auf die Tür zu, dann drehte er sich noch einmal um.

»Superintendent, ich verstehe noch immer nicht ganz, worum es geht«, erklärte er. »Aber haben Sie gewußt, daß Douglas sein Examen cum laude abgelegt hat? Können Sie sich vorstellen, was das beim Studium bedeutet, was das heutzutage für eine Leistung ist?« Er schüttelte den Kopf. »Und was hat es ihm genützt? Er hatte ein Stück Papier – und für uns durfte er gelegentlich Lieferwagen fahren.«

»Er hat Ihnen leid getan«, sagte Thane leise.

»Nein.« Garrison ließ eine Pause entstehen und zeigte sich seltsam entschlossen. »Ich war wütend darüber.«

Dann ging er rasch hinaus und schloß die Tür hinter sich.

»Kaum zu glauben«, sagte Alexis leise. »Unser Jonathan ist nicht oft so gerührt.« Sie breitete die Hände auf dem Schreibtisch aus, und Thane bemerkte, daß sie immer noch ihren Ehering trug. »Colin, kannst du mir erzählen, was wirklich vor sich geht?«

Er zuckte mit den Schultern und log. »Ted Douglas hatte ein paar ungewöhnliche Freunde. Es könnte sein, daß er aktiv an der Rauschgiftszene beteiligt war – wir werden das überprüfen.«

»Was er auch getan hat, es fand bestimmt nicht hier bei uns statt.« Die blonde Frau zog eine Schreibtischschublade auf, nahm einen Umschlag heraus und schrieb rasch etwas darauf. »Ich möchte dir meine Privatadresse und meine Telefonnummer geben. Rufst du mich an?«

»Wenn ich dazu komme«, erwiderte Thane zurückhaltend.

»Gut.« Sie stand auf, kam herüber und reichte ihm den Umschlag. »Wir könnten einen Schluck trinken und vielleicht über die alten Zeiten reden.« Ein Lächeln umspielte ihre Lippen, und sie schaute ihn nachdenklich an. »Ich glaube, das würde mir Freude machen.«

Thane steckte den Umschlag in eine Innentasche seines Sakkos und verabschiedete sich. Draußen vor dem Gebäude schaute er sich um und sah, daß Sandra in der Ladezone neben einem der Lastwagen stand und sich mit dem Fahrer unterhielt. Er rief nach ihr, und sie verabschiedete sich rasch von dem Mann und kam herüber.

»Fertig?« fragte Thane.

»Ich habe eigentlich noch gar nicht angefangen«, gestand sie. »Und ich habe den Eindruck, als ob sich die fest Angestellten kaum mit den Teilzeitarbeitern unterhalten würden – es scheint eine Art Klassensystem zu sein. Sie kannten Douglas natürlich, aber ansonsten wußten sie nicht viel über ihn.«

»Und das ist alles?«

»Alles.« Sie hatte eine kleine, braune Papiertüte in der Hand.

»Was ist in der Tüte?«

»Krapfen, Sir.« Ein glücklicher Unterton schwang in ihrer Stimme mit. »Es gibt hier eine Kantine – ich habe ein halbes Dutzend gekauft, um einigermaßen auf dem Damm zu bleiben.« Sie schaute erst Thane, dann den Wagen an. »Ich – äh – ich werde versuchen, die Krümel auf meiner Seite zu behalten.«

Die eine Hand auf dem Lenkrad, verzehrte sie ihren zweiten Krapfen, als sie East Kilbride verließen und die Hauptstraße erreichten, die sie zurück nach Glasgow nahmen. Sandra sah, wie Thane sie beobachtete, und machte eine Kopfbewegung in Richtung auf die braune Tüte.

»Möchten Sie einen?«

»Ich will Sie nicht berauben«, sagte Thane sarkastisch.

»Schon gut.« Sie aß ihren Krapfen auf, wischte sich die Hände an ihrem Rock ab und schaute dann Thane wieder von der Seite an. »Man hat mir gesagt, daß Alex Garrison eine Frau ist.«

»Und eine Witwe obendrein«, bestätigte Thane. »Was sagt man noch?«

»Nur Klatsch, Sir.« Sie schaltete herunter, beschleunigte und überholte zwei langsame Tankzüge. »Die Witwe scheint nicht nur Hirn zu haben, sondern auch Herz. Sie hat angeblich einen festen Freund, aber sie zeigt ihn nicht her.«

»Hat der Freund vielleicht einen Namen?« fragte Thane milde.

Sandra schüttelte den Kopf. »Es gibt nur eine Andeutung, daß es jemand mit Geld ist und daß die Witwe an den Wochenenden nach Norden fährt und erst am Montagmorgen wieder auftaucht.«

Thane gab keine Antwort. Aber Sandra hatte Norden gesagt . . . Loch Lomond lag im Norden, doch das besagte gar nichts, und wie Alexis Garrison ihre Freizeit verbrachte, ging ihn nichts an. Selbst wenn es ihn früher einmal etwas angegangen wäre.

Er nahm den Umschlag aus der Tasche und warf einen Blick auf ihre kleine, saubere Handschrift. Es war eine Adresse aus der Gegend, und er kannte sich dort aus: eine neue Siedlung kleinerer Stadthäuser, die überwiegend von der Oberschicht bewohnt wurden.

»Sir?« Sandra Craig hatte den Blick auf die Straße gerichtet, schien sich aber über sein Schweigen zu wundern. Sie war inzwischen munterer als bisher an diesem Vormittag. »Die Krapfen – ich meine, ich habe wirklich genug davon, wenn Sie vielleicht einen mögen . . .«

Er schüttelte den Kopf, nahm sein Zigarettenpäckchen heraus und rauchte eine der wenigen, die er sich pro Tag zugestand.

Der Sitz der Polizeizentrale Strathclyde befindet sich im Herzen von Glasgow, keinen Steinwurf entfernt vom Einkaufszentrum um die Sauchiehall Street. Als Hauptquartier der größten Polizeiorganisation Großbritanniens außerhalb von London nehmen die umfangreichen, modernen Gebäude einen ganzen Straßenblock für sich in Anspruch. Das einzige, was fehlt, ist eine ausreichende Zahl von Parkplätzen.

Sie kamen gegen elf Uhr vormittags dort an. Detective Constable Craig hielt absichtlich in einem Halteverbot und grinste den patrouillierenden Verkehrspolizisten an. Der Mann warf einen Blick auf den neutralen Wagen, dann auf die Fahrerin und den Beifahrer. Er wußte nicht, wer die beiden waren, kam aber zu der Erkenntnis, daß es an der nächsten Straßenecke lohnendere Opfer für Strafzettel geben würde.

»Wer entwertet eigentlich Ihre Strafzettel?« fragte Thane in mürrischem Ton.

»Ich bekomme fast nie welche«, erklärte sie unschuldig. »Soll ich hier warten?«

Er schüttelte den Kopf. Sie hatten über das Funkgerät gelegentlich Durchsagen empfangen, aber nichts von Francey Dunbar und nichts, was für ihren Ruf-Code bestimmt gewesen wäre.

»Fahren Sie zurück und kümmern Sie sich um diese Darrow. Versuchen Sie es noch mal mit ihr im Hinblick auf Falcon Services – alles, woran sie sich erinnert, alles, was wir vielleicht übersehen haben.« Er hegte noch eine schwache Hoffnung. »Dann versuchen Sie, mehr über Douglas aus seiner Studentenzeit herauszufinden – vielleicht gibt es da noch etwas, was uns weiterhilft.«

Er stieg aus dem Wagen, schaute ihr nach, als sie wegfuhr, und betrat dann durch die großen Glastüren das Hauptgebäude der Polizeizentrale. Die Räume des wissenschaftlichen Labors lagen im obersten Stockwerk, und als er dort ankam, traf er Matthew Amos, den stellvertretenden Leiter der Labors, an einer der Arbeitsbänke in der großen Laborhalle.

»Moment, Colin.« Amos, ein schlanker, bärtiger Zivilist, der immer besonders auffallende Querbinder statt einer Krawatte bevorzugte, grüßte ihn mit einem Kopfnicken. »Ich bin hier gleich fertig.«

Er wartete, während Amos auf der Tastatur einer elektronischen Analyseeinheit tippte. Die Einheit, nicht sehr groß, aber durch Kabel mit einer wesentlich größeren verbunden, reagierte mit einem kaum hörbaren Brummen. Eine unregelmäßige graphische Darstellung mit Höhen und Tiefen erschien auf einem kleinen Bildschirm, und Amos knurrte mißbilligend.

»Wieder falsch«, sagte er. »Also zurück zur Schiefertafel.« Er betätigte einen Schalter, und der Bildschirm erlosch. »Das ist ein XRF-Elemental, dieser Bursche hier. Er übertrifft den Menschen, kann nicht lügen und verlangt keine Bezahlung von Überstunden. Ich habe ihn mit zwei Farbproben gefüttert, und sie passen nicht zusammen. Identische Farben, aber verschiedene chemische Zusammensetzungen.«

»Und?«

»Es geht um einen Fall von Fahrerflucht – Farbspuren vom Kleid eines toten Mädchens und von einem möglicherweise in den Unfall verwickelten Fahrzeug.« Amos zuckte mit den Schultern. »Aber es ist das falsche Fahrzeug. Da wird jemand sehr, sehr froh sein.«

»So was kommt vor.« Thane wußte, daß man das Urteil des stellvertretenden Laborleiters nicht anzweifeln würde. Matt Amos wurde von vielen als Einzelgänger und Sonderling eingestuft, sogar als zersetzendes Element, und er war berüchtigt für seine Kämpfe mit jeglichen auf ihre Ränge pochenden Autoritäten. Aber ein Laborbericht, der mit den Buchstaben M.A. abgezeichnet war, wurde respektiert. Wenn er erklärte, etwas sei falsch, dann war es auch falsch. »Matt, ich brauche Hilfe.«

»Hab' ich gehört.« Amos nickte. »Die Donaldhill-Schießerei.«

»Genauer: der Motorradfahrer aus der Donaldhill-Sache.«

»Auch das hab' ich gehört.« Amos steckte die Hände in die Taschen seines weißen Laborkittels. »Und – möchten Sie den de luxe-Service?«

Thane schaute ihn skeptisch an. »Was kostet mich der?«

Amos grinste. »Ich höre, Ihre Meute hat ein Video von *Der Baum zum Hängen*. Ich möchte, daß Sie es mir über Nacht ausleihen, ohne daß ich erst lange darum bitten muß.«

»Aus Gründen der Ermittlung«, stimmte Thane mit unbewegtem Gesichtsausdruck zu. »Ich werde mich darum kümmern.«

»Also dann de luxe.« Amos schien zufrieden und sagte: »Wenn Sie mitkommen wollen ...«

Der stellvertretende Direktor ging voraus durch den großen Laborsaal, vorüber an den vielen weißbemäntelten Gestalten, die an allen möglichen Tests und Untersuchungen arbeiteten. Er öffnete eine Tür zu einem kleineren Raum, der eher an ein Privatlabor erinnerte. Unter einer handbedruckten Fahne mit der Aufschrift *Schlaf sicher heute nacht – nimm dir einen Polizisten mit ins Bett* schaute ein blondes Mädchen von einem starken Mikroskop auf.

»Gewinnen wir?« fragte Amos.

»Noch nicht.« Sie warf einen sorgenvollen Blick auf das Mikroskop. »Die Trennung ist positiv. Ich wollte sie anschließend spekto-graphisch untersuchen, und mit etwas Glück –«

»Ich hab' es doch schon oft genug gesagt, Kleines«, unterbrach Amos ernst. »Wir sprechen nicht von Glück. Glück kommt bei uns nicht vor. Wir nennen es Aufmerksamkeit. Sind Sie mit dem Quer-schnitt fertig?«

Sie nickte.

»Dann haben Sie sich eine Kaffeepause verdient.« Amos grinste sie bewußt herausfordernd an. »Und der Superintendent und ich können hier endlich mal ungestört von Mann zu Mann miteinander reden.«

»Gott«, sagte sie in erschöpftem Ton und stand auf. Das Mädchen, das Amos als ›Kleines‹ bezeichnete, war ziemlich groß, Anfang Zwan-zig, und hatte rauchgraue Augen. »Aber vergessen Sie nicht die telefonische Mitteilung.«

»Ich sag' es ihm«, versprach Amos. »Das ist Liz – sie ist mir nur ausgeliehen worden, von den Labors des Verteidigungsministeriums. Wir sollen ihr ein paar neue Tricks beibringen. Der etwas beibringen? Verdammt, ich fange schon an, nachts noch Lehrbücher zu wälzen, um mit ihr Schritt halten zu können.«

»Dann halten Sie sich ran«, sagte Thane trocken. Er wußte, daß Amos von einer hochdotierten Forschungsgruppe der Universität zur Polizei gekommen war und auf das weitaus höhere Gehalt dort verzichtet hatte, um das zu erhalten, was er als ›befriedigenden Job‹ bezeichnete. Die Forschungsgruppe unternahm immer wieder Vor-stöße, um ihn zurückzuholen. »Was ist das für eine Mitteilung?«

»Sie müssen unbedingt bei Phil Moss vorbeischauen, bevor Sie gehen«, sagte Amos. »Aber schieben Sie ihm erst ein paar Pfund rohes Fleisch unter der Tür durch – es hört sich so an, als ob er in der Stimmung wäre, jeden zu zerfleischen, der ihm unter die Augen tritt.« Er hockte sich auf die Schreibtischkante, ließ die Beine baumeln und wurde gleich danach wieder ernst. »Dieser Motorradfahrer – Douglas, nicht wahr –, was wollen Sie von mir haben?«

»Vielleicht ein paar kleinere Wunder.« Thane schaute ihm in die Augen. »Oder vielleicht diese Vergleichsanalyse, die Sie immer pre-digen.«

»Die Vergleichsanalyse.« Amos leckte sich mit zunehmender Zu-friedenheit über die Lippen. »Genau das habe ich mir gedacht. Ver-gessen Sie eines nicht: Bei uns gibt's keine Garantien.«

Aber Thane wußte, daß er dem extrovertierten, bärtigen Amos die Möglichkeit bot, auf einem seiner Lieblingsgebiete zu forschen, einem Gebiet, das er mit ebensoviel Freude wie Eifer bearbeiten würde. Die vergleichende Analyse ging von der wissenschaftlichen These aus, daß Gegenstände, die mit etwas in Berührung kommen, dabei sowohl Spuren davontragen als auch hinterlassen. Matt Amos setzte das in Beziehung mit Menschen: Jeder, der sich irgendwo aufhielt, auch wenn er nur durch einen Raum ging, ohne etwas zu berühren, sammelte Spuren von dem Ort, wo er sich aufhielt – und hinterließ Spuren seiner Anwesenheit, selbst wenn sie noch so winzig sein sollten.

Sie mußten nur gefunden und identifiziert werden: Spuren, die mitunter mikroskopisch klein waren. Man brauchte Erfahrung, um sie zu lokalisieren, und es gelang nicht immer. Aber die Spuren waren da, und wenn es möglich war, sie zu identifizieren, konnte man auf ihnen aufbauen.

»Matt, ich muß wissen, wo er gewesen ist – und alles andere«, sagte er zu Amos.

»Es gibt ein paar Möglichkeiten.« Amos strich sich durch seinen Bart, dann erlaubte er sich ein leichtes Lächeln. »Ich nehme an, seine Kleidung und das Motorrad dürften einiges verraten. Ich habe Liz schon darauf angesetzt, und zwei von meinen Jungs besorgen den Rest, aber ich möchte nicht behaupten, daß das, was wir bisher erarbeitet haben, bereits einen Sinn ergibt.«

»Sagen Sie es mir trotzdem«, bat Thane.

Amos rutschte von der Schreibtischkante, streckte sich, langte über einen großen Glasballon und eine Anordnung von Behältern und Glasröhrchen hinweg und nahm einen Plastikbeutel von einem der Regale herunter.

»Seine Kleidung.« Er ließ den Sack auf den Schreibtisch fallen. Durch das Plastikmaterial konnte Thane die getrockneten Blutflecken auf dem weißen Wollpullover sehen. Der Absatz eines Cowboystiefels stand ein wenig seitwärts ab. »Wir haben ein paar Stearinflecken entdeckt, Colin. Gewöhnliches Stearin. Und ein paar Pferdehaare. Das weist nicht unbedingt auf einen direkten Zusammenhang mit dieser Video-Sache hin, oder?«

Thane zuckte mit den Schultern. »Vorläufig nicht. Ist das alles?«

»Bis jetzt. Das Motorrad und seine Reifen sehen so aus, als ob sie uns mehr sagen könnten.« Amos schlug geistesabwesend auf den Sack. »Dann sind da noch ein paar Aspekte, die wir überprüfen müssen – wenn Sie uns Zeit lassen.« Er wartete ein paar Sekunden. »Sie erinnern sich doch an die kleine Gefälligkeit, oder?«

»Wie könnte ich sie vergessen?« fragte Thane zurück. Er nahm den Sack und wollte ihn zurücklegen auf das Regal.

»Vorsicht!« Die Warnung klang wie ein erschrecktes Kläffen. »Stoßen Sie nicht an das Glaszeug darunter.«

»Keine Angst«, beruhigte ihn Thane. Er legte den Sack wieder zurück, dann schaute er den Apparat darunter an. »Was Besonderes?«

»Wertvoller als pures Gold«, erklärte Amos entschieden. Er kam herüber und schaute besorgt drein. »Das ist nichts für ungeschickte Bullenhände. Zehn Liter bester, hausgekelterter Chablis, das Produkt meiner persönlichen, zärtlichsten Sorgfalt, das – ach, zum Teufel, lassen Sie die Finger davon. Sie wären imstande, ihn aus einem Pappbecher zu trinken.«

»Wenn etwas daraus wird, können Sie ihn ja ›Château Glasgow‹ nennen«, schlug Thane vor. »Ich melde mich wieder.«

Und er ging, bevor Amos ihm ein giftiges Knurren hinterherschikken konnte.

Detective Inspector Phil Moss war einmal Thanes Stellvertreter in Millside gewesen. Jetzt war er Verbindungsbeamter zwischen dem Chief Constable und der Kriminalpolizei von Strathclyde – was nach Ansicht von Moss selbst kaum mehr bedeutete als Bürobote und Laufbursche zu sein. Aber er verfügte über ein eigenes Büro, auch wenn es nicht viel größer war als eine umgebaute Besenkammer, und dieses Büro befand sich in der Verwaltungsabteilung, wo bewachte Glastüren die Ungeladenen fernhielten. Jenseits der Glastüren befand sich ein Korridor, der letztendlich zum Büro des Chief Constable führte.

Ein Inspektor der Verkehrspolizei kam gerade durch die Türen, als Thane sie öffnen wollte. Der Mann ging an ihm vorüber und redete mit sich selbst. Was ihm auch in einem der Räume, die an diesem Korridor lagen, widerfahren sein mochte, es hatte ihm nicht gefallen. Und für den Durchschnittspolizisten hatte eine Vorladung in ein Büro hinter diesen Türen die Wirkung eines Marschs zur Hinrichtungsstätte.

Das Büro von Moss befand sich direkt neben dem des Chief Constable. Phil Moss war ein kleiner, magerer Mann mit faltigem Gesicht, der Thane erfreut anlächelte, als dieser den Raum betreten hatte.

»Gut, dich zu sehen, Colin«, erklärte er mit aufrichtiger Freude, kam um den Schreibtisch herum und schüttelte Thane die Hand. »Na, wie geht's in eurer Irrenanstalt?«

»Es gibt Schlimmeres«, sagte Thane leichthin, und dabei erwiderte er das Lächeln. Sie hatten ein gutes Team gebildet, vor allem wegen der Unterschiede, die zwischen ihnen bestanden. Aber während Thane befördert und versetzt worden war, hatte Moss sich längere Zeit ins Krankenhaus begeben müssen wegen einer längst fälligen Magenoperation, und danach war er nach dem Urteil der Ärzte nur noch für leichte Einsätze verwendbar. »Und wie geht es hier?«

»Du meinst, wie es mir geht? Ich könnte hier drinnen tot umfallen, und irgendwann, früher oder später, würde sich jemand über den Gestank beklagen.« Moss schloß die Tür seines kleinen Büros, warf ein paar Akten von dem zweiten Stuhl auf den Boden und wartete, bis Thane sich niedergelassen hatte. Dann ging er wieder hinter den Schreibtisch und setzte sich mit erleichtertem Stöhnen. »Mary und die Kinder, alles okay, ja?«

»Bestens.« Thane nickte. »Warum hast du dich so lange nicht blicken lassen?«

»Ich habe zuviel von dem Mist hier, den sie mir in den Weg gelegt haben.« Moss deutete auf die Akten, die sich auch vor ihm auf dem Schreibtisch türmten. »Die Hälfte davon ist nicht genießbar, der Rest noch schlimmer, aber ich soll natürlich wissen, worum es dabei geht.« Sein Gesicht entspannte sich. »Sag ihnen einen Gruß von mir, und wenn das eine Einladung ist, kannst du demnächst mit mir rechnen.«

Thane lachte. Der drahtige Phil Moss mit seinem schütteren, mausgrauen Haar war Ende Fünfzig und ein überzeugter Junggeselle. Die Arbeit hier hatte ihn offenbar nicht sehr verändert – er sah noch immer so aus, als ob er in seinen Kleidern schliefe, und wenn er sich heute morgen rasiert haben sollte, dann hatte er einen gehörigen Abstand zwischen sich und der Klinge eingehalten.

Aber man erinnerte sich an ihn auf den Straßen, wo er zur Legende geworden war, ein zermürbender, scharfzüngiger Verfolger mit einer auf mürrische Weise methodischen Art, alle Probleme zu meistern.

Älter und vorsichtiger, war er der ideale Ausgleich zu Thanes manchmal impulsiver Handlungsweise gewesen. Ein Ausgleich, der Thane, wie er wohl wußte, seitdem mitunter fehlte.

»Also.« Moss lehnte sich zurück, und sein entspanntes Rülpsen war nicht mehr als ein blasser Schatten der Explosionen, für die er berühmt gewesen war, bevor das Messer des Chirurgen daran einiges geändert hatte. »Mein Boß sagt, du jagst Videopiraten.«

»Sagt er das?« Thane war überrascht. Wenn sich der Chief Constable für eine Operation der Crime Squad interessierte, war das nicht unbedingt eine willkommene Nachricht.

»Aber er hat nichts davon gewußt, bis ihn ein alter Freund anrief, was gut war für ihn. Es ersparte ihm die Verpflichtung zu lügen.« Moss kramte eine dicke Hornbrille hervor, die Thane noch nie zuvor gesehen hatte, setzte sie mit selbstbewußter Miene auf und warf dann einen Blick auf die vielen Zettel, die vor ihm lagen. »Der Anrufer war ein Jonathan Garrison. Sie haben vor Jahren miteinander Golf gespielt. Kennst du ihn?«

Thane nickte. »Ich habe ihn heute morgen besucht.«

»Du scheinst Eindruck gemacht zu haben«, erzählte Moss. »Er nahm an, daß du einer von unseren Leuten wärst, und wollte wissen, wieso man sich an höherer Stelle für diesen Toten interessierte.«

»Hat er sich vielleicht beschwert?« Thane zog die Stirn in Falten.

»Nein.« Moss schüttelte den Kopf. »Er hat nur gefragt. Mein Chef hat ihn mit der üblichen Ausrede abgespeist, es handle sich um eine Routineuntersuchung, meinte aber, daß man es dir sagen sollte.«

»Ich verstehe.« Thane spitzte die Lippen. Er wäre weniger überrascht gewesen, wenn Alexis angerufen hätte. Aber ein Anruf ihres Schwagers – damit hatte er nicht gerechnet. »Und ist das alles?«

»Alles, was man mir gesagt hat.« Moss schaute ihn durch die unvertraute Brille an. »Warum? Ist er wichtig?«

»Garrison?« Thane schüttelte den Kopf. »Ich weiß es nicht, Phil. Es ist noch zu früh.«

»*Der Baum zum Hängen* – ich habe einiges davon läuten hören.« Moss kratzte die Stoppeln an seinem Kinn. »Kommst du voran?«

»Kaum merklich«, gestand Thane betrübt.

»Ich habe ferner gehört, daß du dich für Martin Tuce interessierst – den Glasmann.« Moss schwieg einen Augenblick. »Der Kerl scheint alles andere als hasenrein zu sein.«

»Ich gebe dir Bescheid, wenn wir ihn gefunden haben.« Durch das Fenster in der Wand hinter Moss konnte man das Bürogebäude auf der anderen Straßenseite sehen. Als Thane das letztemal Moss in seinem Büro besucht hatte, war es ein hellerleuchtetes, belebtes Haus gewesen. Jetzt stand es leer, und vor dem Eingang hingen große ›Zu verkaufen‹-Schilder. Thane seufzte, kontrollierte seine abschweifenden Gedanken und sagte: »Wir kratzen nur so ein bißchen außen herum in der Hoffnung, daß etwas passiert.«

»Wir haben auch eine Akte über den illegalen Videohandel, und der hört nicht bei den Kassetten auf«, sagte Moss langsam. Er nahm die Brille ab und legte sie beiseite. »Wir haben Hinweise auf ausgedehnte Hehlergeschäfte, die vermutlich sogar stimmen. Jeder Dieb mit etwas Verstand klaut heutzutage Recorder, Kameras, Hardware und Software – und alles, was mit Video zusammenhängt. Es gibt einen grauen Markt, und die Kunden stellen keine Fragen.«

»Haben sie das jemals getan?« fragte Thane trocken. Er nahm seine Zigarettenschachtel heraus und zündete sich eine Zigarette an.

»Schlimme Angewohnheit.« Moss schob Thane einen zerbeulten Metallaschenbecher über den Schreibtisch zu. »Colin, ich bekomme heutzutage nur noch selten einen wirklichen Kriminellen live zu Gesicht, trotzdem weiß ich genau, was läuft. Willst du wissen, wie ich es sehe?«

Thane nickte.

»Inzwischen greifen die harten Burschen ein, die echten Profis.« Moss rülpste leise, um es zu unterstreichen. »Die kleinen, nebenberuflichen Gauner, die hier und da einen Laden ausräumen, kannst du vergessen. Ich spreche jetzt über mindestens ein Team, das Lagerhäuser aufbricht und das Zeug lastwagenweise abtransportiert. Dabei werden die Aktionen sekundengenau aufeinander abgestimmt. Sie benützen CB-Geräte und alles mögliche und überlassen nichts dem Zufall. Wenn ihnen jemand in den Weg kommt, hat derjenige eben Pech gehabt.«

»Wie groß ist das Pech?«

»Vor drei Wochen hat man in der Northern Division einen Transporthof überfallen, und dabei ist eine ganze Containerladung von unbespielten Videokassetten verschwunden – über zehntausend, die im Verkauf ungefähr achtzigtausend Pfund wert sind. Der Nachtwächter ist ihnen in den Weg geraten, also haben sie ihm mit einer

Eisenstange den Schädel eingeschlagen.« Moss schob die Lippen vor. »Er lebt, kann aber nie mehr arbeiten.«

»Und es gab keine Hinweise?«

Moss schüttelte den Kopf. »Nein, aber es gibt weitere, ähnliche Überfälle. Der letzte war erst vor einer Woche, aber dabei ist etwas schiefgegangen. Ein automatischer Alarm in einem Lagerhaus hat sich ausgelöst, und sie sind abgehauen, so schnell sie konnten.«

Die Sprechanlage an seinem Schreibtisch piepste zweimal. Er warf einen Blick darauf und verzog resignierend das Gesicht. »Mein Meister ruft mich. Wahrscheinlich will er wissen, welches Datum wir heute haben.«

»Ich mach' mich auf den Weg.« Thane stand auf.

»Bleib noch einen Moment.« Moss blieb sitzen. »Deine Raubkassetten – hast du darüber schon mit einem Händler gesprochen?«

Thane zuckte mit den Schultern. »Wir haben unsere Leute herumgeschickt, aber die haben nichts herausgefunden.«

»Versuch's mal mit diesem.« Moss schrieb etwas auf einen Zettel und reichte ihn Thane. »Es ist nicht weit von hier.«

»Joe Daisy.« Thane zog die Augenbrauen hoch. »Heißt er wirklich so?«

»Ja, wirklich. Als Geschäftsmann nennt er sich Takki Joe.« Moss grinste.

»Hilfsbereit?«

»Nein. Aber verängstigt. Er glaubt, wir haben ihn in der Hand, weil er seine weiblichen Kunden mit obszönen Anrufen belästigt.« Moss grinste wieder und sah dabei aus wie ein bösartiger Kobold. »Wir haben ihn gar nicht in der Hand, es gibt nicht genügend Beweise gegen ihn; trotzdem lassen wir ihn schmoren. Versuch's ruhig, und du wirst schon sehen.«

Wieder piepste die Sprechanlage, ungeduldiger diesmal, wie es schien. Moss stand auf und nahm ein Notizbuch zur Hand.

»Ich lasse von mir hören«, versprach Thane.

»Tu das.« Moss schaute ihn fast neidisch an und schien noch etwas sagen zu wollen.

Aber er schwieg.

Takki Joes Videoladen befand sich in einer Seitenstraße der geschäftigen St. Vincent Street, nur ein paar Minuten zu Fuß vom Gebäudekomplex der Polizeieinheit Strathclyde entfernt. Von außen sah er aus wie jeder andere der vielen Videoläden, die im Stadtzentrum wie Pilze aus der Erde geschossen waren. Technicolorbunte Plakate der neuesten Video-Filme kämpften um die besten Plätze in den Schaufenstern; Hinweisschilder an der Tür warben für die besonderen Wochenendpreise, und es herrschte ein ständiges Kommen und Gehen von Kunden.

Thane ging hinein, kämpfte sich an den Verkaufsständern und den Kunden vorbei und kam zu einer Theke, wo ein Schild mit der Aufschrift ›Ladendiebe werden angezeigt‹ neben einem Bildschirm stand, auf dem etwas, das wie grüner Pudding aussah, eine vollbusige Blondine attackierte, die dabei bereits ihrer Bekleidung verlustig gegangen war. Der Ton zum Film war leise gedreht worden, damit die Schreie der Blondine nicht die Musik übertönten, die aus den Lautsprechern einer Stereoanlage dröhnte.

Hinter der Theke stand ein Mädchen, das einen roten Overall zu ihrem stumpfbraunen Haar trug, zuviel Augen-Make-up aufgelegt hatte und gelangweilt dreinschaute. »Ja?« Sie warf Thane nur einen kurzen Blick zu. »Wenn Sie leihen wollen und kein Mitglied sind, brauchen wir Ihren Ausweis – und eine Kaution.«

»Die Kaution brauchen Sie nicht.« Thane zeigte ihr seinen Dienstausweis. »Und ich möchte Ihren Chef sprechen.«

»Damit wird sein Tag gelaufen sein«, sagte sie spöttisch.

Sie verließ den Platz hinter der Theke, verschwand einen Augenblick zwischen den Verkaufsständern und den Kunden, tauchte aber nach ein paar Sekunden wieder auf. Der Mann neben ihr war in mittleren Jahren, hatte einen Bierbauch und langes, schwarz gefärbtes Haar, das an den Wurzeln grau nachwuchs. Er trug einen Jeansanzug und ein Cowboyhemd mit Schnürsenkelkrawatte. Als er Thane sah, setzte er ein nervöses, Sympathie heischendes Lächeln auf.

»Joe Daisy?« fragte Thane.

»Ja.« Der Mann mit dem Bierbauch hatte Mühe, sein Lächeln zu bewahren. »Die Leute – äh – nennen mich Takki Joe.«

»Ich nicht, Mr. Daisy.« Thane ließ wieder seinen Dienstausweis sehen. »Übrigens, mich nennen die Leute Superintendent.«

»Also gut.« Daisy schluckte, schaute hinüber zur Theke und warf dann dem Mädchen einen Blick zu. »Die Kunden warten. Wir sind hinten.«

Das Mädchen zuckte mit den Schultern und ging hinüber zu zwei Kunden, die Videokassetten in den Händen hielten. Daisy führte Thane durch eine mit einem Vorhang versehene Tür in den hinteren Raum des Ladens. Ein Teil davon war als kleines Büro eingerichtet, der Rest enthielt Regale mit Videobändern und mehrere Stapel unauffälliger Pappkartons.

»Das Geschäft blüht.« Daisy machte eine schwache Geste. »Der Laden hat eine gute Lage, Superintendent.«

»Stimmt.« Thane ging hinüber zu dem zerkratzten Schreibtisch, legte einen Augenblick wie geistesabwesend die Hand auf den Hörer des Telefons, dann schaute er den Ladeninhaber kalt an. »Das habe ich gehört – unter anderem. Sie haben Probleme, Mr. Daisy, nicht wahr?«

Das fette Gesicht erbleichte, und Daisy sah plötzlich wesentlich älter und sehr verängstigt aus.

»Ich dachte –«

»Das ist immer ein Fehler.« Thane schüttelte bedauernd den Kopf. »Ein ebenso großer Fehler wie diese Anrufe. Sie lassen sich Namen und Adressen geben, wenn Sie die Kassetten verleihen, und haben eine nette kleine Kundenkartei –«

»Ich habe nichts –«

»Sie haben nichts zuzugeben, das stimmt.« Thane nickte.

»Es ist eingebrochen worden bei uns«, sagte Daisy im Ton der Verzweiflung. Dann leckte er sich über die trocken gewordenen Lippen. »Jeder kann an die Kartei ran, Superintendent. Das ist schon öfters passiert, in anderen Geschäften. Vielleicht rufen sie nicht an, aber sie brechen in die Häuser der Kunden ein und wissen, daß es dort zumindest einen Videorecorder zu klauen gibt. Ich –«

»Daran haben wir auch gedacht«, sagte Thane nachdenklich. Er ließ eine Pause entstehen und seufzte dann. »Natürlich, wenn Sie uns in anderer Richtung helfen könnten, ich meine, wirklich helfen, wären wir vielleicht eher bereit, Ihnen zu glauben.«

»Ihnen helfen?« Daisy klammerte sich an die Worte, schaute einen Augenblick lang verwirrt drein, dann glaubte er, die Antwort gefunden zu haben. »Wieviel würde es mich kosten?«

»Ungefähr fünf Jahre, wenn Sie es noch einmal wagen.« Während er sprach, streckte Thane die Hand aus, nahm die Enden der Krawatte in die Hand und zog damit den fetten Mann näher zu sich heran. »Schmutzige Anrufe, ein Bestechungsversuch – vielleicht durchsuchen wir mal diesen Laden und schauen uns sämtliche Videobänder an, die Sie hier haben – wie gefällt Ihnen das?«

Der feiste Mann begann zu zittern. Joe Daisy war den Tränen nahe und bekam kaum noch Luft. Thane ließ ihn los und warf ihm einen angewiderten Blick zu.

»Also fangen wir noch mal von vorne an«, sagte er. »Sprechen wir von Raubkopien. Aber als gesetzestreuer Händler haben Sie so etwas natürlich noch nie vorrätig gehabt.«

Daisy schluckte und nickte dann kurz. »Ich –«

Thane fuhr ihm über den Mund. »Sie sollen erst mal nur zuhören. Es ist mir egal, ob der Laden hier vollgepackt ist mit Raubkopien. Es ist mir auch egal, ob Sie eine alte, kranke Mutter zu versorgen haben. Bekommen Sie Angebote?«

»Ja.« Daisy legte beide Hände einen Augenblick lang um den Kugelbauch, und er sah aus, als ob ihm schlecht geworden wäre. Er trat taumelnd einen Schritt zurück. »Wir – na ja, es kommt schon mal vor.«

»Wer stellt den Kontakt her?«

Daisy schüttelte den Kopf. »Ich kenne keine Namen. Zwei Männer: Sie tauchen einfach hier auf. Sie haben einen Stapel Kassetten draußen, in ihrem Wagen.« Wieder schluckte er. »So läuft das, Superintendent. *Cash and carry*, nichts Schriftliches, und man zahlt ungefähr die Hälfte des üblichen Preises. Sie können jeden fragen –«

»Ich frage Sie«, sagte Thane leise. »Angenommen, Sie wollen mit ihnen in Kontakt treten und eine Bestellung aufgeben. Was würden Sie tun?« Er grinste. »Wenn Sie sich nicht nach den Gesetzen richten würden, meine ich.«

Daisy schaute ihn unverwandt an. »Das könnte ich nicht. Ich sagte es doch schon, ich kenne keine Namen.« Er leckte sich wieder die Lippen, als er Thanes Ausdruck sah. »Aber – nun ja, ich könnte ein paar Leuten sagen, sie sollen verlauten lassen, Takki sei in Schwierigkeiten und brauche Material ...« Seine Stimme erstarb.

»Schwierigkeiten – das könnte stimmen.« Thane schaute den Mann einen Moment lang düster an. »Sie lügen.«

»Nein. Es ist – genauso wird es gemacht.« Joe Daisy sprach schnell und verzweifelt. »Man erwähnt keine Namen und stellt keine Fragen. Es – man sieht dasselbe Gesicht meistens kein zweites Mal. Aber es sind alles ganz ausgekochte, harte Burschen. Man ist nicht neugierig, weil einem das bestimmt nicht gut bekommen würde.«

Thane rümpfte die Nase, dann griff er aus einer anderen Richtung an.

»Was ist mit dem *Baum zum Hängen*?« fuhr er Daisy an. »Wann bekommen Sie ihn geliefert?«

»Den *Baum zum Hängen*?« Daisy riß vor Staunen den Mund auf, dann erholte er sich wieder. »Ich hatte keine Ahnung. Wenn sie wirklich dieses – dieses –«

»– dieses gute Geschäft, meinten Sie doch?«

Jetzt zeigte der Mann ein lustiges Lächeln. »Der erste, der den Film auf Video hat, kann absahnen. Ist er – ich meine, kann man denn damit rechnen, daß er auf den Markt kommt?« Er brach ab und schüttelte den Kopf. »Ich würde die Kassetten nicht anrühren, Superintendent. Das Geschäft wäre mir zu heiß, darauf gebe ich Ihnen mein Wort.«

»Natürlich«, stimmte Thane trocken zu. Er schwieg einen Augenblick; die Musik von draußen war ganz leise zu hören. Thane war sicher, daß Daisy nichts vom *Baum zum Hängen* gehört hatte. Was den Rest betraf – Thane wußte nur, daß Daisy Angst hatte. Wenn er log, hatte er vielleicht zu viel Angst, um sich noch frei entscheiden zu können.

Thane ging hinüber zum Schreibtisch, nahm einen Kugelschreiber und schrieb die Telefonnummer der Crime Squad auf eine seiner Visitenkarten. Dann drehte er sich um und schaute Daisy wieder an.

»Denken Sie darüber nach«, riet er ihm. »Sie können mich jederzeit über diese Nummer erreichen.«

Er wartete nicht auf eine Antwort.

Draußen war es trocken und sonnig, und die Gehsteige belebten sich, als die erste Welle der Büroangestellten Mittagspause machte. Auf der Uhr an der Fassade einer Versicherung war es genau zwölf. Thane ging weiter, fand ein öffentliches Telefon in einem Zigarettenladen, rief von dort aus die Nummer der Crime Squad an und wurde mit Maggie Fyffe verbunden.

»Wo sind Sie?« fragte sie ohne lange Vorreden.

»Im Zentrum, in der St. Vincent Street«, antwortete er. »Ich wollte mich nur mal melden. Warum?«

»Francey wird es Ihnen sagen. Er ist auf dem Weg hierher, aber er dachte, Sie seien in der Strathclyde-Zentrale.« Maggie schniefte. »Wir sind ja keine Hellseher. Wo in der St. Vincent Street?«

»Nicht weit von der Kreuzung Hope Street.« Thane zog die Stirn in Falten. »Probleme, Maggie?«

»Nein, nur eines. Ich werde versuchen, Francey über Funk zu erreichen«, sagte sie. »Bleiben Sie, wo Sie sind.« Dann legte sie auf.

Thane verließ den Zigarettenladen und wartete an der nächsten Ecke. Der Verkehr brauste an ihm vorbei, die Fußgänger strömten vorüber. Eine Gruppe Teenager, vermutlich Arbeitslose, schlenderte lärmend den gegenüberliegenden Gehsteig entlang. Sie blieben kurz stehen, um einem vorbeifahrenden Rolls-Royce Obszönitäten nachzurufen, dann liefen sie weiter. Thane beobachtete sie einen Augenblick, wobei er sich einerseits als Ordnungshüter fühlte, andererseits wütend war über diese sinnlose Vergeudung von Fähigkeiten, über das, was diese Teenager vom Leben geboten bekamen, oder besser, ihnen vorenthalten wurde.

Die Zahl der Verbrechen auf offener Straße nahm ständig zu; niemand wunderte sich mehr, wenn eine alte Frau wegen ihres Pensionsgelds überfallen und beraubt wurde. Jeder wußte, warum es so war – nur die Politiker weigerten sich, es zuzugeben.

Der Wagen der Crime Squad, der graue Mini, den Francey Dunbar am liebsten fuhr, tauchte zwei Minuten später im Verkehrsstrom auf, scherte zum Randstein aus und blieb stehen. Thane stieg rasch ein, und Dunbar setzte den kleinen Wagen wieder in Bewegung, sobald die Tür geschlossen war.

»Maggie sprach von einem Problem.« Thane schaute ihn an. »Ich dachte, Sie versuchen, den Glasmann zu finden.«

»Er ist in London – so heißt es jedenfalls.« Dunbar zwängte den Mini an einem riesigen Omnibus vorbei und fuhr seelenruhig über eine Kreuzung, deren Verkehrsampel gerade auf Rot umschaltete. »Sandra sagt, sie braucht Hilfe. Sie ist draußen in Donaldhill, im Büro des Sozialamts.«

Thane drückte Überraschung aus. »Was macht sie denn dort?«

»Sie versucht, etwas über Ted Douglas herauszufinden.« Dunbar zuckte mit den Schultern. Er schaute Thane von der Seite an und schien sich zu amüsieren. »Sie hat angerufen. Sieht so aus, als sei sie der Meinung, jemand dort hätte einen ordentlichen Tritt in den Hintern verdient – bildlich gesprochen, natürlich. Sie nahm an, daß Sie das am besten können.«

»Vielen Dank«, sagte Thane. »Sonst noch Wünsche?«

»Vorläufig nicht«, erwiderte Dunbar und konzentrierte sich aufs Fahren.

Das zuständige Sozialamt für das Stadtviertel Donaldhill befand sich in einem einfachen roten Backsteingebäude, das an einen Kasernenblock erinnerte und ebensowenig anziehend wirkte. Der Parkplatz war ein Stück Brachland auf der Rückseite, und als sie hineinfuhren und dort anhielten, kam eine große graue Ratte unter einem der anderen geparkten Fahrzeuge hervor und verschwand in einem Haufen zerfallener Mauerreste.

»Hübsch«, sagte Dunbar, dann fing er zu fluchen an. »Verdammt, da ist noch eine!« Thane sah sie gerade noch davonhuschen. Aber das war nichts Ungewöhnliches, schon gar nicht in Vierteln wie Donaldhill. Die alten Slumbehausungen, die nach und nach abgerissen wurden, hatten ganzen Armeen von Schädlingen und Ungeziefer aller Art Schutz geboten. Als man sie abriß, wurden die Ratten ihrer Behausungen beraubt, und sie kamen heraus ans Tageslicht. Nach Einbruch der Dunkelheit hatte mancher Streifenpolizist Mühe, sie mit seinem Schlagstock abzuwehren.

Sie stiegen aus dem Wagen, betraten das Sozialamt durch den Hintereingang und kamen in einen Warteraum, an dessen Wänden Plakate hingen, die Milch gratis anpriesen, auf Anträge für zusätzliche Unterstützung hinwiesen und Rauchen, auf den Boden spucken und Spielen von Transistorradios untersagten. Auf den Bänken in der Mitte saß eine Schar schäbig gekleideter Menschen mit sorgenvollen Gesichtern. Die Stille unterbrach lediglich ein Geräusch aus einem Kinderwagen, wo ein Baby glucksende, zufriedene Laute von sich gab.

Sandra Craig kam aus der Tür der Auskunftsstelle und ging auf die beiden Männer zu. Dabei wurde sie von mehreren neugierigen Augenpaaren beobachtet.

»Hallo, Sir.« Sie grüßte Thane mit kurzem Nicken und zeigte Dunbar ein noch kürzeres, schiefes Lächeln. »Ich fürchte, damit werde ich nicht fertig.«

»Berichten Sie«, forderte Thane sie auf.

»Ich habe Janice Darrow erreicht, als sie gerade einen Koffer packte, weil sie ein paar Tage wegfahren wollte. Sie hat mir eine Adresse gegeben, unter der sie zu erreichen ist.« Sandra steckte die Hände in die Taschen ihrer Anorakjacke, dann zuckte sie mit den Schultern. »Ted Douglas hatte Schwierigkeiten, als er das Praktikum für sein Abschlußexamen absolvierte. Er mußte sich dabei mit auf Bewährung entlassenen Sträflingen befassen und scheint sich zu sehr mit ihnen angefreundet zu haben.«

»Hier in Donaldhill?«

Sie nickte. »Hier ist noch immer dieselbe Beamtin tätig, die die Studenten beim Praktikum überwacht. Sie gibt zu, daß es passiert ist, will aber keine Namen nennen.«

»Die Schweigepflicht des Juristen gegenüber seinen Mandanten«, sagte Dunbar. Er merkte, daß Thane die Brauen hochzog, fuhr aber unbeirrt fort. »So ist es nun mal, wie beim Arzt und seinem Patienten, nicht wahr?«

»Wie heißt sie?« fragte Thane.

»Jean Leydon – Mrs. Leydon.« Detective Constable Craig warf einen Blick auf Dunbar, dann fügte sie hinzu: »Sie ist – äh – eher in Ihrer Altersgruppe, Sir.«

»Eine Greisin?« fragte Thane und nickte dann. »Wir werden sie trotzdem noch mal in Versuchung führen müssen.« Dabei sah er, wie sich Dunbar in Bewegung setzte. »Nein, Sie nicht. Das wäre noch ein Problem mehr.«

Sandra begleitete ihn einen Korridor entlang bis zu einer Glastür mit der Aufschrift ›Studentenberatung‹. Sie klopfte an, dann gingen beide hinein.

Sie betraten einen hellen kleinen Raum, den Blumen in einer Vase, zwei bunte Picasso-Drucke an der Wand und ein alter Teddybär auf dem Fensterbrett schmückten. Die Frau, die sich von ihrem Schreibtisch erhob und auf sie zukam, war zwischen vierzig und fünfzig, mit kurzgeschnittenem schwarzem Haar und einem schmalen, aber sympathischen Gesicht.

»Ich weiß, was Sie wollen, Superintendent«, begann sie mit etwas gezierter Stimme, nachdem Sandra die beiden miteinander bekannt gemacht hatte. »Aber die Antwort lautet Nein.«

Thane schaute sie kurz an und wußte, daß sie meinte, was sie sagte.

»Können wir wenigstens miteinander reden?« fragte er.

»Wenn Sie gern Ihre Zeit vergeuden.« Jean Leydon sagte es mit einem Lächeln.

»Danke.« Thane warf einen Blick auf Sandra und bewegte dann den Kopf in Richtung auf die Tür. Sandra räusperte sich und ging.

»Also lieber eins zu eins, Superintendent?« bemerkte Jean Leydon amüsiert. »Warum nicht? Vielleicht können wir voneinander lernen, was die Techniken einer Befragung betrifft.«

»Im Stehen?« fragte Thane anzüglich.

Sie deutete schweigend auf einen Stuhl, wartete, bis er sich gesetzt hatte, und ging dann wieder hinter ihren Schreibtisch, wo sie sich ebenfalls niederließ.

»Nun?«

»Es geht um Ted Douglas«, begann Thane ohne Umschweife. »Sie wissen, was mit ihm passiert ist?«

»Ich habe davon gelesen.« In den Augen der dunkelhaarigen Frau war einen Augenblick lang ein schmerzvoller Ausdruck zu erkennen. »Er war einer von meinen – nun ja, von meinen Versagern, fürchte ich. Aber ich habe ihn gemocht.« Sie wartete und holte tief Atem. »Ihre Miß Craig ist eine äußerst geschickte junge Beamtin. Ich habe bereits mehr gesagt, als ich sollte – und Sie wissen es genau.«

Thane seufzte. »Und wenn ich noch mehr wissen will, gibt es offizielle Wege. Könnte ich mich zum Beispiel an Ihre Vorgesetzten wenden?«

»Ja.« Sie zog die Stirn in Falten. »Ich weiß allerdings nicht, warum das jetzt noch wichtig sein sollte. Er war vor drei Jahren hier –«

»Und jetzt ist er tot«, ergänzte Thane. Er beugte sich vor. »Ich werde Ihnen einen Namen nennen, Mrs. Leydon. Martin Herbert Tuce – er ist unter dem Spitznamen ›Der Glasmann‹ bekannt.«

»Kenne ich nicht. Wenn ich ihn kennen würde –« Sie zuckte mit den Schultern. »Aber ich kenne ihn nicht. Ich kann nur sagen, dieser Ted Douglas war ein junger Dummkopf, solange er hier arbeitete. Ich habe ihm danach eine zweite Chance gegeben, in einer anderen Abteilung – Arbeit mit Kindern. Dort ist es gut gelaufen.«

»Aber später hat er dann doch ziemlich viel Unruhe gestiftet«, sagte Thane leise. »Mrs. Leydon, ich versuche, eine Verbindung zwischen diesem ehemaligen Studenten und zumindest einem bekannten Kriminellen zu entdecken. Ted Douglas steckte irgendwo bis über beide Ohren drin, als er starb.«

»Auch das habe ich schon gehört – von Miß Craig.« Die dunkelhaarige Frau saß einen Augenblick da und stützte das Kinn auf beide Hände. »Vielleicht möchte ich Ihnen sogar helfen, Superintendent. Vielleicht hat sich Ted Douglas mit einer bestimmten Person zu sehr angefreundet – mit einem vorzeitig entlassenen Sträfling, den ich ihm als Klienten zugeteilt hatte. Ich war Betreuerin der Studenten, und ich habe mir diesen Douglas vorgenommen, sobald ich dahintergekommen war. Es steht alles in den Akten.«

»Aber?« Thane ahnte ihre Antwort im voraus.

»Unsere Akten werden streng vertraulich behandelt. Sie brauchen einen Gerichtsbeschluß, um sie einsehen zu können.« Jetzt wurden ihre Lippen schmal. »Berufsmoral, Superintendent, – und ich liebe meinen Beruf. Tut mir leid.«

Thane hatte es nicht zum erstenmal gehört und wußte, daß sie recht hatte. Er nickte, stand auf und ging Richtung Tür. Während er sie öffnete, drehte er sich noch einmal um.

»Menschen wie Sie ...« Er suchte nach den passenden Worten, schien sie aber nicht zu finden. »Sie sitzen immer zwischen den Stühlen, nehme ich an.«

»Manchmal.« Sie lächelte ihn an. »Eins noch, Superintendent – und es könnte Ihnen vielleicht nützlich sein. Ich habe Ted Douglas erst vor kurzem hier in Donaldhill gesehen. Er war nicht allein.«

»Danke.«

Dann ging Thane hinaus, schloß die Tür hinter sich und kehrte zurück in den Warteraum. Francey Dunbar und Sandra warteten dort. Er gab ihnen ein Zeichen, und sie folgten ihm hinaus auf den Parkplatz.

»Sie hat nicht reden wollen?« fragte Dunbar.

»Nein«, sagte Thane kurz und bündig.

Dann sah er, wie sein Sergeant heimlich einen Blick mit Sandra Craig tauschte. Gleich danach räusperte sich Dunbar.

»Sir –«

»Ja?«

Dunbar grinste schief. »Ich habe den Namen und eine Adresse. Er heißt Billy Tripp und wohnt nicht weit von hier.«

Thane starrte ihn an, und Dunbar nickte.

»Aber wie . . .«

»Eines der Mädchen im Empfangsbüro. Die junge Frau – sie ist einfach hergekommen und hat es mir gesagt.« Dunbars junges, gebräuntes Gesicht zeigte Verlegenheit und Verblüffung. »Verdammt, ich brauchte sie nicht einmal danach zu fragen.«

»Dein natürlicher Charme«, meinte Sandra. Dann schaute sie Thane an und stellte ihm eine stumme Frage.

Thane wandte sich langsam um und warf einen Blick auf das Gebäude des Sozialamts. Einen Augenblick lang sah er, wie sich ein Vorhang hinter einem der Fenster bewegte. Auf dem Fensterbrett saß ein Teddybär.

»Berufsmoral«, sagte er leise. Dann atmete er tief ein. »Billy Tripp – nun gut, schnappen wir ihn uns.«

Die Bezeichnung ›Entwicklungsgebiet‹ bedeutete, daß es nur noch ein paar solcher Straßen in der Stadt gab und daß selbst diese wenigen ein paar zuviel waren.

Die zerfallenden alten Sandsteinhäuser stammten aus frühviktorianischer Zeit und sahen sich den mit Graffiti beschmierten Ziegelwänden einer längst geschlossenen Fabrik gegenüber. Die Straße dazwischen glitzerte von winzigen Glasscherben, und einige der Hauseingänge waren mit Brettern vernagelt. Kinder spielten in und um zwei Autowracks, die man einfach auf der Straße stehengelassen hatte. Es gab nur noch einen Laden in der Gegend: die Gemischtwarenhandlung an der Ecke, wo ein Pakistani, entschlossen zu überleben, ein Schinkenmesser neben der Kasse liegen hatte. Das gähnend leere Schaufenster war mit einem Gitter aus Maschendraht gesichert.

Aber so abgestanden die Luft hier auch riechen mochte – der Himmel war ebenso blau wie überall sonst.

Die beiden Wagen der Crime Squad, Sandra Craigs Volkswagen mit Thane auf dem Beifahrersitz voraus, krochen knirschend über ein paar Glasscherben. Francey Dunbar blieb mit seinem Mini ein paar Wagenlängen zurück, riß dann, als sie die Adresse erreicht hatten, das Steuer herum und lenkte den kleinen grauen Wagen durch eine mit Schlaglöchern übersäte Gasse zur Rückseite der Häuser.

Billy Tripps Adresse war ein ebenerdiges Haus, und der Volkswagen war direkt davor am Randstein stehengeblieben. Die beiden

Insassen stiegen aus, und Thane warf einen Blick auf das schlanke, rothaarige Mädchen neben sich.

»Bereit?«

Sandra nickte gelassen. Sie hatte wieder die Hände in die Anoraktaschen gesteckt.

Die beiden gingen hinauf zu der ramponierten Tür, deren Rahmen beträchtliche Lücken zwischen Holz und Stein aufwies. Der nicht mehr funktionierende Klingelknopf hing an den blanken Drähten. Thane hämmerte mit der Faust gegen die Tür.

Ein paar Sekunden verstrichen. Dann wurde drinnen ein Schlüssel im Schloß gedreht, und die Tür öffnete sich ein paar Zentimeter weit an einer Sicherheitskette. Die Frau, die herausschaute, war grauhaarig, fett und hatte einen Mund, der an eine Rattenfalle erinnerte. Der Mund blieb ein paar Sekunden lang offenstehen, während sie Thane anstarrte, dann drehte sie sich schnell herum.

»Billy – die Bullen!« Es war wie ein Kreischen. »Mach schon, Junge!«

Die Tür fiel zu, aber nicht schnell genug. Thane trat einen Schritt zurück, stieß zu, und der Absatz seines Schuhs dröhnte auf dem alten Holz wie auf dem Fell einer Trommel. Die Kette riß aus der Verankerung, und die Tür flog auf.

Die Frau versuchte, sich Thane in den Weg zu stellen, kreischte immer noch und hielt ihm die dreckigen Fingernägel entgegen, als wolle sie Thane damit das Gesicht zerkratzen. Er stieß sie mit dem Ellbogen zur Seite, daß sie gegen die Wand prallte, und eilte an ihr vorbei, wobei er über ein paar leere Flaschen am Boden stolperte und sie klirrend in die Ecke stieß.

Eine zweite Gestalt tauchte auf in der düsteren, muffigen Diele. Der Mann war groß, glatzköpfig und hemdsärmelig, ohne Kragen oder Krawatte. Thane interessierte sich allerdings mehr für die Axt in seiner rechten Hand. Er hörte ein Rascheln hinter sich, wagte es aber nicht, sich umzuschauen.

Der Glatzköpfige taumelte vorwärts und holte zugleich mit seiner Axt aus. Thane warf sich zur Seite und packte den Glatzköpfigen am Arm, bevor er noch einmal ausholen konnte, riß ihn herum und schleuderte ihn mit dem Kopf voraus gegen die Wand.

Die Frau schrie auf, und der Glatzköpfige jaulte vor Schmerz. Außerdem ließ er die Axt fallen, und Thane versetzte ihm einen Hieb gegen die Brust. Jetzt stieß der Glatzköpfige ein ersticktes Grunzen aus, bevor er an der Wand entlangrutschte und auf den Knien landete.

Sandra hatte die Frau mit dem Gesicht nach unten gegen den Boden der Diele gedrückt, und während sie ihr ein Knie auf den Rücken preßte, legte sie ihr Handfesseln an. Thane machte einen Satz in Richtung auf die Tür, aus der der Glatzköpfige gekommen war, aber als er sie erreicht hatte, bellte eine Handfeuerwaffe, und Thane drückte sich an die Wand, während ein Geschoß das Holz des Türrahmens zersplitterte.

Hinter ihm begann die Frau hysterisch zu schreien, und der Glatzköpfige stöhnte immer noch. Aber im Zimmer herrschte Stille.

Mit klopfendem Herzen rutschte Thane ein wenig auf die Tür zu.

Nichts geschah. Wieder schob er sich näher an die Tür heran – dann begann er zu fluchen.

Der schäbig eingerichtete Raum war leer. Eine alte Decke, wie ein Vorhang über ein großes, roh aus der Wand gehauenes Loch drapiert, war losgerissen und hing nur noch an einem einzigen Nagel.

Hinter ihm war ein Stöhnen zu vernehmen, und dann, als er sich umdrehte, klirrte Glas. Der Glatzköpfige hatte wieder die Axt in der Hand, aber er brach wie ein leerer Sack neben Thanes Füßen zusammen. Sandra Craig stand über ihm und starrte voller Überraschung auf die Überreste einer Flasche, die sie immer noch mit den Fingern umklammert hielt.

Jemand, und Thane wußte, daß es Francey Dunbar sein mußte, trat die Hintertür ein. Thane nahm die Axt und hechtete auf das Loch in der Wand zu, duckte sich kampfbereit und sprang hindurch.

Dann richtete er sich auf, schaute verblüfft um sich und stieß einen tiefen Seufzer aus.

Er befand sich in einem anderen Raum, in einem anderen Haus. Eine alte Frau saß in einem Stuhl am offenen Kamin und grinste ihn mit ihren zahnlosen Kiefern dümmlich an. Er ging an ihr vorbei hinaus in die Diele. Dort klaffte wieder ein Loch in der Wand, und dieses Loch führte ins nächste Haus, das offensichtlich nicht mehr bewohnt war. Die Haustür stand weit offen, doch draußen war niemand zu sehen. Selbst die Kinder, die bei den Autowracks gespielt hatten, waren verschwunden.

Er wußte, niemand würde etwas gehört oder gesehen haben. In solchen Straßen brauchte man nicht damit zu rechnen.

Er ging auf dem Weg zurück, den er gekommen war. Die Alte saß immer noch am Kamin und grinste.

»Ist Billy davongekommen?« fragte sie.

Thane nickte. Die Alte kicherte und schlug sich auf die Schenkel.

Als er das Haus von Billy Tripp erreicht hatte, traf er dort Dunbar. Der Glatzköpfige, noch immer benommen, war jetzt auch gefesselt und saß auf einer verschlissenen Couch neben der fetten Frau. Die beiden schauten ihn düster an.

»Seine Mama und der Papa«, sagte Dunbar tonlos und deutete auf das Paar. »Sie sind nur auf Besuch hier, ihre wöchentliche Runde. Sie behaupten, daß sie gar nichts wissen.«

Die Frau schniefte. »Er ist ein guter Sohn«, verteidigte sie ihren Billy. »Er kümmert sich um seine Familie, ja, wirklich. Und ich erstatte Anzeige. Dieses rothaarige Luder von Polizistin hat meinen armen Mann niedergeschlagen.«

Thane schaute sich in dem Raum um. Die wenigen Möbelstücke waren alt und ramponiert. Aber in einer Ecke stand ein großer, neuer Farbfernseher mit einem Videorecorder darunter, und auf einem wackeligen Tischchen stand ein CB-Funkgerät. Die Antenne ringelte sich nach oben und verschwand im Plafond.

Neben dem Funkgerät lag ein dünnes Bündel Banknoten. Als Thane hinging, um es zu überprüfen, stieß die Frau ein wütendes Gebell aus.

»Das gehört uns, Mister«, protestierte sie. »Es ist von –«

Sie brach ab und schwieg, als ihr Mann sie in die Rippen puffte.

»Wo ist Sandra?« fragte Thane.

»Vorne draußen«, antwortete Dunbar lakonisch. »Die Hilfstruppen sind eingetroffen.«

Sie kamen ein paar Sekunden später herein: die uniformierte Besatzung eines Streifenwagens. Der ältere der beiden Constables schaute sich um, sah das Loch in der Wand und unterdrückte ein Grinsen.

»Mäuse, Sir?« fragte er, dann nickte er in Richtung auf den Mann und die Frau, die auf der Couch saßen. »Was ist denn das für ein Pärchen?«

Thane schaute Dunbar an. Der Sergeant zuckte mit den Schultern und schüttelte den Kopf. Billy Tripps Eltern gehörten sicher nicht zu denen, die viel für Konversation übrig hatten.

»Bringt sie weg und erstattet Anzeige wegen irgendwas«, sagte

Thane müde. »Wir sehen uns hier ein bißchen um.«

Und das taten sie. Im Schlafzimmer merkte man, daß Billy Tripp das Geld doch großzügiger ausgab, und nicht nur für Garderobe. Sechs Flaschen teuren Whiskys standen in zwei ordentlichen Reihen ungeöffnet im unteren Fach von einem der Schränke.

»Von der Sorte bekomme ich jedes Jahr zum Geburtstag eine Flasche«, sagte Dunbar neidisch.

Sandra kam zurück; sie hatte den Raum überprüft, der als Küche diente. Jetzt winkte sie Thane hinein.

An der verdreckten Wand war ein Telefon montiert, und Billy Tripp schien über gewisse kindlich-künstlerische Fähigkeiten zu verfügen. Rings um das Telefon waren Zeichnungen gekritzelt, mal mit Bleistift, mal mit Kugelschreiber. Einige stellten Frauen dar und waren obszön, andere wirkten eher gewalttätig. Daneben erkannte man Fragmente von Telefonnummern. Eine Zeichnung, detaillierter als die anderen, stellte einen Falkenkopf dar mit einem übertrieben großen, gebogenen Schnabel. Das Vogelauge umgab eine Telefonnummer.

»Besorgen Sie ein Telefonbuch«, sagte Thane leise.

Dunbar begriff. Er fand das Telefonbuch auf einem Regal unter ein paar Pornomagazinen und schlug es beim Buchstaben F auf, ließ den Finger an einer Spalte entlanggleiten, dann nickte er.

»Die Nummer von Falcon Services«, sagte er.

Inzwischen war ein weiterer Streifenwagen eingetroffen. Thane beauftragte die Besatzung, das Haus zu überwachen. Dann ging er mit Sandra hinaus zum Volkswagen, und sie warteten auf Dunbar und seinen Mini.

Dunbar kam zu Fuß durch die Gasse nach vorn. Jemand hatte die Reifen an seinem Mini zerschnitten und einen Ziegelstein durch die Windschutzscheibe geworfen.

»Wir sind hier offenbar nicht übermäßig beliebt«, erklärte er ungerührt. »Und was nun, Sir?«

Thane zögerte. Billy Tripp war inzwischen über alle Berge. Für alles andere brauchte er Zeit zum Nachdenken. Er bemerkte den erwartungsvollen Ausdruck auf Sandras Gesicht.

»Wir gehen zum Essen.« Er sah, wie sie strahlte.

Sie hatte es sich verdient – und es war schon eine Weile her, seit er in dem Nachtcafé an den Docks gefrühstückt hatte.

Bevor sie losfuhren, bediente Thane noch das Funkgerät im VW und sprach mit der Zentrale der Crime Squad. Francey Dunbars Wagen mußte abgeschleppt werden, und Thane brauchte eine Computerüberprüfung von Billy Tripp und ein paar Gefälligkeiten von der örtlichen Polizeistation, das Haus betreffend. Er kannte die Kriminalaußenstelle Donaldhill und ihre Mannschaft und wußte, sie würden ihm helfen und bei Gelegenheit dann selbst einmal um eine Gefälligkeit bitten.

Es war zwei Uhr nachmittags, als sie vor einem kleinen italienischen Restaurant in einer Seitenstraße am Rand des Stadtzentrums hielten. Von draußen wirkte es eher schäbig. Thane kannte es nicht, aber Sandra Craig wurde vom hemdsärmeligen Besitzer und seiner Frau wie eine Prinzessin empfangen.

Das Essen war gut. Thane gestattete sich ein Glas Wein und beendete die Mahlzeit mit einer seiner streng rationierten Zigaretten. Zuletzt kam ihnen die Rechnung zu niedrig vor für all das, was sie gegessen hatten, und Sandra wurde zum Abschied von der Frau des Wirts umarmt und auf beide Wangen geküßt.

»Was, zum Teufel, sollte das bedeuten?« fragte Dunbar argwöhnisch, als sie wieder im Wagen saßen.

Sandra lachte. »Vielleicht haben sie mich ganz einfach gern.«

»Aber warum?« Dunbar funkelte sie düster an.

»Hört auf mit euren albernen Sticheleien«, warf Thane müde ein. Sein Sergeant und Sandra hatten den Rest des Chiantis geteilt, und er war nicht in Stimmung für ihre verbalen Sparringsrunden. »Sandra?«

»Sie haben einen Sohn.« Sandra drehte den Zündschlüssel, und der Motor des Volkswagens begann ungeduldig zu drehen. Dann blinzelte sie Dunbar an. »Wir hätten uns fast einmal verlobt. Aber unsere Familien sagten Nein. Wir waren schließlich erst acht Jahre alt.«

Dunbar knurrte enttäuscht und lehnte sich zurück.

»Essen«, sagte er säuerlich. »Dachte mir doch gleich, daß es da eine Verbindung geben muß.« Auf sein junges, kraftvolles Gesicht trat ein nachdenkliches Stirnrunzeln, als sich der Wagen in Bewegung setzte. Dunbar beugte sich über den Rücksitz hinweg nach vorne, die Aufmerksamkeit ganz auf Thane gerichtet. »Wie sieht die Ted-Douglas-Verbindung jetzt aus? Er kannte Billy Tripp; vielleicht wollte er durch ihn schnelles Geld machen –«

»Und Tripp hat ihm gezeigt, wie.« Thane nickte. Nach dem Essen fühlte er sich wohler, seine Gehirnzellen schienen wieder geordnet zu arbeiten, aber er wußte, daß sie noch keinen bedeutenden Durchbruch erreicht hatten.

»Und Tripp zeichnete das Falcon-Symbol auf die Wand neben das Telefon«, sagte Sandra, ohne den Blick von der Straße zu wenden. »Samt der dazugehörigen Telefonnummer.«

»Es könnte sein, daß er Ted Douglas dort angerufen hat«, meinte Dunbar, aber es klang zweifelnd. »Vielleicht, wenn wir Billy Tripp finden, oder den Glasmann –« Er ließ es dabei.

Thane wußte, daß sie beide darauf warteten, von ihm in die eine oder andere Richtung gesteuert zu werden. Er empfand Belustigung, wenn er daran dachte, wie sie reagieren würden, wenn er ihnen verriet, daß er Alexis Garrison einmal gut gekannt hatte.

»Eines habt ihr allerdings beide vergessen«, sagte er plötzlich mit Nachdruck.

»Sir?« Dunbar war perplex.

»Ich habe die Rechnung bezahlt«, erklärte er. »Wir müssen sie dritteln.«

Es war mitten am Nachmittag und noch immer schönes, trockenes Wetter, als sie an dem Schild vorbeifuhren, welches das Trainingszentrum der Polizei anzeigte. Hinter den Bäumen wurde eine Gruppe Hunde und Hundeführer in ihre Aufgaben eingewiesen. Kläffend und schweifwedelnd schienen die Hunde Spaß daran zu haben, im Gegensatz zu den Hundeführern, die hinter ihnen über die Hindernisse stolperten und zu zweifeln schienen, ob sie die Strapazen überleben würden.

Der Trainingskurs erweckte den Eindruck, als sei er von Sadisten für harmlose Opfer erdacht worden. Als der Volkswagen daran vorbeikam, stolperte einer der Hundeführer und fiel mitten in das Schlammbecken. Er hatte den Hund noch an der langen Trainingsleine, und der kräftige Deutsche Schäferhund zerrte ihn durch den Morast bis ans andere Ende des Beckens.

Der Anblick hatte Thanes Stimmung aufgehellt, und er stieg guter Laune mit den anderen aus dem Wagen und betrat das Gebäude der Crime Squad. Maggie Fyffe schaute nur kurz von ihrer Arbeit auf und winkte ihm grüßend zu. Dann erblickte er Joe Felix, der auf ihn zu warten schien. Der Detective Constable lachte ihn an.

»Hörte, Sie haben Spaß gehabt, Sir.«

»Fertig mit den Videospielen?« konterte Thane.

»Schon vor dem Lunch, Sir.« Felix nickte. Das Lächeln erstarb, und ein etwas unglücklicher Ausdruck machte sich auf seinem runden Gesicht breit. »La Mont hat mir die Kassetten zurückgegeben, die er sich ausgeborgt hat. Er sagte, er würde sich melden.«

»Hat er denn etwas entdeckt?«

»Nicht viel, sagt er. Ich –« Felix zögerte, dann zuckte er mit den Schultern. »Er ist schließlich der Fachmann.«

»Wir alle haben unsere Probleme, Joe.« Thane nickte verständnisvoll. Detective Constable Felix war ein unkomplizierter Mensch und ließ sich nicht so leicht aus der Ruhe bringen. Was immer auch geschehen war, Thane wußte, daß er es erfahren würde – entweder von Felix oder von John La Mont. »Haben wir schon einen Computerbericht über Billy Tripp?«

»Auf Ihrem Schreibtisch, Sir«, bestätigte Felix.

»Gut.« Er schaute Dunbar an. »Geben Sie mir zehn Minuten Zeit, danach möchte ich Sie alle drei in meinem Büro sehen.«

Das gab ihm Gelegenheit, seine Jacke auszuziehen und die Nachrichten durchzusehen, die auf ihn warteten. Die wichtigste, mit einem daran gehefteten Foto vom Erkennungsdienst, war der Computerausdruck über Billy Tripp. Thane legte ihn zur Seite und warf einen Blick auf das übrige.

Phil Moss hatte angerufen, würde es aber später noch einmal versuchen. Thane fand eine unterstrichene Erinnerungsnotiz von Maggie Fyffe, daß er am nächsten Morgen als Zeuge vor Gericht auftreten mußte, um in einem Betrugsfall auszusagen. Außerdem lagen ein paar Spesenformulare zum Unterzeichnen bereit, und daneben fand er ein Rundschreiben mit Zahlen über den Rauschgiftmißbrauch in Schottland, das er später lesen mußte. Jemand von der Zweigstelle in Edinburgh fragte an, ob er an ihrem alljährlichen Golf-Dinner teilnehmen könne. Thane zuckte zusammen, als er an das vom letzten Jahr dachte und an den Kater danach.

Blieb also Billy Tripp. Die Ellbogen auf den Schreibtisch gestützt, begann Thane mit dem Foto des Erkennungsdienstes. Es zeigte einen jungen Mann mit mürrischem Gesicht, dunklem, kurzgeschnittenen Haar, einen Mann, der gut ausgesehen hätte, wenn ihm nicht von jemandem die Nase fürchterlich zertrümmert worden wäre.

Der Computer-Ausdruck erzählte dann seine Geschichte im üblichen wortkargen, nüchternen Stil.

Billy Tripp war ein ›Ned‹ – die Glasgower Bezeichnung für eine Mischung aus kleinem Gauner und Dieb, wie es sie wohl in jeder Stadt gab. Sein Strafregister begann, als er noch ein Teenager war. Jetzt, mit dreiundzwanzig, hatte er bereits Verurteilungen wegen Diebstahls, Einbruchs und Körperverletzung hinter sich. Zuletzt war er angeklagt gewesen, einen Arzt auf nächtlichem Patientenbesuch überfallen und beraubt zu haben.

Danach folgte die übliche Beschreibung körperlicher Merkmale. Kurz umrissen besagte sie, daß Tripp mittelgroß und ziemlich mager war und daß er auf seinem linken Handgelenk die Buchstaben *Mutter* tätowiert hatte.

Aber zwei lakonische Zusätze des Erkennungsdienstes hinterließen bei Thane so etwas wie zynische Genugtuung: Billy Tripp war seit über einem Jahr nicht mit der Polizei in Berührung gekommen, und die Auskunft in der Rubrik ›Derzeitige kriminelle Verbindungen‹ lautete ›unbekannt‹.

Was nur bedeuten konnte, daß jemand Billy Tripp genau kontrollierte, jede seiner Bewegungen überwachte und dafür sorgte, daß er nur tat, was man ihm befahl.

Nachdem die anderen sich versammelt hatten, besprach Thane das alles mit ihnen und machte daraus weniger eine Einsatzbesprechung als eine offene Diskussion über das, was sie wußten, und wie sie es zusammenfügen konnten. Ein Vorgehen, bei dem nicht selten eine brauchbare Idee oder Antwort zustande kam. Diesmal allerdings hatten sie kein Glück.

»Es geht eigentlich mehr um das, was wir nicht haben, Chef«, sagte Francey Dunbar spöttisch. Er hatte sich gegen den Fensterrahmen gelehnt und kaute mit wild entschlossener Miene an seinem Kaugummi herum. »Billy Tripp ist in die Wüste geflohen, und da draußen scheint niemand zu wissen, was der Glasmann in letzter Zeit getan hat oder wo er sich aufhält.« Er ließ eine Pause entstehen, schob den Kaugummi von der einen Seite in die andere und stieß dann ein Knurren aus. »Also haben wir schon zwei, die wir nicht haben. Wie viele können noch dahinterstecken, und wer finanziert das Ganze?«

Joe Felix, der neben Sandra saß, nickte freundlich und zustimmend. »Ich kenne den Glasmann«, sagte er und schnitt eine Grimasse dazu. »Er kann die Chancen beim Pferdewetten voraussagen, aber irgendwann muß er auch mal raus, um die Resultate zu bekommen.«

Thane nickte. »Sandra?«

Sie schaute ihn einen Augenblick lang etwas sonderbar an.

»Also, Falcon Services«, sagte sie bedächtig. »Das ist doch so ungefähr alles, was uns noch geblieben ist, oder?«

»Vorausgesetzt, es gibt da kein Problem«, murmelte Dunbar.

Thane schaute seinen Sergeant an. Aber Dunbars Gesicht war völlig unschuldig und ausdruckslos; nur sein Schnurrbart bewegte sich beim Kauen.

»Es gibt kein Problem«, erklärte Thane etwas barsch. »Wenn etwas in dieser Richtung auf uns zukommen sollte, teile ich es Ihnen rechtzeitig mit.« Er warf einen Blick auf die kurze, handgeschriebene Liste, die er zusammengestellt hatte, bevor die anderen in seinem Büro eingetroffen waren. »Wir versuchen weiter, Tripp und den Glasmann zu finden – wie, kann ich leider nicht sagen. Was ist mit den anderen Telefonnummern an Tripps Küchenwand?«

»Bis jetzt noch nichts.« Sandra schüttelte den Kopf. »Die meisten sind nur Fragmente.«

»Bleiben Sie dran. Und was hört man vom Video-Handel, Francey?«

»Gar nichts«, erwiderte Dunbar ausdruckslos. »Man erzählt uns überall die gleiche Geschichte. Sobald das Wort ›Raubkopie‹ fällt, leidet jeder Händler unter augenblicklichem Gedächtnisschwund – oder er schaltet auf erstaunte Unschuld um.« Er grinste und imitierte mit quakender Stimme: »Ehrlich, der Mann war einfach da, und ich habe ihm die Kassetten abgekauft. Natürlich habe ich gedacht, es ist ein ehrlicher Handel. Tut mir leid, aber ich habe bar bezahlt.«

»Es scheint wie fast immer ums Geld zu gehen«, sagte Thane. »Hier ums ganz große Geld.« Und damit kam er zum nächsten Punkt auf seiner Liste. »Das müssen wir etwas ausweiten.«

»Sir?« Dunbar schaute ihn fragend an.

»Alles, was man von Videoausrüstungen hört, die ihre Besitzer wechseln. Alles über Leute, die mit Extra-Geld um sich werfen – Straßenräuber, Zuhälter, ganz egal, solange sie sich ungewöhnlich verhalten.« Thane schlug mit der flachen Hand auf den Schreibtisch. »Übersehet auch nicht die Rauschgiftszene – das können Sie übernehmen, Sandra. Dort hat man bereits ein Vertriebssystem aufgebaut und zudem hartes Bargeld zur Verfügung. Wenn einer als Videopirat anfängt, und zwar im großen Stil, braucht er beides.«

Dabei beließ er es, und die drei verabschiedeten sich von ihm. Dann, als die Tür geschlossen und er wieder allein war, nahm er die Hand von der Liste.

Einen Punkt gab es da noch – Falcon Services. Er überlegte einen Augenblick, dann nahm er den Hörer ab, ließ sich eine Amtsleitung geben und wählte die Nummer in East Kilbride. Das Mädchen am Empfang von Falcon Services meldete sich, und ihre Stimme zeigte verstärktes Interesse, als er um eine Verbindung mit Alexis Garrison bat.

»Tut mir leid, aber sie ist nicht hier«, sagte das Mädchen. Dann fuhr sie rasch fort: »Wer möchte denn mit ihr sprechen? Ich könnte eine Nachricht hinterlassen, oder –?«

»Und was ist mit Jonathan Garrison?« fragte Thane und unterbrach ihren Redeschwall.

Er war im Haus, und er meldete sich ein paar Sekunden später.

»Worum geht es diesmal?« fragte Garrison unverhohlen schroff, als er erfahren hatte, wer am anderen Ende der Leitung war. »Hören Sie, Thane, ich bin wie jeder andere traurig und bestürzt über den Tod des armen Ted Douglas. Aber so, wie es passiert ist, frage ich mich, warum Sie immer wieder auf uns zurückkommen.«

»Ich wollte eigentlich mit Alexis sprechen. Es war privat«, versuchte Thane ihn zu besänftigen und schnitt dabei dem Telefonhörer eine Grimasse. »Wann kommt sie denn zurück?«

»Sie ist zwar meine Schwägerin und zugleich auch mein Chef«, sagte Garrison in etwas freundlicherem Ton. »So oder so – sie sagt es mir nicht einmal, wenn sie wegfährt. Allerdings vermute ich, daß sie vor Feierabend zurück ist. Es liegen einige Briefe hier, die sie unterschreiben muß.«

»Dann versuche ich es später noch einmal.« Aber Thane hatte ihn und wollte ihn nicht loslassen. »Als ich heute morgen bei Ihnen war, und als wir uns miteinander unterhielten, gewann ich den Eindruck, als empfinden Sie großes Mitleid mit Ted Douglas, oder besser mit allen, die sein Schicksal teilen.«

»Warum nicht?« Garrisons Stimme klang wieder ärgerlich. »Er besaß eines von den vielen guten Gehirnen, welche durch die unsinnigen Maßnahmen dieser Gesellschaft nur vergeudet werden. Das ist unser Problem, Superintendent. Sie machen ihr Examen, sie stellen sich der Welt, und die Welt spuckt ihnen ins Gesicht. Oder sie lassen sich einfangen vom System, und das ist fast genauso schlimm. Weil sie dann das tun müssen, was das System von ihnen verlangt und nichts anderes – sonst spuckt ihnen das System ins Gesicht.«

»Ziemlich hart«, murmelte Thane.

»Hart sagen Sie?« Die stimme des Mannes bebte. »Es ist ein Schlachten, ein gemeines, mörderisches Schlachten. Ich weiß es, das können Sie mir glauben.« Dann, schlagartig, wurde Garrison wieder ruhiger. »Wie üblich wartet die Arbeit auf mich. Ich – ich werde Alex bestellen, daß Sie angerufen haben.«

Danach war die Leitung unterbrochen. Thane legte den Hörer auf und fluchte leise. Es war zu Ende, bevor es richtig begonnen hatte, ausgenommen die Erkenntnis, daß Garrison – der ›Jock‹ Garrison für den Chief Constable von Strathclyde – wütender auf das Gesellschaftssystem war, als man das in seinen Kreisen erwarten konnte.

Auch eine Frage, die Bedeutung gewinnen konnte.

Dabei fiel ihm noch jemand ein, mit dem er Kontakt aufnehmen mußte. Er nahm den Hörer wieder ab und wählte die Nummer von Matt Amos in den Labors der Polizei. Der stellvertretende Direktor war in seiner üblichen, rauhen, aber herzlichen Stimmung.

»Wo ist die Kassette von *Der Baum zum Hängen*?« fragte er als erstes. »Ich dachte, wir hätten etwas vereinbart.«

»Ich erhalte den Bericht, Sie bekommen das Band«, erklärte Thane. »Keine Angst, Sie stehen ganz oben auf der Liste.«

»Aber?« Amos fühlte, daß da ein Haken sein mußte.

»Aber Sie bekommen in Kürze ein paar Dinge aus einem Haus in Donaldhill: Kleidung und Kleinkram.« Die Männer der dortigen Polizei waren angewiesen worden, sich auf Arbeitskleidung zu konzentrieren und die eher exotischen Aspekte der Garderobe von Billy Tripp außer acht zu lassen. »Ein Freund von Ted Douglas hatte nicht mehr Zeit zum Packen.«

»O Gott«, klagte Amos. »Wissen Sie, wie laut man im Gehaltsbüro aufheult, wenn ich einen meiner Leute Überstunden machen lasse?« Er seufzte. »Na schön, ich helfe Ihnen – und im übrigen kommen wir mit dem Zeug von Douglas voran.«

»Wie denn?«

»Wir wissen jetzt, was wir haben; jetzt müssen wir nur noch jemanden fragen, was das bedeutet«, sagte Amos geheimnisvoll. »Es hätte keinen Sinn, es Ihnen jetzt schon zu verraten – Sie würden es nicht verstehen. Alle Bullen sind schwer von Begriff.«

»Aber irgendwie liebenswert«, warf Thane trocken ein. »Matt, bitte, sehen Sie zu, daß Sie es bald schaffen. Ich stecke im Loch und brauche eine Leiter, um wieder rauszuklettern.«

Er legte auf, schaute auf seine Armbanduhr, erhob sich und langte nach seiner Jacke.

Vielleicht schickte John La Mont seinen Bericht, wie Joe Felix angedeutet hatte. Aber es war sicher nützlich, zuvor mit dem Kanadier zu sprechen.

Abgesehen davon hatte er noch einen Grund, auszugehen. Thane grinste, als er sich die Jacke zuknöpfte. Vielleicht hatte er erst eine Gehirnwäsche verpaßt bekommen müssen, denn bis dahin hatte er sich nicht ernsthaft damit beschäftigt. Aber jetzt steckte er bis zum Hals in der seltsamen, neuen Video-Welt – und die Versuchung wurde ständig größer. La Monts Hotel war nicht weit von den größten Discountgeschäften der Stadt für elektronisches Spielzeug entfernt. Auf dem Weg dorthin konnte er sich die Schaufenster ansehen. Auf diese Weise bekam er wenigstens eine Vorstellung davon, was das Zeug kostete.

Als er durch den Bereitschaftsraum ging, teilte er Dunbar mit, wo er hingehen wollte.

Draußen auf dem Parkplatz stand sein Ford wieder fahrbereit, und auf dem Beifahrersitz lag eine kopierte Liste der Arbeiten, die daran ausgeführt worden waren. Der Fuhrparkleiter hatte wie üblich die Nummernschilder des Wagens ausgewechselt – wenn man zu lange mit ein und derselben Nummer durch die Gegend fuhr, merkte das die andere Seite und stellte sich darauf ein.

Ein sinnvolles System, nur daß Thane, wie übrigens die meisten bei der Squad, eine Weile brauchte, um sich an die neue Nummer zu gewöhnen.

John La Mont wohnte im Albany, einem spesenschluckenden Hotelturm im Herzen von Glasgows Geschäfts- und Bankenviertel. Aber La Mont war ausgegangen. Er hatte am Empfang hinterlassen, daß er gegen 15.30 Uhr zurück sein würde.

Auf der Uhr in der Hotelhalle war es 16 Uhr. Thane dachte an die Discountgeschäfte, doch dann suchte er sich einen freistehenden Sessel, wartete und betrachtete die vorüberziehende Parade von Aktenköfferchen, Pelzmänteln und teuren Koffern. Er erkannte einige der Gesichter. Eines gehörte einem Richter, ein anderes einem Mann, der erst vor kurzem aus dem Gefängnis entlassen worden war, wo er wegen Steuerhinterziehung eingesessen hatte. Ein paar von den Frauen warfen mäßig interessierte Blicke auf Thane, hefteten gewissermaßen unsichtbare Preisschilder an seine Kleidung und gingen weiter.

John La Mont fuhr um 16.15 Uhr mit dem Taxi draußen vor. Er eilte herein und sah noch wuchtiger und bärenhafter aus in einer braunen Kordhose, einem am Hals offenen, karierten Hemd und darüber einer hüftlangen, dicken Felljacke. Er erblickte Thane, sein bärtiges Gesicht verzog sich zu einem freundlichen Grinsen, und er kam zu ihm herüber.

»Warten Sie schon lange?« Er schlug Thane fröhlich auf den Arm. »Ich mußte ein paar Leute besuchen und mir ein paar Dinge ansehen. Wenn ich früher hiergewesen bin, habe ich mich meist nur ein paar Stunden in der Stadt aufgehalten. Haben Sie gewußt, daß es hier ein Museum gibt, das mit allem ausgestattet ist, was man sich denken kann, mit Gemälden von Rembrandt bis Picasso?«

»Wir gehen manchmal hin, wenn es regnet«, sagte Thane höflich.

La Mont lachte ungeniert. »Macht nichts, behaltet nur euren Regen.«

Während er sprach, ging er hinüber zum Empfang, ließ sich seinen Zimmerschlüssel geben und begleitete Thane dann quer durch die Halle zu den Aufzügen.

Der bärtige Kanadier hatte ein Zwei-Zimmer-Appartement in einem der obersten Stockwerke gemietet. Als sie dort angekommen waren, warf La Mont seine Pelzjacke über einen Stuhl, nahm Thanes Jacke und hängte sie über den nächsten freien Stuhl, dann ging er zu einer Anrichte, auf der Flaschen und Gläser standen.

»Einen Drink?« fragte er.

Thane sah das Etikett auf der Whiskyflasche und nickte. »Einen kleinen, pur.«

»Klein für Sie, etwas größer für mich. Pur für Sie, mit Eis für mich.« La Mont schenkte ein. »Was macht das Verbrechen – oder fragt man so etwas nicht?«

»Es ist noch nicht abgeschafft worden.« Sie befanden sich in einem nicht allzu großen Wohnraum, und durch eine offene Tür konnte Thane hinüberschauen ins Schlafzimmer, von dem eine weitere Tür ins Bad führte. Ein Teil des Mobiliars im Wohnzimmer war zur Seite geschoben worden, um Platz zu schaffen für einen zusätzlichen Tisch. Darauf stand dicht nebeneinander eine Vielzahl elektronischer Geräte, darunter zwei Videorecorder und ein Monitor, alle durch Kabel miteinander verbunden.

»Das ist eine gute Antwort für die Public-Relations-Abteilung.« La Mont kam mit den Drinks herüber. »Es ist noch nicht abgeschafft – das werde ich mir merken.«

Thane nahm sein Glas, dankte mit einem Nicken und trank einen Schluck.

Wenn er Lust gehabt hätte dazu, dann hätte er La Mont genau sagen können, wie es mit dem Verbrechen stand: daß sich die Zahlen der Gewaltverbrechen, Einbruch und Diebstahl in den letzten zehn Jahren in Schottland verdoppelt hatten, während sich in denselben zehn Jahren die Zahl der Verurteilungen wenig verändert hatte; daß sich also die neuen Gesetze nur in einer Verringerung der Gefängnisinsassen ausdrückte. Aber das hätte wie eine Vorlesung in Tulliallan geklungen. Abgesehen davon – war es nicht anderswo das gleiche?

»Also.« Unbeirrt durch Thanes Schweigen, warf sich La Mont in einen Sessel und deutete Thane mit einer Handbewegung an, er solle es sich ebenfalls bequem machen. »Was ist inzwischen passiert? Gibt es noch mehr *Bäume zum Hängen*?«

»Nein.« Thane zog sich einen kleinen Sessel mit gerader Lehne heran, drehte sich dann herum, um den Videoexperten ansehen zu können, und ließ sich rittlings nieder. »Joe Felix sagte, daß Sie fertig seien.«

»Und daß ich Ihnen einen Bericht zukommen lassen würde.« La Mont rieb mit dem Glas an seinem bärtigen Kinn. »Sind Sie hier, um sich den abzuholen?«

»Ich brauche zumindest das Grundsätzliche.«

»Sie und weiß Gott wer noch«, sagte La Mont spöttisch. »Superintendent, es gibt Leute, die sagen, die größte Lüge im Geschäftsleben lautet: ›Keine Sorge, dein Geld ist in der Post.‹ Ich kann Ihnen eine noch größere nennen. Es ist der Typ, der sagt: ›Ich komme von der Zentrale und bin hier, um Ihnen zu helfen.‹ Und genau so einen wollen mir meine Bosse drüben in den Staaten zumuten.« Er verzog angewidert das Gesicht. »Aber nur über meine Leiche. Ich habe ihnen gesagt, daß ich ihren Büroknaben nicht brauche.«

»Was diesen Bericht betrifft –«, erinnerte ihn Thane.

»Also schön, kommen wir darauf.« La Mont trank einen Schluck aus seinem Glas. »Die Videobänder, die Ihnen in die Hände gefallen sind, waren alle entweder Raubkopien oder gefälschte Kopien – und zwar von allererster Qualität, so gut, wie das nur mit dem entsprechenden Gerät möglich ist. Nein, das sind keine Dilettantenarbeiten. Ich spreche jetzt von einer wirklich professionellen Anlage im Süden, irgendwo in der Umgebung von London. Ich habe schon öfters Kopien von dort in Händen gehabt. Die Qualität ist schon fast so etwas wie eine Signatur.« Er hielt ein paar Sekunden inne, dann fuhr er fort: »Aber da ist noch etwas anderes, was Sie wahrscheinlich noch nicht wissen. Die ersten Kopien vom *Baum zum Hängen* tauchen inzwischen in London und Umgebung auf.«

»Gibt es irgendeine Möglichkeit, ihre Spur zu verfolgen?«

»Zum Beispiel, wo sie herkommen?« Er stieß ein rauhes Lachen aus. »Den Tag müßte man rot im Kalender anstreichen. Ich könnte Ihnen ein halbes Dutzend englischer Polizeieinheiten nennen, die spezielle Videoteams eingerichtet haben, in der Hoffnung, einen der großen Drahtzieher festnageln zu können. Hier und da erwischen sie einen von den kleinen Fischen, vielleicht sogar auch mal eine Ladung Kassetten, die von Europa herüberkommt. Aber den wirklichen Profis sind sie noch nicht einmal in die Nähe gekommen.«

»Das hört sich ganz so an, als ob Sie auf verlorenem Posten stehen würden«, entgegnete Thane nachdenklich.

»Vielleicht ist es auch so. Das wollte ich gestern Ihrem Chef klarmachen. Wollen Sie auch wissen, warum?«

»Ich höre«, sagte Thane ausdruckslos. »Und – ja, ich hörte, daß Sie vom großen Geld und von der Mafia gesprochen haben.«

»Richtig.« La Mont stand auf, schenkte sich nach und reichte

Thane dann die Flasche. Thane schüttelte ablehnend den Kopf, und La Mont kehrte zurück zu seinem Sessel, wo er sich niederließ. »Es ist eine Tatsache: Fast jeder größere Film der letzten paar Jahre ist geklaut worden. Erinnern Sie sich an Spielbergs E. T.? Verdammt, von dem hat es so viele Raubkopien hier in England gegeben, daß mindestens die Hälfte der Bevölkerung den Film gesehen hat, bevor er in den Kinos aufgeführt wurde. Wenn Sie noch mehr Beispiele wünschen – ich kann Ihnen einen ganzen Katalog davon liefern.«

»Also großes Geld«, murmelte Thane.

La Mont knurrte sarkastisch. »Videopiraterie ist eine verdammte Industrie. Hören Sie, Superintendent, die Verbraucherstatistik sagt aus, daß Großbritannien die videoorientierteste Nation der Welt ist, noch vor den Staaten, Japan oder einem anderen europäischen Land. Die gleiche Statistik liefert eine Schätzung, die besagt, daß der Verkauf von bespielten Bändern und die Leihgebühren wöchentlich über eine Million Pfund betragen. Ich sagte Schätzung, weil meine Leute behaupten, daß vermutlich vier von fünf dieser Kassetten Raubkopien sind. Was sagen Sie dazu?«

Einen Augenblick lang konnte Thane ihn nur verblüfft anstarren. Wenn man diesen Umsatz auf ein Jahr umrechnete, hatte La Mont völlig recht: die Videopiraten schöpften mehr Gewinn als die meisten Industriegiganten Großbritanniens ab.

Und zwar in steuerfreiem Bargeld.

La Mont hatte von Raubkopien und von gefälschten Kopien gesprochen. Zwischen ihnen gab es einen einfachen Unterschied, wie er aus den Akten der Crime Squad wußte. Eine Raubkopie war eine direkte Kopie eines gestohlenen Films, von dem noch keine legal produzierte Videofassung existierte. Eine gefälschte Kopie war etwas anderes: die illegale Kopie eines bereits auf Videokassetten produzierten Films, mit gefälschten Aufklebern und einer Aufmachung, die dem Original zum Verwechseln ähnlich war.

Raubkopien oder gefälschte Kopien – die Qualität variierte von gut bis verheerend. Aber ein Videogeschäft, das sein Material an Stammkunden verkaufte oder verlieh, konnte sich damit ein kleines Vermögen sparen, wenn man die Preise mit denen des legalen Materials verglich. Vor allem mit Raubkopien, die lange vor der autorisierten Kopie zu haben waren, konnte man sich buchstäblich goldene Nasen verdienen.

In den Akten der Crime Squad stand noch mehr über Videopiraterie, beginnend damit, daß die Polizei in Großbritannien wie in den meisten anderen Ländern zunächst gar nicht wußte, wie sie mit dieser Art von Piraten umgehen sollte. Neue Gesetze wurden geschaffen, und die bis dahin bestehenden Strafen wurden erhöht. Aber selbst Geld- und Gefängnisstrafen waren erstaunlich milde, wenn man an den Umfang der Organisationen dachte, von denen La Mont gesprochen hatte.

»Und die Mafia-Seite der Geschichte?« fragte Thane leise.

»Die können wir beweisen. Die Beteiligung der Mafia und noch einiges mehr. Wenn es was Neues gibt im organisierten Verbrechen, stürzen sie sich wie die Geier darauf, das ist bekannt. Es gibt genügend ›heißes‹ Geld, das man in die Sache investieren kann, und die Videowelt bietet eine verdammt gute Rendite für das investierte Kapital.« La Mont stellte sein Glas neben seinem Sessel auf den Teppich. Es war schon wieder fast leer. »Geben Sie mir fünfzigtausend US-Dollar und lassen Sie mich kurz mit Japan telefonieren, dann besorge ich Ihnen ein Gerät, mit dem Sie alle fünf Minuten vier brauchbare Kopien von jedem x-beliebigen Videofilm herstellen können. Das Gerät kann vierundzwanzig Stunden im Tag eingesetzt werden.«

»Und Sie meinen, daß es Ihnen nicht gelingen wird, dagegen wirksam einzuschreiten?«

La Mont zuckte mit den Schultern. »Ich werde dafür bezahlt, daß ich es wenigstens versuche. Daß ich es den großen Gaunern ein bißchen schwerer mache und die Waschküchenbetriebe abschrecke. Vergessen Sie nicht: Es gibt eine legitime Industrie, die währenddessen finanziell ausblutet.«

La Mont saß eine Weile schweigend da, dann überraschte er Thane mit einem Lachen.

»Zum Teufel, das wäre gar nicht schlecht«, erklärte er. »Wenn man dem legalen Videohandel eine Chance zum Überleben bietet, meine ich, damit er ehrliche Geschäfte machen kann. Wie im letzten Monat: Wir haben einen Kopierer in Südlondon festgenagelt, uns alle seine Originalbänder geschnappt und dazu zwanzigtausend Kopien, die fix und fertig verpackt waren, um in den Handel zu gehen.« Er grinste, dann zeigte er mit dem Finger auf Thane. »Bis jetzt habe ich geredet. Nun sind Sie dran. Was ist inzwischen passiert?«

»Ja, also ...« Thane zögerte.

»Tun Sie mir einen Gefallen«, bat ihn La Mont. »Kommen Sie mir nicht mit den berühmten ›Routine-Ermittlungen‹, ja?«

»Gut.« Thane wählte seine Worte dennoch mit Bedacht. »Wir haben einen Hinweis auf zwei hiesige Ganoven, die beide in der Kategorie ›Bezahlte Komplicen‹ rangieren.«

»Heißt das, daß Sie die beiden geschnappt haben?« Interessiert verengten sich La Monts Augen zu schmalen Schlitzen.

»Noch nicht, aber sie müssen irgendwann wieder auftauchen, und dann ist es soweit.«

La Mont knurrte. »Und dann? Glauben Sie, daß die Ihnen irgend etwas vorsingen werden?«

Thane schüttelte den Kopf. »Darauf würde ich mich nicht verlassen.«

»Ich brauche den Boß, nicht die Gehilfen.« La Mont lehnte sich vor. »Es wird sich vermutlich um einen handeln, der das Ganze als Nebenjob betreibt. Die Operation hat ihre Basis in London – er ist nur ihr freundlicher Auslieferer im Norden. Aber wir sprechen vom *Baum zum Hängen*, verdammt noch mal.« Er schnitt eine Grimasse. »Meine Leute wollen einen Skalp sehen.«

»Im Notfall den Ihren?« fragte Thane.

»Das wäre durchaus möglich.« Nun schwang nichts mehr von Humor in der Stimme des Kanadiers mit. »Ich brauche dringend ein paar Pluspunkte, das können Sie mir glauben.«

»Hier oder in London?«

»Meinen Sie die Produktionsseite in London?« La Mont schüttelte den Kopf. »Da müßte schon ein Wunder geschehen. Wenn auch nur ein leiser Hauch von Gefahr aufkommt, setzen sich diese Leute blitzschnell ab, irgendwohin. Das haben wir schon mehrmals feststellen können, immerhin.«

Sie unterhielten sich noch eine Weile weiter, aber es gab nichts von Bedeutung, was der eine dem anderen hätte mitteilen können. Thane lehnte das Angebot eines zweiten Drinks erneut ab und stand schließlich auf, um zu gehen.

»Und wie steht es mit Ihren Plänen?« fragte er, als La Mont ihn zur Tür begleitete.

»Ich werde diesen Bericht für Sie ausfertigen, mich um den Papierkram für die Gesellschaft kümmern und danach vielleicht ein paar Tage durch Schottland fahren.« La Mont bemerkte Thanes Gesichtsausdruck und lachte beruhigend. »Keine Sorge, ich werde mich nicht einmischen.«

»Wäre es nicht besser, wenn Sie wieder nach London fahren, wo die eigentlichen Aktionen stattfinden?« fragte Thane mit mildem Sarkasmus.

La Mont zuckte mit den Schultern. »Störaktionen, Superintendent. Ich habe es oft und lange genug erlebt, und falls dort alles zusammenbricht, kann ich jederzeit wieder zurück. Aber solange ich hier bin, möchte ich in Ruhe ein paar Höflichkeitsbesuche abstatten und den wenigen Guten im Videogeschäft, die uns noch geblieben sind, das Gefühl vermitteln, daß der Große Bruder sie noch nicht vergessen hat.«

Thane verabschiedete sich und ging.

Vor dem Hotel schaute er auf die Armbanduhr, zuckte zusammen, als er sah, wie spät es war, fand aber, daß er dennoch ein paar Minuten für einen Schaufensterbummel abzweigen konnte.

Es wurde eine halbe Stunde daraus, bis er zurück war bei seinem Wagen. Die Parkuhr war abgelaufen, und unter einem der Scheibenwischer steckte ein Strafzettel. Thane fluchte, steckte den Strafzettel ein, setzte sich hinters Lenkrad und fädelte sich in den Großstadtverkehr ein.

Er hatte nicht viel erfahren von La Mont, und die gefüllten Regale in den Geschäften hatten ihn verblüfft. Der Strafzettel hatte auch nicht gerade dazu beigetragen, seine Laune zu verbessern, aber er konnte ihn vermutlich streichen lassen, weil es sich um eine Dienstfahrt gehandelt hatte – auch die Erkundigung nach Videogeräten gehörte zu seinen Hintergrund-Ermittlungen. Zumindest konnte er es versuchen.

An der nächsten Ampel mußte er halten. Während er wartete, überdachte er die Haltung, die La Mont in der Sache eingenommen hatte. Der Kanadier hatte wahrscheinlich recht; man kam eben nur ein Stückchen weiter und mußte früher oder später resignieren. Aber es mußte nicht immer so sein.

Das andere, was ihn beschäftigte, war das Bündel Prospekte, das er aus den Discountläden mitgenommen und in die Jackentasche gesteckt hatte. Dort fand er zwar die technischen Details, aber ihn interessierten eigentlich mehr die Preise ...

Vielleicht sollte er sich ein Gerät mieten. Doch zuvor mußte er die

Meinung eines Fachmannes hören, oder, noch besser, Mary fragen.

Die Ampel schaltete auf Grün, und er seufzte erschöpft, als er den Ford wieder in Bewegung setzte.

Eine Menge neuer Notizen lagen auf Thanes Schreibtisch, als er in sein Büro bei der Crime Squad zurückkam. Auf der obersten stand, daß Commander Hart aus Edinburgh zurück war und ihn zu sprechen wünschte.

Es war fast halb sechs. Er nahm den Hörer des Telefons ab, ließ sich ein Amt geben und wählte dann die Nummer von Falcon Services. Als sich dort die Sekretärin meldete, fragte er nach Alexis Garrison. Sie meldete sich kurz darauf am Apparat.

»Ich habe gehört, daß du schon einmal angerufen hast«, sagte sie fröhlich. »Und beinahe hättest du mich jetzt wieder verpaßt – ich war schon dabei, nach Hause zu gehen.«

»Dann hätte ich es unter deiner Privatnummer versucht.«

»Ach.« Sie war amüsiert. »Und was ist so dringend, Colin? Sag jetzt bloß nicht, es ist immer noch dieser Ted Douglas.«

»Nicht ganz.«

»Dann ist es vielleicht . . .« Sie brach ab, und ihre Stimme klang einladend.

»Die alten Zeiten vielleicht«, sagte Thane. Er bemühte sich um einen beiläufigen Ton. »Ich dachte, wir könnten uns irgendwo treffen und einen Schluck trinken, uns unterhalten und – nun ja, ein paar Jährchen aufholen.«

»Warum nicht?« Es klang so, als ob Alexis Garrison von dem Gedanken angetan wäre. »Und wann?«

»Wie wär's heute abend?« schlug Thane vor.

»Heute abend . . .« Sie zögerte. »Nein, ich habe leider schon eine Verabredung, Colin. Ich gehe mit einem unserer besten Kunden zum Essen – und wie ich ihn kenne, werde ich die Rechnung bezahlen müssen. Was hältst du von morgen? Sagen wir, um acht – könntest du mich zu Hause abholen?«

»Fein«, stimmte Thane zu. »Ich komme.«

»Gut.« Sie lachte leise. »Was ist nun mit Douglas – ich meine, kommst du voran?«

»Wir setzen die einzelnen Steinchen zusammen und stellen fest, daß sie leider nicht passen«, erklärte Thane leidenschaftslos. »Es könnte sein, daß wir Falcon Services noch einen Besuch abstatten müssen.«

»Ich gebe Jonathan Bescheid.« Sie wartete, und ihr Ton hatte sich entscheidend verändert. »Er kommt gerade herein. Also, falls ich nicht da sein sollte, er wird jederzeit behilflich sein. Also dann, Superintendent.«

Dann war die Leitung unterbrochen. Thane legte den Hörer auf und saß einen Augenblick lang mit zusammengepreßten Lippen da. Er mußte mit Alexis Garrison sprechen, mußte mehr über die Firma Falcon Services wissen. Aber vielleicht streckte er auch den Kopf zu weit vor – eine Vorstellung, die ihn in diesem Zusammenhang belustigte.

Danach schaute er die übrigen Notizen durch, sah, daß nichts darunter war, was sofort erledigt werden mußte, und ging hinüber in Harts Büro. Als er ankam, öffnete Maggie Fyffe gerade die Tür und kam mit einer Mappe voller Dokumente heraus. Sie blinzelte Thane kurz zu, lächelte, blieb aber nicht stehen.

Der Leiter der Squad war guter Laune. Er lümmelte in seinem Sessel hinter dem Schreibtisch, hatte die Hände in den Jackentaschen vergraben und nickte Thane zu, er solle sich setzen.

»Die Sache in Edinburgh ist gut gelaufen«, begann Hart ohne Vorrede. »Ich danke Gott für einen Richter, der alles so gesehen hat wie wir. Dadurch kam Tom Maxwell glücklich von einem besonders unangenehmen Haken los.« Er lächelte zufrieden. »Ich habe ihn wieder zurückgeschickt in den Norden, damit er diesen Bestechungsfall abschließen kann. Morgen um diese Zeit wird er zwei sehr überraschte Lokalpolitiker hinter Schloß und Riegel gesetzt haben – und das wird erst der Anfang sein.«

»Das klingt so, als ob Sie nichts für Politiker übrig hätten«, sagte Thane trocken.

»Wer hat das schon?« Hart schaute ihn überrascht an. »Jedesmal, wenn ich wähle, tue ich das, um jemanden davon abzuhalten, daß er gewählt wird, nicht umgekehrt.« Er strich sich über die faltigen Wangen. »Und wie steht es jetzt mit dem *Baum zum Hängen?*«

Thane teilte ihm alles Wichtige mit. Da er mit Jack Hart sprach, schloß das auch Alexis Garrison ein. Als er geendet hatte, war das Lächeln auf dem Gesicht von Hart verschwunden.

»Meiner Sünden wegen hat man mich hier zum Chef gemacht«,

sagte er nachdenklich. »Colin, das gibt mir das Recht, Warnungen auszusprechen – und genau das werde ich jetzt tun. Es könnte sein, daß Sie bei dieser Garrison ziemlich in einen Schlamassel geraten. Muß ich Ihnen noch genauer sagen, warum?«

»Ich glaube kaum«, antwortete Thane nüchtern.

»Gut.« Hart blickte ihn einen Moment mit halbgeschlossenen Augen an und schien zufrieden zu sein. »Sie haben es mir berichtet, und dabei bleibt es vorläufig. Aber behalten Sie diesen Aspekt der Sache im Auge, und machen Sie bei anderen Dingen mal ein bißchen Dampf dahinter. Wie sieht Ihr Programm für morgen aus?«

Thane zuckte mit den Schultern. »Ich bin bei Gericht – vermutlich den ganzen Vormittag.«

»Das hatte ich ganz vergessen. Maggie hat es erwähnt.« Hart brummte. »Na schön, dann werde ich hier sein und die Stellung halten. Sagen Sie Francey Dunbar, er soll mir direkt berichten, bis Sie zurück sind – das dürfte auch garantieren, daß nichts an die falsche Adresse gerät.«

Das Gespräch war beendet. Thane ging von Harts Büro aus direkt in den Bereitschaftsraum. Dort ging es laut und geschäftig zu wie immer. Sandra Craig war nirgends zu sehen, aber Francey Dunbar und Joe Felix unterhielten sich an Dunbars Schreibtisch miteinander. Thane ging zu ihnen hinüber, und Dunbar begrüßte ihn mit sichtlicher Erleichterung.

»Joe hat eine Idee«, meinte sein Sergeant trocken. »Wollen Sie sie hören, Sir?«

Thane nickte. »Joe?«

»Es geht um diese Zahlenreihe, die Sie in der Brieftasche von Ted Douglas gefunden haben«, begann Felix. Er legte fast entschuldigend eine Pause ein. »Es handelt sich nicht um einen Code, Sir, – wenn Sie verstehen, was ich meine.«

»Ich habe keine Ahnung«, sagte Thane unverblümt.

»Sir ...« Felix schien verletzt zu sein. »Francis sagt, Sie hätten bei Billy Tripp ein CB-Funkgerät gefunden. Das würde dazu passen. Die Zahlen auf dem Karton von Douglas lauten doch von eins bis vierzig, nicht wahr?«

»Ja.«

»Die meisten CB-Geräte verfügen über vierzig Kanäle, Sir.« Joe Felix erklärte es geduldig. »Wenn man ein CB-Fan ist, ein paar

Freunde hat, die auch Geräte besitzen, benutzen alle dieselbe ›Glücks-zahl‹ – das heißt, man hat sein Gerät auf einen Kanal eingestellt.«

»Aber?« Thane fühlte, daß er zu begreifen begann.

»Aber es gibt immer die Möglichkeit, daß ein Außenseiter zuhört«, erläuterte Felix ernst. »Wenn es sich also um ein Privatgespräch handelt, das niemand mithören soll, gibt es einen Trick. Der erste benützt einen Kanal nur zum Senden und erhält auf einem anderen die Antwort und so weiter. Auf die Art und Weise bekommt ein Außenseiter höchstens einen Bruchteil des Gesprächs mit.« Er strahlte. »Ich habe dieses System selbst ausprobiert – es funktioniert.«

»Moment mal, Joe.« Selbst in Dunbar erwachte zögerndes Inter-esse. »Vielleicht habe ich es jetzt kapiert. Eine im voraus festgelegte Reihenfolge von Kanälen, einer nach dem anderen –«

»Nach dieser Methode haben sie sich durch die Zahlenreihe auf der Karte gearbeitet.« Felix nickte. »Oder jeder Mann im Team hatte einen Sende- und einen Empfangskanal.« Er schaute Thane an. »Es klingt etwas kompliziert, aber kein Außenseiter kann dann etwas mitbekommen.«

»Ted Douglas besaß aber kein CB-Gerät«, wandte Dunbar ein. »Das heißt, wir haben zumindest keines bei ihm gefunden.«

Thane nickte. »Aber ich sagte euch doch, ihr solltet das gründlich recherchieren. Strathclyde ist davon überzeugt, daß die Bande, die diese Lagerhausüberfälle veranstaltet, mit CB-Geräten arbeitet.«

»Verdammt!« schimpfte Dunbar.

Rings um sie her ging die übliche Arbeit der Kriminalbereitschaft weiter. Ein neu zusammengestelltes Team wurde an der Kartenwand instruiert. Der weibliche Inspektor, der die Informationen lieferte, war klein und sah gut aus; ihr Sergeant war ein ehemaliges Mitglied der königlichen Garde. Die ganze Squad kannte sie unter dem Begriff ›die Schöne und das Tier‹. Am Schreibtisch neben Dunbar brüllte jemand in ein Telefon, und zwei Kriminalbeamte in Hemdsärmeln versuchten, einen gemeinsamen Bericht abzufassen.

Alles verlief normal im Bereitschaftsraum.

Aber vielleicht war Ted Douglas doch mehr als ein Kurier oder Bote gewesen. Und Thane wußte, daß es jetzt um so notwendiger war, Fortschritte zu machen bei der Kette, die sie zusammensetzen mußten. »Etwas Neues von Billy Tripp?« fragte er.

»Noch nicht.« Dunbar zupfte an seinem Schnurrbart und zog die

Stirn in Falten. »Aber die Geschichte, daß Tuce in London sein soll, war eine Ente. Gestern hat man ihn hier in der Stadt gesehen, als er die U-Bahn-Station St. Enoch verlassen hat.«

»Sicher?«

»Eines von Sandras Mädchen behauptet es. Er hat sie einmal aufgemischt«, sagte Dunbar lakonisch.

»Gut.« Thane wußte Bescheid über ›Sandras Mädchen‹. Sie waren Prostituierte und kannten ihre Stadt. Und die meisten waren Sandra eine Gefälligkeit schuldig. »Sonst noch was?«

Dunbar und Felix tauschten einen Blick und schüttelten dann verneinend die Köpfe.

»Außer ...« Dunbars Gesicht verzog sich zu einem unerwarteten Grinsen.

»Außer was?« fragte Thane argwöhnisch.

»Matt Amos hat eines von seinen hübschen Labormädchen rübergeschickt, und sie hat eine von den Kassetten mit dem *Baum zum Hängen* mitgenommen.« Dunbar breitete seine Hände in Unschuld aus. »Zu Untersuchungszwecken, hat sie gesagt, und Sie hätten es genehmigt, Sir.«

»Aus Fortbildungsgründen, ja«, räumte Thane ein, dann wandte er sich in Gedanken wieder dem Problem zu, das es zu lösen galt.

Es gab andere Aspekte und andere Gebiete. Aber für sie war gesorgt, und keines ging ihn unmittelbar etwas an. Er fand, daß er für diesen Tag genug gearbeitet hatte, teilte Dunbar mit, daß er am nächsten Tag bei Gericht sein würde, und bat Felix, noch eine Weile zu bleiben; dann gab er ihnen noch den Auftrag, Sandra zu sagen, daß sie am nächsten Tag die Frühschicht übernehmen sollte.

Anschließend ließ er sie allein, ging noch kurz in sein Büro, um seine Jacke zu holen, und fuhr dann nach Hause.

Tommy Thane hatte dunkles Haar, war schlank, aber kräftig gebaut, und auf seiner Stirn glühten die ersten Teenager-Pickel. Seine Schwester Kate war pausbackig, im Jeans- und T-Shirt-Alter, ließ aber schon ahnen, daß sie einmal ebensogut aussehen würde wie ihre Mutter.

Sie waren beide zu Hause, als Thane ankam, und halfen Mary bei den Vorbereitungen zum Abendessen. Es war einer der drei Tage in der Woche, an denen Mary im Vorzimmer eines Arztes arbeitete. Sie hatte diesen Teilzeitjob erst vor kurzem angenommen, aber er machte ihr Spaß, und außerdem hatte sie bemerkt, daß ihre beiden Kinder sie deshalb bewunderten.

Tommy und Kate hatten nun einmal ihre eigenen Ansichten, was die meisten Dinge in ihrem Leben betraf.

Um sieben Uhr aßen sie zu Abend, während im Fernsehen die Nachrichtensendung lief und aus dem Hintergrund zu hören war. Mary hatte ein Rindsgulasch zubereitet.

Danach gab es noch Käse und Salzgebäck. Dann, während die beiden Kinder den Tisch abräumten und sich beim Geschirrspülen lautstark neckten, entspannten sich ihre Eltern bei einer Tasse Kaffee und einer Zigarette.

»Ich habe dich heute morgen weggehen gehört«, sagte Mary. »Ich dachte: ›Pech für dich, Colin‹ und habe gleich weitergeschlafen.«

»Das war aber sehr mitfühlend.« Er lächelte sie an.

»Zumindest vernünftig.« Mary blickte ihn besorgt an. »Ein harter Tag?«

»Ich hatte schon bessere – aber auch schlechtere, um ehrlich zu sein.« Thane nahm einen tiefen Zug aus seiner Zigarette, der letzten seiner Tagesration, und faßte einen Entschluß. »Ich habe eine frühere Freundin wiedergetroffen, Alexis Bolton – sie heißt jetzt Garrison und ist verwitwet.«

»Und?« Mary hob fragend die Augenbrauen.

»Ich wollte es dir nur sagen«, antwortete Thane ein wenig unbeholfen. »Sie könnte eine Rolle spielen im Fall Douglas. Ich muß, was sie betrifft, sehr behutsam vorgehen.«

»Solange sie nur im Fall Douglas eine Rolle spielt, habe ich nichts dagegen.« Mary blinzelte ihn an. »Oder müßte ich mir Gedanken machen?«

»Nein.«

»Ich könnte sie ja anrufen«, meinte Mary scherzhaft, »und ihr erzählen, wie hoch die Rate ist, die wir monatlich für unser Haus bezahlen müssen – ich glaube, das würde sie abschrecken.« Sie lachte. »Was ist sonst noch passiert?«

Es war der Abend, an dem Tommy und Kate in den Jugendklub gingen, und diesmal war eine andere Familie dran, um sie hinzufahren. Thane wartete, bis sie gegangen waren, bevor er auf Videorecorder zu sprechen kam.

»Meinst du kaufen oder mieten?« fragte Mary.

»Ich weiß es nicht«, gestand er. »Vielleicht sollten wir uns erst ein wenig umhören.«

»Ja, das könnten wir.« Sie schien von dem Gedanken angetan zu sein. »Tommy und Kate wären bestimmt auf deiner Seite. Sie reden schon lange davon, daß wir einen Videorecorder haben müßten. Und wie sieht es dann mit unserem Budget aus?«

Er hatte auch darüber nachgedacht. »Wir könnten es uns leisten.«

»Dann machen wir aber fifty-fifty«, schlug sie vor. »Du weißt, ich verdiene jetzt auch.«

Eine halbe Stunde später klingelte es an der Tür. Thane war oben und reparierte gerade den Stecker einer Nachttischlampe. Er hörte, wie Mary an die Tür ging, und vernahm dann den Ton freudiger Überraschung in ihrer Stimme. Gleich danach rief sie ihn herunter.

»Du hast gesagt, ich soll mal vorbeikommen«, erklärte Phil Moss, der grinsend in der Diele stand. Dann förderte er eine Flasche Wein aus seiner Manteltasche hervor. »Hier – für den Hochzeitstag in der nächsten Woche.«

»Der war schon gestern«, berichtigte Thane.

»Aber wir bedanken uns trotzdem für den Wein.« Mary nahm ihm die Flasche ab und umarmte Moss, was diesen offensichtlich ein wenig aus der Fassung brachte.

Dann gingen sie ins Wohnzimmer. Einen Drink in der Hand und in seinem Lieblingssessel sitzend, plauderte Moss angeregt mit den beiden Thanes. Er hatte sich für den Besuch in Schale geworfen: Sein Hemd war leicht zerknittert, aber sauber. Außerdem hatte er sich abends noch einmal rasiert und sich dabei allerdings geschnitten. Aber in der Sohle seines linken Schuhs gähnte ein Loch, von dem er vermutlich selbst gar nichts wußte.

»Tommy und Kate!« erinnerte sich Mary plötzlich und stand auf. »Die kommen bald nach Hause, aber du bleibst doch noch eine Weile, Phil?«

»Danke.« Moss wandte sich an Thane. »Es gab noch ein paar andere Gründe, weshalb ich euch überfallen habe, Colin. Aber ich hatte es ohnehin schon lange vor, und das ist der eigentliche Grund.« Er zögerte. »Vielleicht stecke ich meine Nase in Dinge, die mich nichts angehen, aber –«

»Aber du machst das gut«, sagte Thane und grinste.

Moss zuckte mit den Schultern. »Es paßt alles noch nicht so besonders gut zusammen, aber ich dachte, es hilft dir vielleicht.«

»Dann raus mit der Sprache.« Thane stand auf, schenkte nach und nahm dann wieder in seinem Sessel Platz. »Also?«

»Es geht um Jonathan Garrison, diesen Mann bei Falcon, der sich beschwert hat«, begann Moss, ehe er einen Schluck trank. »Ich habe meinen Chef gefragt, was er über ihn weiß. Garrison scheint vor ein paar Jahren einer der ›Eierköpfe‹ im Verteidigungsministerium gewesen zu sein. Er arbeitete bei der Radarforschung – wichtig genug, als Geheimnisträger erster Klasse eingestuft zu werden.«

Thane zog erstaunt die Stirn in Falten. »Wenn man ihn heute sieht, würde man das nicht für möglich halten. Wie ist er denn bei Garrison gelandet?«

»Er hatte einen totalen Nervenzusammenbruch erlitten, so schlimm, daß er ins Krankenhaus mußte.« Moss erinnerte sich. »Sie sind wie üblich vorgegangen, haben ihn aus dem Verkehr gezogen, bis alles, woran er gearbeitet hatte, überholt war. Dann haben sie ihn in Pension geschickt.«

»Mit einem Splitter in der Schulter«, murmelte Thane. Er sah, daß Moss ihn überrascht anschaute. »Er hat seitdem etwas gegen das System.«

»Wer nicht?« knurrte Moss. Dann konnte er ein leises Rülpsen nicht unterdrücken. »Das zweite betrifft Martin Tuce, den Glasmann. Hast du ihn noch auf deiner Liste?«

Thane nickte. »Und wir suchen ihn noch.«

»Die meisten glauben, er arbeitet sozusagen freiberuflich«, erklärte Moss langsam und bedächtig. »Ich habe das auch geglaubt. Aber es ist vielleicht nicht ganz richtig.«

»Das steht in seinen Akten, und das sagt man auf den Straßen«, wandte Thane ein. »Und es stimmt auch: Er ist ein Einzelgänger, Phil. Er hält sich irgendwo hier in der Stadt auf, aber –«

»Nach dem, was ich weiß, könnte er ebensogut auf dem Nordpol sein«, erklärte Moss ein wenig bestimmter. »Schau, es ist alles nur Kaffeepausengeschwätz in der Zentrale. Wir haben miteinander geredet, zwei oder drei von uns, und ich warf den Namen Tuce ins Gespräch. Dabei hab' ich das gehört. Der Mann, der es mir sagte, ist verläßlich; es ist nicht seine Schuld, daß er bei der Überwachung arbeitet.«

Thane grinste. Die ›Überwachung‹ war die Polizei der Polizei, bezeichnete sich selbst als ungeliebt und unerwünscht, und die meisten Polizeibeamten waren der Meinung, daß das durchaus zutreffend war.

»Sie sind auch nur Menschen«, räumte Thane ein. »Also schön, laß hören.«

»Der Mann ist Chief Inspector und war früher beim Betrugsdezernat«, sagte Moss gekränkt. »Er erinnerte sich an einen Fall aus vergangenen Jahren – eine Gruppe von Gaunern mit weißen Kragen, die Aktienbetrug begingen und die Versicherungen schädigten. Jemand von außen muß ihnen dabei geholfen haben, aber keiner von ihnen hat jemals den Mund aufgemacht. Sie hatten Angst – und zwei, die diese Hilfe nicht in Anspruch nahmen, bekamen großen Ärger, das heißt, sie brauchten praktisch eine Nähmaschine, damit man ihre Gesichter wieder halbwegs zusammenflicken konnte.« Er zuckte mit den Schultern. »Es gab natürlich keinen Beweis, nicht einmal einen Anhaltspunkt. Aber die Kollegen, die mit der Sache zu tun hatten, waren überzeugt davon, daß der Glasmann die zwei in die Mangel genommen hatte.«

»Du hast gesagt, Hilfe von außen.« Thane hielt sein Glas mit beiden Händen, zog die Stirn in Falten und verstand noch immer nicht ganz. »Gibt es dafür einen Namen?«

»Man hatte einen Verdächtigen.« Moss grinste boshaft. »Es hätte Jimbo Raddick sein können.«

Thane fluchte leise. Raddick war für die beiden mehr als nur ein Name. James Cocker Raddick mußte jetzt Mitte Vierzig sein. Vor ein paar Jahren, als junger Anwalt, war er aus der Anwaltskammer ausgestoßen und zu einer Gefängnisstrafe verurteilt worden, weil er Klientengelder unterschlagen hatte.

Raddick hatte sich nicht viel daraus gemacht. Als er entlassen wurde, bewies er bald, wie nützlich eine juristische Ausbildung war, wenn man Gaunereien begehen wollte. Er handelte mit diesem und jenem, spielte den Geldgeber im Hintergrund oder ließ sich teuer als Zwischenhändler bezahlen, tat aber selbst nur selten etwas, womit er sich die Finger schmutzig gemacht hätte. Man nahm an, daß er mit Rauschgifthandel zu tun hatte, und wußte mit ziemlicher Sicherheit, daß er gestohlene Antiquitäten und Schmuck ins Ausland schleuste.

Zweimal hatte Thane gehofft, er könnte Anklage erheben gegen

James Cocker Raddick. Und zweimal war Raddick, zu Thanes Ärger, grinsend und mit heiler Haut davongekommen.

Aber eines stimmte nicht daran.

»Er ist in Spanien, Phil«, erinnerte er Moss. »Er muß schon seit ein paar Jahren außer Landes sein.«

»Auf der Flucht vor dem Finanzamt, und in Spanien deshalb, weil es kein Auslieferungsabkommen mit Großbritannien hat – ich weiß«, stimmte ihm Moss zu, ließ sich aber dennoch nicht beirren. »Er besitzt eine Bar in Torremolinos oder da in der Nähe. Aber er kann hier noch immer die Fäden ziehen und die Puppen tanzen lassen – nämlich den Glasmann.«

»Und warum?«

»Als Raddick sich nach Spanien abgesetzt hat, wurde er begleitet von der Schwester des Glasmanns.« Moss fand ein paar Stoppeln auf seinem Kinn, die er beim Rasieren übersehen hatte, und kratzte ärgerlich daran. »Und das steht in den Akten – in Raddicks Akten. Ich habe nachgesehen.«

»Verdammt!« sagte Thane verdrossen.

Kaffeepausenklatsch – und der hatte ihm fast ebenso viel eingebracht wie die gesamten Aktivitäten seines Teams, außerdem erweiterte das den Kreis seiner Möglichkeiten.

Moss wollte wissen, was sich inzwischen ereignet hatte. Und Thane, glücklich darüber, daß er es noch einmal besprechen, in Worte fassen und dabei einige seiner Gedanken und Gefühle überprüfen konnte, umriß dem ehemaligen Kollegen ein Bild dessen, was sich bisher ereignet hatte und was die Ermittlungen bisher ergeben hatten. Als er geendet hatte, waren Moss noch ein paar Fragen unklar.

Sie brachen ab, als Mary mit einer Kanne heißer Schokolade und einem Tablett Sandwiches ins Zimmer kam. Sekunden später trafen Tommy und Kate ein. Sie begrüßten Moss, dann machte sich Tommy über die Sandwiches her, und Kate ging mit einem Becher Schokolade hinaus in die Diele, um eines ihrer ungeheuer wichtigen Telefongespräche zu führen. Es dauerte mehrere Minuten, und als sie zurückkam, stritt sie mit Tommy über das letzte, übriggebliebene Sandwich.

»Wen hast du denn angerufen?« fragte Thane.

»Ach, Lorna«, begann Kate.

»Aber du hast Lorna doch im Klub getroffen«, protestierte

Tommy. »Was hast du denn jetzt schon wieder mit ihr zu besprechen gehabt?«

Kate schaute ihn verächtlich an. »Eine ganze Menge.«

»Auch, wer die Telefongespräche bezahlen muß?« fragte Thane trocken. Er zuckte zusammen, als das Telefon klingelte. »Ich gehe hin – für dich würde sich fast schon ein Anrufbeantworter lohnen.«

Aber das Gespräch war für ihn selbst die Stimme am anderen Ende die des Diensthabenden bei der Crime Squad.

»Kennen Sie jemanden namens Takki Joe, Sir?« fragte er.

»Ja.« Thane warf einen Blick ins Wohnzimmer und gab das Zeichen, leiser zu sein. »Was ist mit ihm?«

»Er hat angerufen und wollte Sie sprechen, Superintendent. Sagte, es sei dringend –«

»Wann?«

»Vor zehn, fünfzehn Minuten.« Der Diensthabende kam möglichen Vorwürfen zuvor. »Ich habe es schon mehrmals versucht, aber Ihre Leitung war belegt.«

»Das kommt hier gelegentlich vor«, erklärte Thane lakonisch. »Was hat er denn gewollt?«

»Sie, Sir. Er ist jetzt zu Hause und sagt, es sei dringend und könne nicht bis morgen warten. Wir meinten, daß wir ihm jemanden schicken könnten, aber er wollte nichts davon wissen – nur Sie und sonst niemanden.«

»Wo wohnt er?«

»Die Adresse ist Carcroft Road zweihundertzweiundvierzig.« Der Diensthabende hielt einen Augenblick inne und fügte dann hilfsbereit hinzu: »Das ist hinter Thornliebank, südlich vom Fluß. Ich habe eine Tante, die dort in der Nähe wohnt.«

»Ihre Tante interessiert mich nicht«, fuhr ihm Thane unwirsch über den Mund. »Haben Sie den Anruf entgegengenommen?«

»Ja.«

»Was hatten Sie für einen Eindruck?«

»Der Mann war entweder verängstigt oder aufgeregt«, erwiderte der Diensthabende eifrig. »Vielleicht beides.«

»Gut, ich fahre hin. Wenn es Schwierigkeiten gibt, melde ich mich über Funk.«

Dann dankte er dem Mann und legte auf. Als er sich umdrehte, stand Moss hinter ihm.

»Probleme?« fragte Moss.

»Ihr Freund Joe Daisy.« Thane zuckte mit den Schultern. »Er will sich mit mir treffen, jetzt gleich.«

»Ja nun ...« Moss zeigte sich interessiert. »Also, ich habe nichts vor ...« Er warf einen Blick auf Mary, die zuhörte. »Es macht dir doch nichts aus, oder?«

»Nimm ihn mit, Colin«, meinte Mary, an Kummer gewöhnt.

Sie nahmen Thanes Ford, und Thane setzte sich ans Steuer. Es war eine bewölkte Nacht, und gelegentlich fielen ein paar Tropfen Regen. Aber die Straßen von Glasgow waren von Menschen und Fahrzeugen belebt und von Neonschriften erhellt.

Es war ein merkwürdiges Gefühl für Thane, wieder mit Phil Moss neben sich zu fahren. Der hagere Mann schien glücklich darüber zu sein und summte leise vor sich hin, während er das neue Funkgerät interessiert untersuchte.

Thane schaute Moss von der Seite an, und dabei kehrten die Erinnerungen zurück. Aber das war Vergangenheit. Seine Lippen wurden zu einer schmalen Linie, dann dachte er an Francey Dunbar und mußte beinahe lachen. Moss und Dunbar – zwei gegensätzlichere Typen konnte man sich kaum vorstellen. Dennoch hatte er mit beiden großes Glück gehabt.

Sie kamen gut voran, und die Uhr am Armaturenbrett zeigte 22.45 Uhr, als sie Thornliebank erreichten. Es war früher einmal ein kleines Dorf gewesen; jetzt hatte es sich zu einer Satellitenstadt entwickelt, mit sich weiter ausbreitenden Vororten ringsherum.

Die Scheinwerfer des Ford fraßen sich durch die Dunkelheit einer fast unbelebten Allee; danach bogen sie in die Carcroft Road ein, eine lange, neu angelegte Straße, von hübschen Bungalows und modernen Stadthäusern gesäumt. Die Wagen, die auf beiden Seiten der Straße parkten, waren neuere und neueste Modelle. In einem der Häuser feierte man eine Party; die Vorhänge des Hauses waren offen, und Lärm und Licht drangen auf die Straße.

Joe Daisys Haus war kleiner als die meisten und ein bißchen zurückgesetzt, ein Peugeot-Kombiwagen stand in der Einfahrt. Von der Straße aus gesehen, lag alles im Dunkeln.

Thane hielt direkt vor der Einfahrt. Die beiden Kriminalbeamten stiegen aus und gingen über den Kiesweg zur Haustür.

Sie stand handbreit offen. Thane stieß die Tür an, und sie quietschte in den Scharnieren. Er warf Moss einen Blick zu, stieß dann die Tür weit auf und rief nach Joe Daisy.

Nichts geschah, nichts rührte sich. Sie sahen, daß unter einer Tür im hinteren Teil der im Dunkel liegenden Diele ein Streifen Licht schimmerte.

»Joe – Joe Daisy!« Thane versuchte es noch einmal. »Hier Thane. Polizei.«

Er hörte, wie Moss unterdrückt stöhnte. Eine Vorahnung lief ihm kalt über den Rücken.

Sie betraten das Haus, gingen über dick mit Teppich ausgelegten Boden und erreichten den Lichtstreifen unter der Tür. Thane legte ein Taschentuch auf die Klinke, bevor er die Tür öffnete, dann stieß er sie weit auf.

»Allmächtiger!« rief Moss mit unterdrückter Stimme.

Joe Daisy lag auf dem Boden in dem hellerleuchteten Raum; seine Augen starrten ausdruckslos zur Decke, sein fleischiges Gesicht war blutverkrustet, mit blauen Flecken übersät, und die Lippen waren zurückgezogen in einem letzten, schiefen Grinsen des Todes.

Joe Daisy war geknebelt und gefesselt. Er trug ein schreiend bunt gemustertes Hemd und eine blaue Hose, und um den Hals lagen zwei Goldkettchen.

Aber seine Füße waren nackt, die Beine weit gespreizt, und durch jeden Fuß hatte man einen Metallnagel getrieben, durch den blutbeschmierten Teppich in den Parkettboden.

»Ganz schön brutal«, flüsterte Moss schaudernd. Sein Gesicht war blaß geworden. Er leckte sich über die trocken gewordenen Lippen. »Warum?«

Aber Thane antwortete nicht.

Kapitel

5

Die Untersuchung eines gewaltsamen Todes erforderte gewohnheitsmäßige, sorgfältig abgestimmte und erprobte Routine. Grundsätzlich war sie nicht viel anders als die üblichen Untersuchungsmethoden der Polizei, bestimmte Prozeduren, Formblätter waren auszufüllen, und die Tatsache, daß das, was im Mittelpunkt stand, einmal ein Mensch aus Fleisch und Blut gewesen war, war etwas, worauf man besser nicht allzu viele Gedanken verschwendete.

Der Tod war ein Teil dieses Berufs, und meist in einer seiner härtesten Formen. Doch die Männer, die in diesem Job arbeiteten, mußten auch nach einer Gewalttat ihr eigenes Leben weiterführen. Es war ein Schutz, wenn man sich ein dickes Fell zulegte und das Trauern anderen überließ.

Als er noch lebte, war Joe Daisy von Interesse für den Crime Squad gewesen; jetzt, als Toter, gehörte er dem Team der örtlichen Polizei von Strathclyde. Colin Thane benützte das Funkgerät im Ford, um den Diensthabenden bei der Squad anzurufen, beauftragte ihn, die Kollegen bei Strathclyde zu verständigen und wartete, bis sich der Wachhabende wieder meldete.

»Sie sind schon unterwegs, Sir«, meldete er bald darauf.

»Haben Sie Daisys Anruf eingetragen?« fragte Thane.

»Um zweiundzwanzig Uhr – genau um zehn Uhr abends, Sir«, bestätigte der Wachhabende. »Ich habe Sie um zweiundzwanzig Uhr sechzehn erreicht«, fügte er hinzu. »Sonst noch etwas, was ich für Sie tun kann?«

»Nein, momentan nicht.« Daisys Anruf war automatisch auf Band aufgezeichnet worden, und das Band und die Eintragung im Dienstbuch der Crime Squad waren jetzt Beweismaterial. Thane schaltete das Funkgerät ab und kehrte in das Haus zurück.

Moss hatte ein paar Lampen im Haus eingeschaltet und stand wieder neben dem Leichnam von Joe Daisy.

»Ich habe mich umgesehen«, sagte er lakonisch. »Kein Einbruch. Nichts ist durcheinander.«

»Bis auf das hier.« Thane warf noch einen Blick auf den Toten, dann schaute er sich im Zimmer um.

Es war groß und luxuriös möbliert; eine Mischung aus Herrenzimmer und Zuschauerraum. An der einen Wand war ein Videoschirm montiert, mit einem Regal voller Kassetten darunter. Ein Stuhl war umgekippt, die Glasfront einer Vitrine war eingeschlagen, als ob jemand oder etwas Schweres dagegengefallen wäre. Aber das Silber, das in der Vitrine stand, schien unberührt zu sein, genau wie alles andere. Wenn es einen Kampf gegeben hatte, dann war es ein kurzer Kampf gewesen.

»Schau dir das mal an.« Die Hände in den Hosentaschen, nickte Moss in Richtung auf das Telefon, das auf einem kleinen Couchtisch neben dem offenen Kamin stand.

Ein Papierstreifen, zerknittert und zusammengefaltet, lag neben dem Apparat. Thane erkannte seine eigene Handschrift, sah seinen Namen und die Nummer der Crime Squad.

»Es muß also passiert sein, nachdem er angerufen hatte«, sagte Moss nachdenklich. Er legte den Kopf auf die Seite, und sein schmales Gesicht drückte Nachdenklichkeit aus. »Er wollte nicht reden, als du ihn besucht hast. Aber später dann ...«

»Das reicht mir nicht ganz«, sagte Thane kurz angebunden. »Wer hätte es erfahren können?«

»Na schön.« Moss stimmte ihm zu. »Dann versuch es mal damit: Er holt ein paar Erkundigungen auf eigene Faust ein, findet etwas heraus, das wirklich interessant ist, und entschließt sich zu einem Tauschgeschäft mit uns.«

»Möglich.« Thane schürzte die Lippen, drehte sich um, betrachtete wieder den toten Besitzer des Videogeschäfts und empfand die brutale Obszönität des funkelnden Metalls, der Nägel, die man durch Joe Daisys Füße getrieben hatte. »Er hatte Angst – Angst vor ihnen und auch Angst davor, im Gefängnis zu landen.«

»Also hat er seine Wahl getroffen und bedauerlicherweise die falsche Karte gezogen«, murmelte Moss. Er berührte den Arm von Thane. »Aber es beweist, wie sie vorgehen. Gemeiner als jedes Tier. Es – nun ja, es hilft einem, wenn man das weiß und einkalkuliert.«

Sie befanden sich in einem der Randgebiete der Kriminalaußenstelle Govan. Im ersten Wagen, der eintraf, saßen ein Sergeant der Kriminalpolizei und zwei Detective Constables. Dicht dahinter folgte ein zweiter Wagen und brachte einen Detective Inspector, der geradewegs vom Büro der Außenstelle an den Tatort gerufen worden zu sein schien. Danach folgte der Rest des üblichen Trupps: zwei Männer vom Erkennungsdienst mit ihren kleinen Köfferchen und den Fingerabdruckbestecken, ein Fotograf und der diensthabende Polizeiarzt. Schließlich traf noch ein Landrover ein mit einem der neuen mobilen Notbüros als Anhänger, der hinter den anderen Fahrzeugen am Randstein parkte. Eine Einheit uniformierter Beamte kam zuletzt mit einem Minibus an.

Dann machten sie sich im Haus an die Arbeit. Die motorbetriebene Nikon des Fotografen klickte und summte, der elektronische Blitz erhellte das Zimmer, als aus allen möglichen Blickpunkten Fotos geschossen wurden. Anschließend wechselte der Fotograf die Optik, um ein paar Nahaufnahmen von den Nägeln zu machen. Die beiden Männer vom Erkennungsdienst untersuchten Zimmer um Zimmer nach Spuren, und auch die anderen machten sich an ihre Arbeit.

Der Detective Inspector hieß Rome. Er war jung, hoch aufgeschossen, erst vor kurzem in diesen Rang befördert worden und nicht gewohnt, sich an Tatorten aufzuhalten, wo ein Detective Superintendent und ein höherer Beamter der Zentrale die Hauptzeugen waren. Aber der Polizeiarzt, Doc Williams, war ein alter Bekannter der beiden, und er zwinkerte Thane zu, bevor er seine Tasche öffnete, sein ›Handwerkszeug‹ auspackte und auf ein kleines Viereck aus Plastikmaterial legte.

Thane und Moss schilderten Rome in kurzen Zügen, was sich ereignet hatte, und dieser hörte ihnen mit großer Aufmerksamkeit zu.

»Haben Sie irgend etwas berührt?« fragte er und errötete über seine Frage. »Entschuldigen Sie, Superintendent, ich –«

»Sie müssen diese Frage stellen«, beruhigte Thane ihn. »Nein, wir haben nichts berührt und alles so gelassen, wie es war. Ich habe ein Taschentuch über die Klinke gelegt, bevor ich die Tür geöffnet habe, und die Lichtschalter wurden ebenfalls nur mit Taschentüchern berührt. Vielleicht findet man unsere Abdrücke an der Haustür, doch das müßte alles sein.«

»Gut.« Rome schien erleichtert zu sein, dann warf er wieder einen Blick auf den Leichnam. »Dann hat er also – na ja, für Sie gearbeitet?«

»Nein, das kann man so nicht sagen«, erwiderte Thane ruhig. »Aber er hatte ein Problem, und ich habe ihm vielleicht ein wenig zugesetzt.«

»Ich verstehe.« Romes Miene verriet, daß er keineswegs verstand.

»Das kann warten«, schlug Moss vor. »Es ist eine ziemlich komplizierte Sache, mein Sohn.«

»Ja.« Rome hatte es zweifellos nicht besonders gern, wenn er ›Sohn‹ genannt wurde, aber er nickte. »Können Sie sonst noch irgend jemanden nennen, der für die Ermittlungen in Frage kommt, Sir?«

»Nicht sicher.« Thane schüttelte den Kopf. »Moss kann Ihnen ein paar Namen von möglichen Tätern nennen, wenn Sie das gemeint haben sollten – nur für den Fall, daß Sie im Lauf Ihrer Ermittlungen über sie stolpern. Aber es ist nichts Bestimmtes.«

Detective Inspector Rome biß sich wieder auf die Unterlippe. Er war seit vier Uhr nachmittags im Dienst, hatte sich seitdem mit einer Vergewaltigung, zwei bewaffneten Raubüberfällen und mit Ausschreitungen bei einer Demonstration gegen die Arbeitslosigkeit befassen müssen. Er kam gerade von einer dreiundsiebzigjährigen Großmutter, die auf ihren siebzigjährigen Mann losgegangen war, weil er sich mit einer anderen Frau traf. Und jetzt wurde ihm bei diesem neuen Fall regelrecht elend, wenn er auf die festgenagelten Füße schaute.

»Ich muß ein paar Leute zu den Nachbarn schicken«, sagte er erschöpft und begrub damit zugleich die Wunschvorstellung, er könnte um Mitternacht nach Hause fahren. »Vielleicht haben wir Glück.«

»Ja, vielleicht«, stimmte ihm Moss zu, wenngleich mit geringer Begeisterung. Er wußte, daß die Chancen minimal waren, namentlich in einer solchen Straße und zur Hauptfernsehzeit. Thane dachte an die Party, die in einem Haus weiter unten in der Straße stattfand. Dort hätte man vermutlich nicht einmal etwas bemerkt, wenn hier eine Bombe explodiert wäre.

»Sie haben viel zu tun, und ich stehe Ihnen nur im Weg«, sagte er freundlich und in dem Bewußtsein, daß seine Anwesenheit für Rome alles andere als angenehm sein mußte. »Ich gehe hinaus und schöpfe ein bißchen frische Luft. Haben Sie was dagegen?«

»Ganz und gar nicht, Sir.« Rome versuchte seine Erleichterung zu verbergen. »Aber wenn – äh – Inspector Moss bleiben könnte . . .«

»Ich?« Moss grinste. »Warum nicht, mein Sohn?«

»Gut gemacht«, sagte Doc Williams, der immer noch im Hintergrund wartete. »Schickt ihn in die Küche, dann kann er uns Tee brühen.« Dann warf der Polizeiarzt einen düsteren Blick auf den Fotografen, der seine Gerätschaften einpackte. »Kann ich jetzt meinen Leichnam haben, bitte?«

Rome nickte.

»Gut – und ich habe auch etwas für Sie«, sagte Doc Williams und kam auf ihn zu. »Kennen Sie schon das neue, vereinfachte Steuerformular? Es hat nur zwei Spalten. In die eine trägt man ein, wieviel man verdient, in der anderen steht, wo man es abliefern muß.« Er wartete, und als alles schwieg, zog er die Stirn in Falten. »Das ist alles – an der Stelle sollte man eigentlich lachen.«

Thane zog sich zurück, weil er ahnte, daß der Arzt noch mehr auf Lager hatte. Doc Williams sammelte harmlose Witze und gab sie vor lebendem und totem Publikum zum besten.

Draußen nieselte es noch immer. Thane blieb unter dem Vordach stehen, zündete sich eine Zigarette an, die über seine Tagesration hinausging, und nahm einen tiefen Zug, dann ging er langsam die Einfahrt hinunter zur Straße. Einer der Wagen, die draußen parkten, kam ihm seltsam vertraut vor. Auf den Vordersitzen sah er zwei Männer, die einfach dort saßen, ohne irgend etwas zu tun.

Er kam näher. Ein Fenster wurde heruntergekurbelt.

»Alles okay, Sir?« fragte der Fahrer und lächelte Thane an.

»Ja.« Thane fluchte leise. Es war ein Wagen der Crime Squad, und die beiden Männer gehörten zum Team der Nachtschicht. »Was, zum Teufel, habt ihr hier draußen zu suchen?«

Der Fahrer und der Beifahrer tauschten einen Blick.

»Äh – wir hatten den Auftrag, jemanden zu beschatten, aber da das schnell zu Ende war, meinte der Wachhabende, wir –«

»– ich könnte jemanden gebrauchen, der bei mir Händchen hält?« fragte Thane scharf.

»So ungefähr, Sir.« Der Mann grinste ihn spitzbübisch an. »Ich meine, uns war die Vorstellung nicht angenehm, Sie alleinzulassen mit diesen Leuten von Strathclyde.«

Thane hätte ihnen am liebsten gesagt, sie sollten sich zum Teufel scheren. Dann aber seufzte er nur, erwiderte das Lächeln des Fahrers und nickte.

»Fahrt nach Hause«, riet er ihnen. »Hier ist nicht mehr viel los – jedenfalls nicht heute nacht.«

Danach kehrte er zurück zur Haustür, rauchte seine Zigarette und blieb noch eine Weile stehen, während ein weiterer Polizeiwagen eintraf und gleich darauf weiterfuhr. Schließlich ging er wieder ins Haus. Doc Williams war allein und hatte gerade seine Arbeit beendet. Er wischte sich die Hände an einem mit Desinfektionsmittel getränkten Lappen ab.

»Nun?« fragte Thane.

»Ein ungewöhnlicher Fall.« Der Polizeiarzt kicherte still in sich hinein und warf den Lappen in seine Tasche.

»He, kennen Sie schon den von —«

»Doc!« Thane bremste ihn mit einem warnenden Knurren.

»Na, dann eben nicht.« Doc Williams zuckte mit den Schultern und ließ sich offenbar durch nichts aus der Ruhe bringen. »Nun gut – woran, glauben Sie, ist er gestorben?«

»Er wurde zusammengeschlagen, auf den Fußboden genagelt – abgesehen davon sind Sie der Fachmann«, betonte Thane. »Sagen Sie es mir.«

»Es war jedenfalls nicht das Eisenzeug hier.« Doc Williams schüttelte entschieden den Kopf. »Ich habe in den letzten paar Wochen noch viel schlimmere Dinge gesehen – so was kommt seit neuestem in Mode, scheint es. Der Mann hier ist verprügelt worden, und zwar von einem Experten, aber getötet? Nee.« Er langte in eine Tasche und holte einen kleinen Indizienbeutel aus durchsichtigem Plastikmaterial heraus. In dem Beutel befanden sich zwei Tablettenröhrchen. »Das hier ist Ihre Antwort. Einer von Romes Leuten hat sie im Schlafzimmer gefunden.«

Überrascht betrachtete Thane die beiden Röhrchen. Auf jedem klebte der Zettel einer Apotheke, und das eine enthielt kleine weiße, das andere größere gelbe Tabletten.

»Die weißen sind Digoxin, die gelben Bumetanid«, sagte Doc Williams fröhlich. »Beide werden therapeutisch bei kongestiven Herzbeschwerden verwendet. Mit anderen Worten: Unser Freund hier war herzkrank, Colin. Ich kann Ihnen jetzt schon sagen, was bei der Autopsie herauskommen wird. Er ist an einem Herzversagen gestorben, das durch Schock verursacht wurde.«

Thane leckte sich über die Lippen. »Er hat also das, was man ihm angetan hat, nicht überstanden?«

Der Polizeiarzt nickte.

»Und wenn er ein normales Herz gehabt hätte?«

»Ein gesundes Herz«, verbesserte ihn Doc Williams freundlich. »Dann hätte er es überlebt. Man hätte ihn verbinden und sich um ihn kümmern müssen, aber er wäre nicht in Lebensgefahr gewesen.« Der Arzt fuhr sich mit der Hand über das Kinn. »Ich würde sagen, die Tatsache, daß er starb, war für denjenigen, der ihn besucht hatte, eine böse Überraschung – vorausgesetzt, er ist so lange geblieben.«

Das schloß eine Reihe von Möglichkeiten aus. Er stellte die nächste Frage fast automatisch.

»Die Todeszeit?«

»Ungefähr neun Uhr abends – plusminus ein paar Minuten«, antwortete Doc Williams mit Überzeugung.

Thane starrte ihn an. »Doc, und wenn er mich eine Stunde nach neun in meinem Büro angerufen hat?«

»Dann wäre das ein kleines Wunder«, sagte der Polizeiarzt trocken. »Denn erstens war er tot. Und zweitens: Wie hätte er zum Hörer greifen können, mit den Nägeln, die seine Füße am Boden fixierten?«

»Doc –« Thanes Stimme klang beschwörend.

»Neun Uhr abends«, sagte Doc Williams ungerührt. »Sie können mich ruhig anschauen wie ein Papagei mit Magenverstimmung, aber Ihr Freund hier hat bestimmt nicht um zehn bei Ihnen angerufen. Ich spreche jetzt von gemessenen Körpertemperaturen, Colin, – das sind Tatsachen.«

Thane gab es auf.

»Sonst noch was?« fragte er tonlos.

»Für Sie?« Der Polizeiarzt schüttelte den Kopf. »Nein. Sie haben wahrscheinlich selbst schon gemerkt, daß kein Hammer herumliegt. Der Besucher, wer es auch war, hat vermutlich seinen eigenen mitgebracht – und ihn beim Gehen wieder mitgenommen.« Er ließ eine Pause entstehen und zog die Stirn in Falten. »Jetzt allerdings kommt ein Problem auf uns zu mit Ihrem Mr. Daisy. Wie kriegen wir diese verdammten Nägel aus dem Boden raus?«

»Versuchen Sie's doch mit den Zähnen«, riet Thane.

Er mußte an die Karte mit der Nummer der Crime Squad denken, die noch dort lag, wo er sie gefunden hatte: neben dem Telefon. Das, zusammen mit der Nachricht, Thane solle hierherkommen, ließ durchaus den Verdacht zu, daß jemand versuchte, ein gemeines, zynisches Spiel mit ihm zu treiben. Jedenfalls hatte derjenige gewollt, daß er, Thane, den Toten finden sollte.

Doch die neue Erkenntnis hatte auch ihre gute Seite. Der Anruf konnte praktisch von irgendwo erfolgt sein – und die Tatsache, daß Kates Teenagergeplapper am Telefon die Leitung blockiert hatte, so daß die Crime Squad die Nachricht erst mit Verspätung durchgeben konnte, machte jetzt nichts mehr aus.

»Gehen Sie noch nicht«, protestierte Doc Williams, als sich Thane umdrehte. »Kennen Sie schon den, warum die Polizei immer zu dritt auf Wache gehen soll?«

»Ja«, antwortete Thane boshaft. »Der erste muß lesen, der zweite schreiben, und der dritte muß sich um die zwei Intellektuellen kümmern – ich kenne auch den Gerichtsdiener, der behauptet, daß er die Urheberrechte darauf besitzt.«

Er ging und fand Moss und Rome in der Küche. Die Männer vom Erkennungsdienst waren dort fertig und hatten sich eine Kanne Tee gebraut, den sie aus Bechern tranken.

»Möchten Sie auch einen, Sir?« fragte Rome höflich.

Thane schüttelte den Kopf. »Haben Sie schon mit Doc Williams gesprochen?«

»Ja.« Rome schaute schräg zu Phil Moss hinüber. »Und, äh – ja, also, Inspector Moss hat mir einiges über den Hintergrund des Falles berichtet, Sir.«

»Die ganze verdammte Scheiße«, sagte Moss mit brutaler Offenheit. Er schaute Thane sekundenlang an. »Ich würde dennoch behaupten, es ist ein Mord.«

»Und die Geschworenen?« Thane sehnte sich nach einer Zigarette; er hatte noch eine einzige in seinem Päckchen. Aber er widerstand der Versuchung. »Es gibt ein Mädchen, das in seinem Videoladen arbeitet.«

Rome zog die Augenbrauen hoch. »Ich dachte, ich verschiebe das bis morgen früh, wenn sie den Laden aufmacht. Vorausgesetzt, sie hat die Schlüssel.« Er zögerte und schaute wieder Moss an. »Das ist vielleicht noch unsere Aufgabe, Sir, aber –«

»– aber ich habe den Eindruck, unser Chief Constable hätte nichts gegen ein gemeinsames Vorgehen«, vollendete Moss. »Das heißt, wir bleiben brav in der Ecke und lassen die Crime Squad weiterwursteln.«

Rome nickte.

»Gut, versuchen wir es. Und kommen Sie um neun Uhr morgens zu dem Laden.« Thane entspannte sich ein wenig. »Glück gehabt bei den Nachbarn?«

»Wir hatten drei Beschwerden über den Lärm bei der Party weiter unten, und eine alte Frau glaubt, sie hat gehört, wie ein Wagen weggefahren ist – aber gesehen hat sie nichts.« Rome trank einen Schluck Tee. »Das ist alles, Superintendent.«

»Und Zeit, daß ich nach Hause gehe«, erklärte Moss. »Nimmt mich jemand mit?«

Auch für Thane gab es keinen Grund, noch länger zu bleiben. Sie verabschiedeten sich von Rome und gingen. Draußen war der andere Wagen der Crime Squad bereits verschwunden. An seiner Stelle stand jetzt ein schwarzer Leichenwagen, und ein paar Nachbarn hatten sich vor dem Haus versammelt, um nichts zu versäumen.

»Sie sind wie die Geier«, sagte Moss zornig. Dann machte er es sich auf dem Beifahrersitz von Thanes Ford bequem und rülpste nachdrücklich. »Vielen Dank für den netten Abend.«

»Es war mir ein Vergnügen«, entgegnete Thane trocken.

»Ich meine es wirklich.« Moss schaute im schwachen Licht vom Armaturenbrett finster drein. »Und warum? Weil ich etwas gelernt habe. Es heißt ›in die Jahre kommen‹, und du brauchst mich nicht auszulachen. Eines Tages bist du auch dran.«

Es war ein Uhr, als Thane ihn in seiner Pension absetzte. In der Halle brannte noch Licht. Die Vermieterin war eine Witwe, die bei ihrem Lieblingsmieter stets auf alles mögliche gefaßt war. Als Thane dagegen zu Hause ankam, lag das Haus im Dunkeln. Er schlich sich so leise hinein, wie er konnte und wußte, daß sogar der Hund fest schlafen würde.

Der Wecker auf Marys Nachttisch war auf sieben Uhr gestellt. Thane seufzte, zog sich aus und schlüpfte ins Bett.

Mary bewegte sich.

»Colin?« fragte sie im Halbschlaf.

»Nein, es ist der Milchmann«, antwortete er leise.

»Dann gute Nacht, Milchmann.« Sie gähnte und schlief weiter.

Der Morgen war chaotisch. Etwas konnte nicht stimmen, wenn die Sonne so voll ins Schlafzimmer schien; Mary rüttelte ihn wach und mußte ihm dabei fast ins Ohr brüllen.

»Was ist los?« Er stützte sich auf die Ellbogen und blinzelte ins Licht.

»Wir haben verschlafen. Der Strom ist ausgefallen – und natürlich ist der Wecker stehengeblieben.« Sie hatte noch das Nachthemd an, und ihr Haar war zerwühlt. »Wir haben immer noch keinen Strom, und es ist schon nach acht Uhr –«

Er sprang aus dem Bett, zog sich rasch an, entschied sich, das Rasieren auf später zu verschieben, und ging dann hinunter, wo Mary versuchte, Wasser auf dem Campingkocher heiß zu machen, während

Tommy und Kate herumschossen und sich bereitmachten für den Schulweg.

»Kein Frühstück«, beklagte sich Tommy. Er trank Milch und stopfte sich eine Scheibe Brot mit Butter und Marmelade in den Mund.

»Geht mich nichts an.« Thane zeigte mit dem Daumen auf Mary. »Sag es ihr.«

Mary begann zu schimpfen. Er grinste, gab ihr einen Kuß und ging zur Tür.

Es war zwei Minuten vor neun, als er mit quietschenden Reifen auf dem Parkplatz der Crime Squad anhielt. Von dort aus rannte er in das Gebäude und gleich in den Bereitschaftsraum. Sandra Craig war allein dort. Sie hatte eine Thermoskanne mit Kaffee in der Hand, und an jedem anderen Tag hätte er sie gefragt, wie sie es geschafft hatte, einen Teller mit frischen Schinkenbrötchen aufzutreiben.

»Guten Morgen –«, begann sie gutgelaunt.

»Es ist kein guter Morgen«, schnauzte er sie an. »Ich habe mich verspätet. Und es gibt einiges, was Sie für mich erledigen müssen.«

»Ja, Sir.« Sie nahm seelenruhig ihr Notizbuch und einen Kugelschreiber zur Hand. »Ich bin bereit.«

»Es geht um einen James Crocker Raddick. Er muß eine Akte bei der Steuerfahndung haben und soll sich angeblich in Torremolinos aufhalten –«

»In Spanien?« Sandra zeigte sich sehr interessiert.

»Ja, in Spanien. Versuchen Sie alles, was es über ihn gibt, in Erfahrung zu bringen, zum Beispiel auch, ob er sich noch dort aufhält.« Er wartete, bis sie mit dem Schreiben der Notizen nachgekommen war. »Haben Sie schon gehört, was gestern abend noch los war?«

Sie nickte.

»Besorgen Sie sich das Band von diesem Anruf, sagen Sie Felix, er soll es sich anhören, und stellen Sie fest, ob ihm dabei etwas auffällt.« Thane hielt inne, um Luft zu schöpfen. »Ist der Laborbericht von Matt Amos schon da?«

»Er ist per Boten hergeschickt worden.« Sandra warf einen Blick auf ihren mit Akten und Papieren bedeckten Schreibtisch, dann hob sie die Thermoskanne hoch, gab ihm den fleckigen Umschlag, der darunterlag, und wartete, bis er ihn eingesteckt hatte. »Sonst noch was, Sir?«

»Später – jetzt nicht.« Er bediente sich mit einem von ihren Schinkenbrötchen. »Ich hatte kein Frühstück. Ist hier schon was passiert?«

»Ich habe die übrigen Telefonnummern von Billy Tripps Wand überprüft.« Sie schüttelte den Kopf. »Es sind keine dabei, die uns interessieren. Sein Buchmacher, eine Wäscherei, ein Restaurant mit Lieferungen außer Haus – lauter Nummern, die er häufig benützte. Und dann –«

»Was noch?« unterbrach er sie. Die Nummer von Falcon Services war immerhin auch darunter gewesen.

»Es gibt einen Bericht darüber, daß Billy Tripp am vergangenen Abend ›möglicherweise‹ in der Stadt gesehen worden ist, und den Bericht der Millside-Truppe über den Einbruch bei Ted Douglas –«

»Zeigen Sie beides Francey. Sagen Sie ihm, ich bin erst im Laden von Takki Joe und dann bei Gericht.«

Er bedankte sich mit einer Geste für das Schinkenbrötchen und aß einen ersten Bissen, während er ging.

Die Uhr auf dem Gebäude gegenüber zeigte 9.20 Uhr, als Thane bei Takkis Videoladen ankam. Er parkte den Ford direkt vor dem Geschäft, erreichte die Tür, sah drinnen Lichter brennen, stellte aber fest, daß die Tür verschlossen war. Als er gegen die Glasscheibe klopfte, erschien auf der anderen Seite ein weiblicher, uniformierter Police Constable, so jung aussehend, daß sie noch zur Schule hätte gehen können. Nachdem Thane seinen Dienstausweis gezeigt hatte, ließ sie ihn ein.

Zwei Kriminalbeamte in Zivil inspizierten ein Regal mit Videokassetten, auf dem ›Nur für Erwachsene‹ stand. Der eine gab dem anderen einen Rippenstoß, dann gingen sie in den hinteren Teil des Geschäfts, und Detective Inspector Rome kam ein paar Sekunden später nach vorn. Der schlaksige Leiter der Kriminalaußenstelle grüßte Thane mit einem kaum verhohlenen Stirnrunzeln.

»Sie sagten neun Uhr morgens, Sir«, erinnerte er ihn.

»Also komme ich zu spät«, erwiderte Thane verdrossen. »Wir hatten einen Stromausfall im Hause, daher habe ich verschlafen.«

»Oh.« Romes Verhalten änderte sich. Er grinste. »Bei uns ist das letzte Woche passiert, nachts, und meine Frau ist im Lift steckengeblieben.« Nachdem der private Teil der Unterhaltung beendet war, nickte er in Richtung auf den hinteren Raum des Ladens. »Das Mädchen heißt Carol East. Ich habe ihr erzählt, was mit Daisy passiert ist, und es hat ihr nicht gerade das Herz gebrochen. Sie macht sich eher Sorgen um ihren Job.«

»Würde das Ihnen nicht genauso gehen?« fragte Thane.

Sie gingen nach hinten. Die Verkäuferin saß in dem Stuhl, der zuvor der Platz von Joe Daisy gewesen war. Sie trug wieder ihren roten Overall und das gleiche, zu dick aufgetragene Augen-Make-up.

»Sie schon wieder.« Sie schaute Thane düster an, als sie ihn erkannte. »Das Unheil persönlich.«

»Nur für bestimmte Leute, Carol«, sagte Thane milde. Er lehnte sich gegen die Schreibtischkante und schaute hinunter auf sie, während sich Rome diskret im Hintergrund hielt. »Detective Inspector Rome hat Ihnen gesagt, was passiert ist.«

»Hat er.« Ihr Ausdruck änderte sich nicht. »Wenn ich es gewußt hätte, dann hätte ich mich an den Kosten für die Nägel beteiligt.«

Thane wunderte sich über die kalte Gleichgültigkeit, die in ihren Worten lag. »Was wollen Sie damit sagen?«

»Er war der originale alte Saukerl. Kaum, daß ich mal irgendwo in der Ecke stand, hatte er die Pfoten an mir. Er war imstande, es mit jedem weiblichen Wesen zu probieren, das hereingekommen ist.«

»Aber Sie sind geblieben«, bemerkte Thane.

»Er hat gut gezahlt. Der dreckige alte Saukerl.« Sie legte die Stirn in Falten. »Und ein Job ist ein Job, Mister.«

Thane nickte. »Und wie ist das hier, ich meine, die Buchführung für das Geschäft?«

Carol schüttelte den Kopf. »Nee, mein Job war da draußen; ich mußte mich um die Kunden kümmern und um sonst nichts. Es sei denn, sie wollten wirklich hartes Pornozeug – dann ist er eingesprungen. Wissen Sie, die Sachen hat er hier hinten gehabt, unter Verschluß –«

»Also, Sie waren nur an der Theke und haben sich um das, was er verkauft hat, nicht gekümmert?«

Sie nickte.

»Erzählen Sie mir von gestern«, forderte Thane sie auf.

»Sie meinen, nachdem Sie gegangen sind?« Sie verzog das Gesicht, dann kratzte sie sich ungeniert am Schenkel. »Sie haben ihm wirklich 'ne Rakete in den Arsch gesetzt mit Ihrem *Baum zum Hängen*.

Darauf wär' er scharf gewesen. Er hat gar nicht gewußt, daß es davon auch schon Piratenkopien gibt.«

Thane zuckte zusammen und blickte Rome an, dessen Gesicht blieb ausdruckslos.

»Und was hat er gemacht?« fragte Thane.

»Er hat mehrmals nacheinander telefoniert und war dann fast den ganzen Nachmittag unterwegs. Er hat vermutlich gedacht, er könnte ein paar Kopien vom *Baum zum Hängen* ergattern, dann hätte er bei den Kunden hier verlangen können, was er wollte.«

»Hat er sie denn bekommen?«

Sie zuckte mit den Schultern. »Nicht, daß ich wüßte. Aber er kam kurz vor Geschäftsschluß zurück und schien ziemlich zufrieden zu sein. Er sagte, er hätte ein paar Leute daran erinnert, daß sie ihm eine Gefälligkeit schuldig sind. Und hätte sie gefragt, ob sie wollten, daß ihre Westen sauber bleiben.«

»Erpressung?«

»Geschäft«, sagte das Mädchen zynisch. »Was ist da für ein Unterschied?«

Thane versuchte, mehr aus ihr herauszubekommen. Aber sie behielt die gleichgültige Haltung bei, so daß er gezwungen war, ihr zu glauben. Sie kannte keine Namen und wußte wenig oder nichts von dem, was in den hinteren Räumen des Ladens vor sich ging.

Zuletzt gab er es auf.

»Wir brauchen Ihre Aussage, Carol. Außerdem müssen wir die Bücher und die Unterlagen der Firma einsehen.« Thane warf einen Blick auf Rome, und der nickte, bevor er hinzufügte: »Das Geschäft bleibt vorläufig geschlossen.«

»Und was wird mit mir?« Zum erstenmal zeigte das Mädchen so etwas wie Gefühl. »Er schuldet mir noch mein Gehalt. Habe ich den Job noch, oder –«

»Ich weiß es nicht«, meinte Thane. »Aber es taucht bestimmt ein Anwalt oder Notar auf, der das alles klären wird.«

»Großartig«, sagte sie spöttisch. »Danke.«

Er ließ sie allein, und Rome folgte ihm hinaus in den eigentlichen Geschäftsraum, wo die Polizeibeamtin rasch von dem Regal mit den Kassetten ›nur für Erwachsene‹ zur Seite trat.

»Ich komme hier schon klar«, sagte Rome langsam. »Es sei denn – na ja, wonach soll ich eigentlich suchen?«

»Das kommt darauf an, was Sie finden«, erklärte Thane unbestimmt. »Leute wie Joe Daisy führen in der Regel keine Tagebücher.«

»Also könnte es auch Zeitverschwendung sein.« Rome nickte zustimmend. »Es war ganz ähnlich in seinem Haus: Er hatte nichts herumliegen lassen. Und auch alles andere ist ähnlich: keine Fingerabdrücke, der Strick, den sie als Fessel benutzt haben, könnte überall gekauft worden sein, und der Knebel war ein alter Lumpen.« Er kaute an seiner Unterlippe. »Ich nehme an, die Leute, die ihn niedergeschlagen haben, brachten Hammer und Nägel mit – eine Exekution im mittelalterlichen Stil.«

So etwas kam vor. Nach den korrupten Gesetzen der Unterwelt bestand die Behandlung von jemandem, der möglicherweise Ärger machen konnte, darin, daß man ihn davor abschreckte, den Mund aufzumachen. Eine grausame Lektion, wobei man in interessierten Kreisen verbreitete, wie man mit ihm verfahren war; das diente dazu, auch noch ein paar anderen den Mund zu stopfen.

»Es war nicht Ihre Schuld«, sagte Rome unerwarteterweise. »Ich meine –«

Thane nickte. Joe Daisys Gier hatte ihn dazu getrieben, sich voll in die Gefahr zu begeben. Den Rest konnte Thane vermuten. Bevor er starb, hatte der Besitzer des Videoladens auch noch zugegeben, daß er mit der Crime Squad in Verbindung stand. Die Leute, die ihn überfallen hatten, fanden die Visitenkarte, und obwohl sie es mit einem Toten zu tun hatten, war einem von ihnen der Sinn für makabren Humor durchgegangen.

Oder sollte das eine weitere Warnung sein?

Thane sah auf die Uhr auf der anderen Straßenseite, zuckte zusammen und gab es auf, weitere Vermutungen anzustellen.

»Viel Glück«, sagte er zu Rome. »Ich muß ins Gericht.«

Thane hatte im Warteraum der Zeugen Platz genommen, und nachdem die Reihenfolge der ersten Vernehmungen feststand, hatte er Zeit, den Umschlag herauszunehmen, der den Laborbericht von Matt Amos enthielt. Er zündete sich eine Zigarette an, öffnete den Umschlag, nahm den mehrere maschinengeschriebene Seiten umfassenden Bericht heraus und begann zu lesen.

Er ließ sich Zeit dabei, las die erste Seite zu Ende, ging dann an den Anfang zurück und las sie noch einmal.

Matt Amos hatte wie immer äußerst sorgfältige Arbeit geleistet. Ein Teil seines Berichts, in dem er auf den Tod von Ted Douglas einging, war in erster Linie für das Ermittlungsteam der Kollegen von Donaldhill interessant, die sich mit der Mordanklage gegen die Posträuber befaßten.

Doch dann kam er zum Abschnitt ›Weitere Spuren‹, die man an der Kleidung von Douglas, an seinen Schuhen und am Motorrad entdeckt hatte. Einiges war vermutlich zufällig: Das Stearin an seiner Kleidung und die Pferdehaare, die Amos sowohl an der Kleidung als auch am Motorrad gefunden hatte, waren ohne Kommentar aufgeführt.

Dann kam ein Abschnitt mit der Überschrift ›Sand und Sediment‹:

Sand und Sedimente, die an den Schuhen des Subjekts und an den Reifenprofilen des Motorrads gefunden wurden, waren mit Strohpartikeln behaftet. Im Zusammenhang mit den oben erwähnten Pferdehaaren deutet das auf einen Stall oder ähnliche Tierbehausungen hin.

Außerdem wurde an Schuhen und Motorradreifen eine Schicht von reinem Sand festgestellt. Die Untersuchungen im Labor zeigten, daß der Sand aus drei Hauptsubstanzen besteht, einem weißen Quarzsand, einem korallinen Sand und einem Sand aus versteinerten, das heißt silizifizierten Holzsplittern.

Diese Materialien stammen von der Meeresküste und unterscheiden sich deutlich von entsprechenden Materialien an Süßwasserküsten. Zusammensetzungen in der geschilderten Weise und Proportion werden nur selten angetroffen. Anfrage beim Nationalen Institut für Bodenforschung in Aberdeen.

Das Institut hatte eine Liste von achtzehn Küstenstreifen geschickt, wo der Sand in etwa der von Matt Amos geschilderten Probe entsprach. Drei davon lagen an weit entfernten, winzigen Inseln der Hebriden, und ein paar andere strich Thane in Gedanken von der Liste, weil sie ebenfalls zu weit entfernt waren.

Er ging das durch, was dann noch blieb. Einerseits hatte Matt Amos mit seiner Untersuchung den Loch Lomond ausgeschlossen. Andererseits lieferte das Institut in Aberdeen eine Auswahl von Stränden entlang der gezackten, von Fjorden unterbrochenen Küstenlinie Westschottlands. Es gab sieben weit voneinander entfernte Strände in dieser Region, wobei der kleinste zwei Meilen lang war, der größte an die zwanzig Meilen.

Und irgendwo an einem dieser Strände oder in seiner unmittelbaren Nähe mußte es einen alten Pferdestall geben.

Es wurde Mittag, bis Thane als Zeuge aufgerufen wurde, und nach drei Minuten konnte er die Zeugenbank wieder verlassen. Nachdem er hinausgegangen war auf den Korridor, eilte er in Richtung auf den Ausgang des Gerichtsgebäudes. Eine Stimme rief seinen Namen, und als er sich umdrehte, sah er Doc Williams, der durch die von Marmorsäulen getragene Halle auf ihn zukam.

»Ich habe auf Sie gewartet«, sagte der Polizeiarzt. Er zeigte mit dem Daumen über die Schulter. »Ich muß nachher dort hinüber – versuchte Vergewaltigung. Dachte, es interessiert Sie, daß ich mit der Autopsie von diesem Joe Daisy fertig bin.«

»Schon?« Thanes Überraschung war unverkennbar.

»Die Kollegen haben heute nachmittag ein Golfturnier«, erklärte Doc Williams trocken. »Wenn es um Golf geht, ruhen ihre Schlachtmesser. Ich hatte übrigens recht: Das Herz von Joe Daisy hat schlimm ausgesehen. Er hat es gewußt. Sein Hausarzt sagt, er habe schon mehr als einmal auf der Intensivstation gelegen.«

»Dennoch gibt es Leute, die behaupten würden, es handelte sich um einen Mord«, wandte Thane ein.

»Und jeder auch nur halbwegs erfahrene Verteidiger würde die Mordanklage niederbügeln«, erwiderte Doc Williams. »He, ich hab' einen neuen, von den Leuten in der Leichenhalle. Da war ein Karnikkel –«

»Nicht jetzt, Doktor.« Thane schüttelte entschieden den Kopf.

Der Polizeiarzt seufzte. »Sie verpassen eine Gelegenheit zum Lachen, mein Lieber. Und Sie sehen ganz so aus, als ob sie es nötig hätten.«

Ein Trupp berittener Polizei kam am Schild des Trainingsgeländes entlang, als Thane sich den Gebäuden näherte. Er blieb stehen, um die Reihe der Reiter vorbeizulassen, dann bog er mit dem Ford in die Zufahrt ein. Er ließ den Wagen auf dem Parkplatz stehen und ging in das Gebäude der Crime Squad.

Maggie Fyffe stand am Empfang.

»Kann man es schon wieder wagen, mit Ihnen zu sprechen?« fragte sie.

»Warum denn nicht?«

Sie zuckte mit den Schultern. »Nach dem, was man mir berichtet hat, waren Sie heute morgen alles andere als umgänglich und gutgelaunt.«

»Ach, das.« Thane nickte schuldbewußt. »Eine häusliche Katastrophe, Maggie. Bei uns ist der Strom ausgefallen, und wir haben alle verschlafen.«

»Das Ende der Welt ist nahe.« Sie kicherte. »Es passiert alle Augenblicke. Ich habe einen Vetter, der bei der Energieversorgung arbeitet. Er sagt, daß ein großes Elektrizitätswerk wegen Überholung zur Zeit ausfällt und ein anderes nicht mehr so richtig funktioniert. Wenn man in der Nähe eines Krankenhauses wohnt, hat man Aussichten, ungeschoren davonzukommen. Ansonsten ist es reine Glückssache.«

»Maggie...« Thane starrte sie an. »Diese Stromausfälle – wie lange geht das schon so?«

»Ungefähr eine Woche. Dabei kommt kein Gebiet zweimal dran, damit es nicht zu viele Beschwerden gibt.«

»Danke.« Ihm fiel eine abenteuerliche Möglichkeit ein, ein Gedanke, der zu ungeheuerlich war, um wahr zu sein. »Ist Francey hier?«

»Irgendwo muß er sein...« Sie runzelte die Stirn. »Er ist vor einer halben Stunde zurückgekommen – sagte, er würde auf Sie warten und hätte ein Problem mit der Polizeigewerkschaft. Sandra und Felix sind zum Lunch gegangen und wollten gleich danach zurück sein.«

Er nickte. »Tun Sie mir ein paar Gefälligkeiten, ja? Suchen Sie Francey – und ich könnte einen Bissen vertragen.«

Er ging weiter in sein Büro, hängte seine Jacke an den Haken, nahm dann den Hörer des Telefons ab und rief das Labor von Strathclyde an. Es dauerte eine Weile, bevor er Matt Amos erreichte, aber schließlich kam der Labordirektor an den Apparat.

»Ich bin mitten beim Lunch«, beklagte sich Amos. »Hören Sie – wenn es sich um den Douglas-Bericht handeln sollte: ich habe getan, was ich konnte.«

»Und haben mir halb Schottland als Objekt für meine Ermittlungen geliefert«, fügte Thane sarkastisch hinzu. »Matt, gestern ist Ihnen ein Bündel mit Zeug geschickt worden, alles mit dem Schildchen Billy Tripp.«

»Kleidung, Schuhe – ja, das haben wir erhalten«, bestätigte Amos.

»Die Sachen werden genauso behandelt wie die von Douglas. Wir sind noch nicht fertig, haben aber mehr von diesem Sand gefunden.«

»Ich möchte wissen, was es mit dem Kerzenwachs auf sich hat.«

Thane vernahm ein Knurren, dann schwieg sein Gesprächspartner am anderen Ende der Leitung für ein paar Sekunden.

»Sie glauben, wir könnten dieses Stearin auch auf dem Zeug von Tripp finden?« Amos' Stimme klang skeptisch. »Nicht, daß ich wüßte. Aber ich melde mich wieder, wenn ich was Genaueres weiß.«

Thane legte auf und wußte, daß ihm nichts anderes übrigblieb als zu warten.

Wieder einmal hatten sich Notizen und Mitteilungen auf seinem Schreibtisch gehäuft; er schaute sie rasch durch und legte die Routinesachen beiseite.

Blieben drei Telefonnotizen und zwei kurz abgefaßte Berichte auf den dafür vorgesehenen Formblättern. Phil Moss hatte angerufen, aber nichts hinterlassen, nur einen Gruß und die Mitteilung, daß es nicht wichtig sei. John La Mont hatte sich gemeldet und mitgeteilt, daß *Der Baum zum Hängen* inzwischen in mehreren Videogeschäften in ganz England aufgetaucht sei. Er würde es später noch einmal versuchen. Als Thane die dritte Telefonnotiz sah, mußte er unwillkürlich lächeln. Es war ein Anruf von Mary. Das Haus habe erst um zehn Uhr vormittags wieder Strom gehabt, und er müsse die Zeitkontrolle der Zentralheizung neu einstellen, wenn er nach Hause komme.

Blieben die zwei Berichte. Der erste stammte vom Erkennungsdienst der Außenstelle Millside und klang entschuldigend: Sie hätten sich bemüht, die Sache zu erledigen, seien aber immer noch damit beschäftigt, da ihnen andere Fälle dazwischengekommen seien. Alles, was sie bisher vom Einbruch in die Wohnung von Ted Douglas in der Hand hätten, sei das Foto von einem der Fußabdrücke, die im Rauhreif vor der Garage hinterlassen worden waren. Es sei kein sonderlich gutes Foto, aber sie würden eine Kopie schicken. Die Einbrecher hätten ansonsten offenbar keine Fingerabdrücke oder irgendwelche anderen Spuren hinterlassen.

Der zweite Bericht war noch kürzer gefaßt. Man hatte das Geschoß, das in Billys Wohnung auf Thane abgefeuert worden war, identifiziert. Die Sachverständigen erklärten, es sei ein Geschoß vom Kaliber .38 gewesen, wahrscheinlich aus einem Colt-Revolver.

Thane legte die Berichte beiseite, als er ein leises, zweifaches Klop-

es Ärger geben sollte, mit dem Sie allein nicht fertig werden können.« Er langte nach dem zweiten Sandwich. »Die Gewerkschaft braucht Sie – von mir ganz zu schweigen.«

»Sir.« Dunbar lachte, stand auf und ging.

Eine Viertelstunde später, als Sandra Craig und Joe Felix vom Essen zurückkamen, hatte Thane eine Landkarte von Westschottland auf seinem Schreibtisch ausgebreitet. Er hatte jeden Sandstreifen, der in der Liste des Geologischen Instituts erwähnt worden war, markiert, und das Ergebnis stimmte keineswegs fröhlich.

»Wollen Sie verreisen, Sir?« fragte Sandra in sehr interessiertem Ton. Sie kam herüber und hatte einen dicken Aktenordner in der Hand, warf erst einen Blick auf die Landkarte und drehte sich dann zu Felix um. »Hättest du was gegen eine Reise, Joe?«

»Kommt darauf an, wer fährt«, sagte Felix liebenswürdig.

»Das kann warten.« Thane schob die Landkarte auf die Seite. »Joe, haben Sie sich das Band von gestern abend angehört?«

»Ich habe es gehört und damit herumgespielt«, bestätigte Felix. »Es enthält ein paar gedämpfte Töne, als ob jemand ein Taschentuch über die Sprechmuschel gelegt hätte. Das Telefon befand sich mit ziemlicher Sicherheit nicht in einer Privatwohnung. Ich würde meinen, das Gespräch wurde von einer Telefonzelle aus geführt – man hört deutlichen Verkehrslärm im Hintergrund.« Er hielt einen Augenblick inne. »Die Stimme ist nicht besonders deutlich, aber männlich, mit dem Akzent von Glasgow.«

»Sonst noch was?«

»Dabei nicht.« Felix schüttelte den Kopf. »Ich habe außerdem diesen CB-Kanal-Code ausprobiert, den Sie aus der Brieftasche von Douglas haben – er funktioniert. Und dann kam ein Anruf von La Mont, aber darüber habe ich Ihnen ja eine Notiz hinterlassen.«

»Ja.« Thane schaute ihn nachdenklich an. »Sie mögen diesen La Mont nicht. Warum?«

Felix lief dunkelrot an. »Er redet zuviel.«

»Und?«

»Kann sein, er hat ein paar Bücher gelesen und kennt sich aus mit ein paar technischen Begriffen, aber er ist kein großer Video-Experte.« Felix strich sich mit einem Finger über die Lippen. »Hören Sie, Sir, er behauptet zum Beispiel, man kann ein Videoband – ich meine ein leeres – nicht identifizieren, nicht herausbekommen, wo es hergestellt wurde. Doch das kann man durchaus, wenn man das dazu nötige Gerät hat. Er sagt zum Beispiel –« Joe Felix brach ab und zuckte mit den Schultern. »Verdammt, ist ja egal.«

»Fahren Sie fort«, befahl Thane.

Felix setzte eine düstere Miene auf. »Wenn man ihn hört, findet alles in London statt – die Raubkopien vom *Baum zum Hängen* wurden in der Umgebung von London hergestellt, und die einzigen Drahtzieher, auf die es ankommt, sitzen ebenfalls dort. Er sagt es, und wir sollen es von ihm übernehmen. Ich habe ihn gebeten, seine Behauptungen nachzuweisen, ganz einfach. Doch das kann er nicht.«

Thane seufzte. »Und was glauben Sie?«

»Daß es nun mal Leute gibt, die man mag, und solche, die man nicht mag.« Felix starrte immer noch düster vor sich hin. »Tut mir leid, Sir.«

»Gute Beziehungen sind stets hilfreich«, sagte Thane verdrossen. »Sandra, Sie sind dran. Wie weit sind Sie mit Jimbo Raddick gekommen?«

»Er besitzt noch immer diese Bar in Torremolinos«, begann sie geziert. »Aber er hält sich nicht dort auf – jedenfalls nicht nach Auskunft der spanischen Polizei.«

Thane richtete sich auf. »Ist das sicher?«

»Das steht in dem Telex, das wir über Interpol erhalten haben.« Sie versuchte nicht, ihre Selbstzufriedenheit zu verbergen. »Unser James Cocker Raddick ist in letzter Zeit so etwas wie der typische stille Teilhaber geworden bei seiner spanischen Bar. Er taucht für ein paar Tage auf, dann verschwindet er für Wochen; die Spanier nehmen an, daß er die meiste Zeit hier in England verbringt.«

Das Telefon klingelte. Thane achtete nicht darauf, sondern starrte Sandra an.

»Was noch?«

»Nur das, was in seinen Akten zu finden ist, Sir. Als er nach Spanien ging, beschäftigte er sich noch nicht mit Video – aber er hat enge Verbindungen zu den Gangstern bei den Docks und wurde auch einmal verdächtigt, gestohlene Ware von dort aus als Hehler verschoben zu haben.« Sie ließ eine Pause entstehen. »Und man sagt, wenn er einen Wagen fährt, dann immer einen BMW.«

»Weiß das Francey auch?«

Sie nickte.

Das Telefon klingelte immer noch. Thane nahm den Hörer ab und überlegte rasch. Wenn Jimbo Raddick zurück war, wenn er den Glasmann als Handlanger benützte, wenn er einige seiner alten Kontakte wieder aufleben ließ, war das Geschäft mit den Raubkopien wie geschaffen für ihn – und auch die Art, wie man Joe Daisy vor seinem Tod gequält hatte, entsprach ganz dem Stil des Glasmanns.

Vielleicht war es endlich soweit, daß er nicht mehr nach Schatten jagen mußte.

Er nahm den Hörer ab.

»Sie haben sich vielleicht Zeit gelassen«, beklagte sich Amos. »Also, auf dem Zeug von Tripp findet sich keine Spur von Stearin.« Dann kicherte er. »Aber ich glaube, ich weiß, woran Sie denken. Hilft Ihnen Batteriesäure? Wir haben ein paar Flecken an einem Pullover, an einer Hose und an den Schuhen gefunden, die den bewußten Sand in den Profilen hatten. Es sieht so aus, als ob er gelegentlich und in Eile Reservebatterien herumgeschleppt hätte, im Dunkeln, und als ob dabei etwas Batterieflüssigkeit ausgelaufen wäre.«

»Danke, Matt.« Thane fügte ein stummes Dankgebet hinzu, dafür, daß Billy Tripp seine Arbeitskleidung zurückgelassen hatte, als er durch die Löcher in den Wänden entkommen war. »Ich bin Ihnen schon wieder was schuldig.«

»Wie jeder«, erwiderte Amos schlicht. »Und dennoch gebe ich Ihnen noch einen Tip. Falls Doc Williams versuchen sollte, Ihnen seinen Kaninchenwitz zu erzählen, nehmen Sie Reißaus. Es ist bisher der schlimmste.«

»Ich werde es mir merken«, versprach Thane und legte auf.

Sandra und Felix hatten ihn während dem Gespräch beobachtet. Er atmete tief ein, zog die Landkarte zu sich heran und zeigte auf die markierten Gegenden.

»Sandra, Ihr Job: In einer dieser Gegenden muß es in den letzten Tagen einen Stromausfall gegeben haben. Stellen Sie fest, in welcher.«

Sandra schaute ihn überrascht an. »Warum, Sir?«

»Weil es ganz so aussieht, als ob Ted Douglas und sein Freund Tripp diesbezügliche Probleme gehabt hätten. Vielleicht, als Douglas zum letztenmal weg gewesen ist.« Er warf einen Blick auf den Aktenordner unter ihrem Arm. »Was ist denn da drin?«

»Fotos.« Sie schlug den Ordner auf, in dem ein dickes Bündel von

Abzügen erhalten war, und legte drei davon auf den Schreibtisch. »Raddick, Martin Tuce, genannt ›Der Glasmann‹, und Billy Tripp – ich habe von jedem einen Stapel machen lassen.«

Thane betrachtete die drei Gesichter, wobei sämtliche Fotos vom Erkennungsdienst der Polizei stammten, mit hartem Licht und einem Fotografen, der sich nicht um die Stimmung seiner Modelle kümmerte.

Jimbo Raddick, das Gesicht vom guten Leben aufgedunsen, das graue Haar elegant geschnitten und frisiert, war mit einem etwas geringschätzigen Lächeln auf den Lippen erwischt worden. Das Foto des Glasmanns daneben zeigte einen Mann mit schmalen Gesichtszügen, mausgrauem Haar, hervorstehenden Augen und dünnen, zusammengepreßten Lippen. Dann kam Billy Tripp, bei weitem der jüngste des Trios, mit seinem mürrischen Gesicht, der plattgedrückten Nase und dem kurzen dunklen Haar.

Alle drei waren irgendwo dort draußen.

Aber wer hatte sie als Schutz- und Arbeitstruppe vorgeschoben?

Er atmete tief ein und wußte, was er zu tun hatte. Nahm einen Satz der Fotos und steckte sie in die Hemdtasche.

»Joe, wir fahren zu Falcon Services«, sagte er zu Felix. »Und Sie, Sandra –«

»Sir?«

»Wenn Francey sich meldet, teilen Sie es mir unverzüglich mit, klar?«

Sie begriff und schaute besorgt drein.

Aber sie nickte.

Kapitel
6

Der Nachmittag war grau in grau, und der Wind von Westen wehte die Blätter durch die Straßen und ließ die Leitungen an den Telefonmasten wippen. Thane fuhr, das Wetter paßte zu seiner Stimmung, und Joe Felix war froh, das größte Stück der Fahrt vor sich hin dösen zu können.

Sie erreichten East Kilbride vor drei Uhr nachmittags und kamen ein paar Minuten später bei den Lagerhallen von Falcon Services an.

Thane parkte den Wagen auf dem Hof neben einem alten, aber gepflegten, sandfarbenen Volvo-Coupé. Im Wagen lag Angelzeug, und mitten auf dem Dach befand sich eine lange, peitschenähnliche Funkantenne.

»Das ist eine CB-Funkausrüstung«, murmelte Felix, als sie aus dem Ford stiegen. »Eine magnetische Antenne –«, er schaute sie genauer an und schien überrascht zu sein, »– könnte selbstgemacht sein. Aber von jemandem, der weiß, was er tut.«

»Hoffentlich wissen wir auch, was wir tun«, sagte Thane grimmig. Ein Mann kam über den Hof von der Ladezone her, wo drei Lieferwagen mit dem Zeichen von Falcon Services beladen wurden. Thane beobachtete, wie sich der Mann ihnen näherte, dann fügte er hinzu: »Wir müssen so freundlich wie möglich sein – wenigstens bis auf weiteres.«

Felix mit seinem breiten, gutmütigen Gesicht grinste, dann nickte er.

»Ihr seid doch von der Polizei, oder?« fragte der Mann, als er vor ihnen stand. Dann schaute er Thane an und verzog nachdenklich das Gesicht. »Sie waren doch neulich schon hier – mit dem Mädchen.«

»Stimmt«, bestätigte Thane.

»Dann lassen Sie mich ein paar Worte sagen.« Der Mann war Mitte Dreißig, stämmig gebaut und trug einen Overall. Jetzt steckte er die Hände in die Tasche, und eine Windbö zerwühlte sein langes blondes Haar. Er schaute die beiden Kriminalbeamten äußerst argwöhnisch an. »Meine Jungs wollen wissen, was hier vor sich geht. Ich bin da, um es herauszufinden, – ich bin Bert O'Connell, der Vorarbeiter, und bei der Gewerkschaft.«

»Von der Sorte kenne ich auch einen«, murmelte Felix.

»Achten Sie nicht auf ihn«, beruhigte Thane. »Was gibt es für Probleme, Mr. O'Connell?«

»Ich hab' es doch schon gesagt.« O'Connell deutete mit dem Daumen über die Schulter auf die Laderampen. »Wir arbeiten hier, klar? Die Bosse haben uns gesagt, es hat etwas mit dem jungen Douglas zu tun, daß er vielleicht in eine krumme Sache verwickelt war und so –«

»Ja, so sieht es aus«, bestätigte Thane. Er wartete, während der Gewerkschaftsmann einen Fluch ausstieß und sich mit der Hand eine seiner langen, blonden Strähnen aus dem Gesicht strich. »Deshalb sind wir noch einmal hier. Kannten Sie Douglas?«

»Er war Aushilfsfahrer.« O'Connell zuckte mit den Schultern. »Die Firma engagiert sie hier und da. Wir mögen das nicht. Sie sollten auf die Aushilfsfahrer verzichten und lieber ein paar feste Arbeitsplätze mehr schaffen.«

»Haben Sie versucht, das der Geschäftsleitung vorzutragen?« fragte Thane.

»Schon ein paarmal. Aber man war nicht begeistert davon. Die Garrison sagt, es würde die Firma mehr kosten. Und das war's auch schon. Wenn man heutzutage einen Job hat und die Bezahlung stimmt, drückt man nicht zu sehr auf die Tube.«

»Kennen Sie einen Billy Tripp?« fragte Thane.

Der Vorarbeiter legte die Stirn in Falten, dann nickte er. »Er ist auch Aushilfsfahrer – aber ich hab' ihn schon eine Weile nicht mehr gesehen.«

Thane nahm drei Fotografien aus der Hemdtasche, hielt sie mit beiden Händen nebeneinander, und der Wind versuchte, sie ihm zu entreißen.

»Welcher?«

»Der Junge.« O'Connell tippte ohne zu zögern mit einem schwarzen Fingernagel auf das Foto von Billy Tripp.

»Und die beiden anderen?«

»Nein, bedaure.« O'Connell betrachtete das Foto des Glasmannes etwas genauer. »Aber der in der Mitte sieht gemein aus.«

»Ist er auch«, sagte Thane gleichmütig.

»War's das schon?«

»Ja – und vielen Dank für Ihre Hilfe.«

»Na schön.« Der Mann schien enttäuscht zu sein. »Also kann ich meinen Kollegen sagen, ein paar von den Aushilfsfahrern haben Schwierigkeiten, die nichts mit der Firma zu tun haben?«

»Ja, genau das«, bestätigte ihm Joe Felix fröhlich. Er nickte in Richtung auf den Volvo. »Wem gehört denn die Jodrell-Angel?«

»Dem Schwager vom Boß.« O'Connell schien ein wenig aufgetaut zu sein. »Er ist in Ordnung, recht anständig sogar. Aber sie kann verdammt hart sein, das können Sie mir glauben.«

Die Hände in den Hosentaschen, stapfte er zurück zur Laderampe.

Sie gingen um den Volvo herum und durch den Haupteingang in das Verwaltungsgebäude von Falcon Services. Thane und Felix kamen zum Empfang. Das Mädchen, das Thane bei seinem letzten Besuch begrüßt hatte, kam mit dem gleichen, etwas nervösen Lächeln auf sie zu.

»Tut mir leid, Superintendent«, begann sie. »Mrs. Garrison ist außer Haus, und –«

»Wir nehmen mit Jonathan Garrison vorlieb«, erklärte Thane.

Sie zögerte. »Ich muß erst sehen, ob er da ist.«

»Ich würde es ihm raten.« Joe Felix blinzelte freundlich. »Sein Wagen steht draußen, Mädchen.«

Das Mädchen kicherte und ging dann zum Haustelefon. Nach kurzer Zeit kam sie zurück und führte die beiden Männer durch einen Korridor auf die Rückseite des Gebäudes.

Garrisons Büro war ein Hinterzimmer, höchstens halb so groß wie das seiner Schwägerin. Als das Mädchen Thane und Felix hineinführte, blieb er hinter seinem Schreibtisch sitzen.

»Danke, Jean.« Er lächelte sie an, ein Zeichen, daß sie entlassen war, wartete, bis die Tür von draußen geschlossen hatte, dann verschwand das Lächeln auf seinem Gesicht. Er schaute seine Besucher durch die dicke Brille an, und seine Stimme wurde frostig. »Worum geht es diesmal, Superintendent?«

»Wir haben da ein Problem, Mr. Garrison.« Thanes Stimme war ausdrucks- und emotionslos, die Feststellung einer Tatsache. »Ein Problem, über das wir uns unterhalten müssen.«

»Ich verstehe.« Der magere Mann mit dem schütter werdenden Haar und dem geflickten Tweedjackett versteifte sich ein wenig. »Dauert es länger?«

»Vermutlich nicht.« Es gab nur einen freien Stuhl. Obwohl Thane nicht aufgefordert wurde, sich zu setzen, nahm er den Stuhl und ließ sich darauf nieder. Joe Felix blieb, wo er war.

»Ich möchte Sie zunächst bitten, daß Sie mir etwas erklären.« Thane nahm das Foto von Billy Tripp aus der Tasche und legte es auf den Schreibtisch; dabei schaute er Garrison an. »Kennen Sie diesen Mann?«

»Ich –« Garrison kaute kurz an seiner Unterlippe. »Ja, es wäre möglich.«

»Es ist sogar sehr gut möglich.« Thanes Stimme klang vorwurfsvoll. »Ist das nicht Billy Tripp, einer von Ihren Aushilfsfahrern?«

»Ja.« Garrison errötete. »Sie haben recht – Entschuldigung.«

»War es nicht Tripp, der Ted Douglas hierherbrachte, als dieser Arbeit brauchte?«

»Das kann ich nicht mit Sicherheit sagen.« Garrison machte eine vage Handbewegung. »Es könnte sein. Der junge Douglas hat sich ganz normal beworben.«

Thane zuckte mit den Schultern. »Aber sie kannten sich, oder?«

»Ja, ich glaube. Es hatte keine Bedeutung für mich ...« Garrion verstummte und schaute an Thane vorbei auf Felix. »Sie! Rühren Sie das nicht an!«

»Entschuldigung.« Joe Felix nickte ihm freundlich zu.

Er war zu einem Regal in einer Ecke des Büros gegangen und hatte eine kleine Glasfigur betrachtet. Es war das Modell eines Anglers samt Rute und Angelschnur, und ein großer Fisch hing am Haken und ragte ein Stück über den welligen Untergrund heraus.

»Es ist sehr zerbrechlich.« Garrison leckte sich die Lippen, als Felix zurückgetreten war. »Ich – es ist eine Gewohnheit. Ich glaube, ich warne jeden, der hier hereinkommt.«

»Wir haben Angelzeug in Ihrem Wagen gesehen«, sagte Thane. Er lehnte sich zurück und lächelte Garrison an. »Dabei hörte ich, daß Sie eigentlich viel lieber Golf spielen.«

»Golf war meine Leidenschaft – eine Zeitlang.« Garrison stieß ein gekünsteltes Lachen aus. »Aber ich habe das Golfspiel aufgegeben, wie ich einige andere Dinge aufgegeben habe. Eine Angel und eine Rute – das entspannt wirklich. Und ich bin gern allein.« Er ließ eine Pause entstehen und warf dabei einen Blick auf seine Armbanduhr. »Das ist auch mein Programm für die nächsten Tage, und ich möchte so bald wie möglich hier weg. Morgen ist Freitag, und ich habe noch etwas Urlaub gut, also mache ich ein langes Wochenende. So kann ich drei Tage zum Angeln fahren.«

Felix grinste. »Ich habe zu Hause noch eine Forellenrute. Als ich ein kleiner Junge war, habe ich meine Fliegen selbst hergestellt.« Er wartete ein paar Sekunden, dann fügte er hinzu: »Wohin fahren Sie denn?«

»Irgendwohin in den Norden – ich werde sehen, es hängt auch vom Wetter ab.« Garrisons Haltung veränderte sich wieder, und er schaute Thane an. »Was sollen diese Fragen über Tripp?«

»Wir suchen ihn«, erwiderte Thane. »Aus den gleichen Gründen, weshalb wir uns für das interessieren, was Douglas getan hat.« Er tippte auf das Foto, das zwischen ihnen auf dem Schreibtisch lag. »Was wissen Sie über Ihre Aushilfskräfte?«

»Nur das, was sie uns freiwillig erzählen. Mir geht es vor allem darum, daß sie ihre Aufträge zuverlässig ausführen«, antwortete Garrison steif. »Ich weiß, daß Tripp in der Vergangenheit Probleme hatte und daß er schon mal im Gefängnis war. Er hat es mir gesagt.«

»Ist es Ihre Gewohnheit, ehemalige Sträflinge zu engagieren?« fragte Thane.

»Ich suche Sie nicht, wenn Sie das gemeint haben sollten«, zischte ihn Garrison an. Er nahm seine Brille ab und polierte die Gläser mit einem Taschentuch; dabei zitterten seine Finger ein wenig. »Jeder kann einmal Pech haben und darüber hinwegkommen.«

»Das weiß ich«, sagte Thane. »Aber nun habe ich noch ein paar Bitten an Sie, Mr. Garrison. Ich brauche eine vollständige Liste Ihrer Aushilfsfahrer – Namen, Adressen, und wie Sie sie erreichen. Dann brauche ich eine Liste sämtlicher Aufträge, die Sie Douglas oder Tripp in den vergangenen drei Monaten erteilt haben.«

»Sie –« Garrison erstarrte einen Augenblick, dann setzte er sich die Brille wieder auf und schaute Thane entgeistert an. »Meinen Sie das im Ernst?«

Thane nickte.

»Und wenn ich mich weigere?«

»Dann nehme ich an, daß Sie einen guten Grund dafür haben«, sagte Thane barsch. »Und hoffentlich auch einen guten Anwalt.«

Garrison schluckte, saß einen Augenblick lang schweigend da und nickte zuletzt zögernd.

»Die Buchhaltung soll Ihnen eine Liste der Aushilfskräfte geben. Aber das mit den Aufträgen für Douglas und Tripp ist unmöglich. Tut mir leid.«

Thane zog eine Augenbraue hoch. »Heißt das, Sie führen nicht Buch darüber?«

»So habe ich es nicht gemeint.« Garrison stand auf. »Aber es würde Zeit in Anspruch nehmen, Tage –«

»Und Sie wollen zum Fischen«, murmelte Thane. Er zuckte mit den Schultern und steckte das Foto wieder ein. »Wir wollen Ihnen das Wochenende nicht verderben. Die Liste mit den Aufträgen kann warten.«

Die Namen waren ihm wichtiger. Er nahm nicht an, daß ihm die

Liste der Aufträge sonderlich viel einbrachte, und er wußte nicht, wie weit er es mit Garrison treiben, wieviel der magere, fast kahlköpfige Mann ertragen konnte, ohne daß er explodierte. Und das war, wenigstens im Augenblick, das letzte, was Thane wollte.

Garrison stand an der Bürotür und wartete ungeduldig. Thane erhob sich, gab Felix ein Zeichen, und sie folgten Garrison hinaus auf den Korridor.

Neben dem Hauptbüro befand sich hinter einer Trennwand ein kleiner Warteraum. Garrison führte die beiden Kriminalbeamten dorthin und ließ die Tür auf, während er ins Büro ging und mit einer der Sekretärinnen sprach. Dann kam er zurück und schaute noch einmal herein.

»Es wird ein paar Minuten dauern«, sagte er kurz angebunden.

Dann schloß er die Tür.

In dem Besucherraum lagen die üblichen Zeitschriften aus. Die beiden Männer setzten sich, blätterten darin, und die Minuten krochen langsam dahin. Thane hörte drüben im Büro Schreibmaschinen rattern. Telefone klingelten, Gespräche wurden beantwortet. Aber niemand kam zu ihnen herein. Zweimal schaute Thane auf seine Armbanduhr, dann warf er einen Blick auf Joe Felix, der in einer Zeitschrift las.

Schließlich, als seine Geduld erschöpft war, stand er auf. Doch bevor er zur Tür kam, öffnete sie sich, und die Sekretärin, mit der Garrison gesprochen hatte, kam herein.

»Tut mir leid, daß es so lange gedauert hat, Superintendent.« Sie hielt ihm ein zusammengefaltetes Blatt Papier entgegen. »Das ist es, was Sie wollten.«

Er nahm das Papier, faltete es auf und warf einen Blick auf die Liste der Namen. Es waren mehr, als er angenommen hatte, jeder mit Adresse, die meisten mit einer Telefonnummer.

»Danke«, sagte er.

»Gern geschehen.« Die Sekretärin, eine Brünette Mitte Zwanzig mit hübschem Gesicht, zögerte verlegen. »Ich – äh – Mr. Garrison bittet mich, Ihnen zu sagen, daß er bedauerlicherweise nicht mehr warten konnte.«

Thane starrte sie überrascht an, dann ging er ans Fenster und schaute hinaus.

Garrisons Wagen stand nicht mehr da.

»Er meinte, Sie würden Verständnis haben«, sagte das Mädchen schwach.

Joe Felix lachte spöttisch.

»Es macht nichts«, sagte Thane düster.

Ein Wagen fuhr auf den Hof, wieder ein Volvo, ein großer roter Kombi. Er parkte, und Thane beobachtete, wie Alexis Garrison ausstieg und in das Verwaltungsgebäude eilte.

»Hallo, Colin.« Sie schenkte ihm ein Lächeln, und ihre blauen Augen blitzen, als sie sich begegneten. »Du mußt aufhören, meinen Schwager jedesmal, wenn ihr euch trefft, so fertigzumachen.«

»Hast du ihn gesehen?« fragte er.

Alexis Garrison lachte leise und strich sich mit der Hand übers Haar, das der Wind ein wenig zerzaust hatte.

»Ihn gesehen? Er ist weggefahren, als ob Satan persönlich hinter ihm her wäre – aber als er meinen Wagen erkannte, hat er angehalten.« Sie zog die Stirn in Falten. »Er hat mir eine etwas sonderbare Geschichte erzählt von einem unserer Aushilfsfahrer, über die Brutalität der Polizei und daß das Ende der Welt nahe sei. Dann fuhr er weiter. Was geht hier vor?«

»Ich habe ihn nur um eine Gefälligkeit gebeten«, sagte Thane hölzern.

»Großartig.« Sie schaute an ihm vorbei. Joe Felix und die Sekretärin standen da und hörten zu. »Ich möchte ohnehin einen Moment allein mit dir reden – komm.« Sie nahm Thane am Arm, führte ihn an den beiden anderen vorbei hinein ins Wartezimmer und schloß die Tür.

»Nun«, fragte sie mit einem Seufzer, »was ist wirklich geschehen?«

Thane zuckte mit den Schultern. »Ich habe dir gesagt, daß Ted Douglas in einer krummen Sache drinnensteckte. Und nun stellt sich heraus, daß das auch für einen zweiten deiner Aushilfsfahrer, für Billy Tripp, gilt.«

»Ich kenne ihn.« In ihrer Stimme lag eher Ungeduld als Überraschung. »Diese ›krumme Sache‹ – du hast angedeutet, daß es mit Rauschgift zusammenhängen könnte, und ich glaube dir noch immer nicht. Was ist der eigentliche Anlaß?«

Er schüttelte den Kopf. »Es wird wohl eine ganze Liste, vielleicht einschließlich Mord.«

Sie starrte ihn an. »Meinst du das im Ernst?« Ihre Stimme blieb überraschend ruhig.

Thane nickte.

»Verdammt. Wird es – ich meine, muß man Falcon da hineinziehen?« Alexis brach ab. »Nein, die Frage kannst du mir nicht beantworten, ich weiß. So war es früher immer, wenn ich eine Frage gestellt habe, die dir peinlich war.«

»Da kannst du recht haben«, erwiderte Thane ernst.

»Verdammt!« sagte sie noch einmal. »Trotzdem bin ich froh, daß du es bist. Und es gibt noch einen Grund, weshalb ich mit dir sprechen wollte. Es geht um heute abend.«

»Ich schaffe es«, sagte Thane etwas müde.

»Aber ich nicht – nicht nach acht. Ich wollte dich schon anrufen.« Sie legte eine Hand auf seinen Arm. »Colin, es ist eine Folge des gestrigen Abends. Ein Geschäft von der Art, wie ich es mir nicht entgehen lassen kann. Aber – wie wär's, wenn du trotzdem bei mir vorbeischauen würdest, auf einen Drink? Wenn du bis sieben da sein kannst –«

»Und um acht ist Feierabend?« Thane nickte. »Ich bin da.«

Er öffnete die Tür, und sie gingen hinaus. Joe Felix und die Sekretärin standen noch immer im Büro.

»Danke, Superintendent«, sagte Alexis Garrison kühl. »Ich bin froh, daß wir diese Schwierigkeit aus dem Weg geräumt haben.«

Dann drehte sie sich um und ließ die anderen einfach stehen.

»Soll ich fragen, worum es gegangen ist?« fragte Joe Felix mit leicht boshaftem Unterton.

Es war ein paar Minuten später; East Kilbride lag hinter ihnen, und die Skyline von Glasgow rückte näher.

Thane gab Gas, überholte zwei Lastwagen und verlangsamte dann das Tempo wieder.

»Wie meinen Sie das?« fragte er zurück.

»Ich meine Sie und diese Frau.« Zwanzig Jahre Diensterfahrung und keine sonderlichen Ambitionen außer der, als Spezialist zu gelten, ließen erwarten, daß Joe Felix entweder gar nichts sagen oder völlig unvorhersehbar reagieren würde. »Ich hatte den Eindruck, daß Sie sie von irgendwo kennen.«

»Von irgendwann«, verbesserte ihn Thane.

»Sir.« Felix lächelte leicht anzüglich und schaute dann hinaus auf die Fahrbahn. »Tüchtig Meilen auf dem Buckel, aber noch immer eine gute Karosserie – ich meine, dieser Wagen.«

»Und was noch?« Thane warf ihm einen kurzen, scharfen Blick zu.

»Trotzdem gefällt mir der Laden dort nicht.« Felix schaute düster drein und rieb sich mit der Hand übers Kinn. »Diese Liste von Namen, die wir von Garrison bekommen haben – angenommen, wir stellen fest, daß noch ein paar wie dieser Billy Tripp aus den Löchern kriechen?«

»Dann schnappen wir sie uns, wenn wir sie finden«, sagte Thane trocken. »Aber es ist eher anzunehmen, daß sie genügend Zeit hatten, um sich abzusetzen.«

»Haben Sie schon mal geangelt, Sir?«

»Wenig.« In Millside war alljährlich ein Angelausflug organisiert worden. Thane erinnerte sich an Busfahrt, mehrere Fässer Bier und grölende Gesänge am Lagerfeuer. »Warum?«

»Das Angelzeug, das ich in Garrisons Wagen gesehen habe, war schwere Ausrüstung, wie man sie zum Hochseefischen verwendet. Er hat nichts dergleichen erwähnt, aber ich dachte, es interessiert Sie.«

»Danke«, sagte Thane.

Dann hatten sie die Stadt erreicht, weniger als eine Meile von ihrem Bestimmungsort entfernt, als sie über ihr Funkgerät gerufen wurden. Felix nahm das Mikrofon aus der Halterung, antwortete, und danach meldete sich wieder die Crime Squad.

»Von DS Dunbar. Ein dreizehn-dreiundvierzig, Standort River-view Street, Ecke Anstruther Lane. Vorläufig keine Verstärkung angefordert.«

Thane beschleunigte und überlegte die kürzeste Route. Francey Dunbar befand sich nicht in einer Notsituation, brauchte aber Unter-stützung, und zwar bald, und mußte sein Fahrzeug verlassen.

»Was fährt Francey?« fragte er, als Felix die Bestätigung durchge-geben hatte.

»Sandras VW.« Felix hielt sich fest, als sie um eine Ecke jagten, daß die Reifen des Ford quietschten. »Sie hat Zeter und Mordio geschrien, aber er sagte, so könne er sich am besten unters Volk mischen – und außerdem haben die Jungs bei der Fahrbereitschaft immer noch mit seinem Mini zu tun.«

Thane knurrte und konzentrierte sich auf den Verkehr.

Trotz ihres Namens kam die Riverview Street in keinem Touristenführer vor. Es gab nur zwei Stellen in ihrem kurvenreichen Verlauf, wo man eine ölige Schleife des River Clyde sehen konnte – vorausgesetzt, man kletterte bei guter Sicht auf eines der Hausdächer.

Die Gegend war ein verlassenes Dockgebiet, umgeben von leerstehenden Lagerhäusern und grasüberwucherten, brachliegenden Grundstücken. Ein Frauenasyl der Heilsarmee stellte Obdachlosen Betten für die Nacht zur Verfügung. Es gab zwei Schrottplätze und Geschäfte, die im einen Monat eröffnet wurden und im nächsten wieder schlossen. Die brachliegenden Grundstücke waren ideal, um gestohlene Wagen abzustellen; dort trieben sich auch Teenager herum, die Drogen nahmen oder schnüffelten. Von Zeit zu Zeit stieß man meist durch Zufall auf eine Leiche, und die Polizeibeamten, die sie fanden, hofften nur, daß sie nicht allzulange dagelegen hatte und eine Identifizierung noch möglich war.

Kurz gesagt: die Riverview Street war ein ganz besonderes Milieu.

Colin Thane verlangsamte die Geschwindigkeit, als sie die Straße erreicht hatten, und fuhr von nun an im Schrittempo weiter. Während sie durch die Schlaglöcher holperten, kamen sie an einem der Schrottplätze vorüber, dann am Frauenasyl, verscheuchten ein paar streunende Hunde, die in Abfällen herumschnüffelten, und erkannten dann den Volkswagen, der auf der Straße parkte.

Er war unbesetzt. Sie hielten dicht dahinter, stiegen aus und stellten fest, daß die Türen abgeschlossen waren.

Thane schaute sich um. Direkt gegenüber mündete die Anstruther Lane.

»Sir.« Felix gab ihm einen leichten Rippenstoß.

Zwei Jungen mit verkniffenen, hinterhältigen Gesichtern suchten in einem Hauseingang Schutz vor dem böigen Wind. Sie waren um die zehn Jahre alt, hatten dreckige Jeans und alte Baseballstiefel an, und einer von ihnen grinste frech.

»Suchen Sie jemanden, Mister?« fragte der größere unbekümmert, als Thane auf sie zuging.

»Kann sein.« Thane nickte in Richtung auf den VW. »Wißt ihr, wo der Fahrer hingegangen ist?«

»Ihr seid Bullen, stimmt's?« fragte der andere. Er hatte das Gesicht eines jungen Engels – eines sehr verkommenen Engels allerdings. »Ihr seht genau wie Bullen aus.«

»Das stimmt, mein Sohn«, sagte Joe Felix, der von der anderen Seite auf die beiden zugekommen war, um zu verhindern, daß sie abhauten. »Ganz schlimme Bullen sogar. Wo ist er hin?«

»Wir denken gerade nach«, antwortete der Größere. Er hatte rotes Haar, das ganz kurz geschnitten war. Jetzt wechselte er einen Blick mit seinem Freund. »Sollen wir Ihren Wagen bewachen, Mister? Wir passen gut auf, und es kostet sie nur einen halben Schein, das ist alles.«

Thane warf einen Blick auf den Volkswagen. Die beiden Jungen kicherten. Der Wagen wirkte völlig neutral.

»Er hat auch gezahlt«, bestätigte der jüngere von beiden. »Und er hat eine Nachricht für euch hinterlassen.«

Schweigend kramte Thane in seiner Hosentasche und gab ihnen etwas Kleingeld.

»Nun?«

»Er ist die Querstraße raufgegangen; wir sollten Ihnen sagen, daß er einen Mann trifft wegen Glas oder so.« Die mageren Schultern zuckten. »Verrückt.«

Joe Felix stieß einen unterdrückten Fluch aus.

»Ist sonst noch jemand in die Richtung gegangen oder gefahren?« fragte Thane.

»Nur ein Kerl mit einem Lieferwagen«, sagte der Jüngere gleichgültig.

»Geben Sie es an die Zentrale durch.« Thane warf Felix die Schlüssel des Ford zu. »Ich möchte, daß sich die hiesige Polizei auf Abruf bereithält.«

Er überquerte die Straße und begann zu laufen, sobald er die Querstraße erreicht hatte. Die Gebäude auf beiden Seiten waren entweder verfallen oder verlassen, in den Fenstern fehlte das Glas, und die Eingänge waren teils mit Ziegeln zugemauert, teils gähnten sie als schwarze, leere Löcher.

Die Anstruther Lane beschrieb einen Bogen und wurde zu einem regelrechten Windkanal. Mit einer heftigen Bö flogen Kartonstücke und zerfetztes Plastikmaterial auf Thane zu, blieb an seiner Kleidung hängen, und der dreckige Staub stach ihn in die Augen. Noch eine Kurve, und er blieb stehen, mit zusammengekniffenen Lippen, und sah vor sich eine weitere, von Abfall übersäte, aber ansonsten leere Straße.

Doch Francey Dunbar mußte dort irgendwo sein, auf der Suche nach dem Glasmann.

»Ihr kommt zu spät«, krähte eine Stimme, die aus dem Nichts zu kommen schien. »Ah, die sind schon 'ne Weile weg.«

Erschreckt fuhr er herum. Etwas bewegte sich in den Überresten einer hölzernen Packkiste. Dann streckte eine alte Frau den Kopf heraus. Sie hatte mehrere zerfetzte Mäntel übereinander angezogen und einen Strick darumgewickelt. Um den Kopf hatte sie einen schmierigen Schal geschlungen, ihre Füße steckten in abgeschnittenen Gummistiefeln, und in ihren schmutzverkrusteten Händen hielt sie eine verdreckte Plastiktüte fest.

»Was, zum Teufel, machen Sie da?« fragte Thane scharf.

Sie grinste, und ihr zahnloser Mund war ein schwarzes Loch inmitten der gespenstischen Grimasse. »Das ist mein Heim, Sohn.« Sie fügte hinzu: »Vorübergehend.« Dann nickte sie selbstzufrieden. »Aber die sind weg.«

»Wer ist weg?« Thane sprach mit eiserner, verzweifelter Geduld. »Was ist passiert?«

»Das Gebrüll, und alles.« Sie scharrte in ihrer Packkiste mit den Füßen, und eine leere Weinflasche rollte heraus. »Haben mich geweckt, die Schreihälse, – und es ist mir egal, ob Sie Ihre Freunde sind oder nicht. Dann wurden Türen zugeknallt und Motoren angelassen – und dann waren sie weg.«

»In einem Lieferwagen?«

»Da war auch noch ein anderes Auto, Sohn.« Sie zitterte, und ihre Stimme klang plötzlich nachdenklich. »Ein großes Auto – schöne, große Sitze. Kostet Geld, ein solches Auto.«

»Aus welcher Richtung ist es gekommen?« Er bemerkte, daß Joe Felix keuchend neben ihm stand. »Erinnern Sie sich daran?«

»Von da.« Sie zeigte die Straße entlang. »Die großen, grünen Türen –«

Sie begannen zu rennen. Die Alte rief ihnen nach: »Und sagt ihnen, sie sollen das nächste Mal kein solches Geschrei machen, habt ihr gehört?«

Die grünen Türen, breit genug, um Fahrzeuge hindurchzulassen, befanden sich in einer Mauer aus Ziegelsteinen, die oben auf der Kante mit Stacheldraht gesichert war. Die Türen standen offen, und man konnte hineinsehen in den Hof eines Lagerhauses, der übersät war mit Müll. An der Rückseite der Mauer stand ein langes, ebenerdiges Gebäude, so zerfallen wie seine Umgebung.

Nichts rührte sich.

Vorsichtig gingen sie hinein. Joe Felix pfiff leise durch die Zähne. Er hatte ein Bleirohr in der Hand mit einem Stück Schnur, das an dem einen Ende wie eine Lederschlaufe befestigt war. Irgendein Halunke hatte einmal versucht, es ihm über den Schädel zu hauen, und seitdem trug er es – wenn auch illegal – fast immer bei sich.

Sie fanden Francey Dunbar in der Nähe des Eingangs, ein Fuß ragte unter einer verrosteten Eisenplatte heraus, die man auf ihn gestürzt hatte. Thane hob die Platte an und wuchtete sie zur Seite, dann kniete er sich neben seinen jungen Sergeant.

Blut tränkte das dichte Haar und hatte ein Rinnsal über sein Gesicht gezogen. An Dunbars Schädel klaffte ein langer Riß; aber Thane fühlte noch schwachen Pulsschlag, und Dunbar atmete. Vor Erleichterung fluchend, versuchte Thane, Dunbar etwas bequemer hinzulegen, und vernahm schwaches Stöhnen.

»Gott sei Dank«, sagte Felix. »Bleiben Sie hier?«

Thane nickte, und Felix rannte davon.

Als er keuchend zurückkam, nachdem er über Funk Meldung bei der Crime Squad gemacht hatte, war schon ein Krankenwagen unterwegs und das Team, das sie angefordert hatten. Thane hatte seine Jacke unter Dunbars Kopf gelegt. Der Pulsschlag war immer noch schwach, aber die Atmung schien gleichmäßiger zu werden, und die Augenlider zuckten gelegentlich.

»Was meinen Sie?« fragte Felix besorgt.

Thane gab keine Antwort. Nachdem er Felix als Wache bei Dunbar zurückgelassen hatte, betrat er das Gebäude.

Jemand, der viel Erfahrung mit Einbrüchen hatte, mußte eine Menge Gedanken, Mühe und Geld investiert haben, um dieses Gebäude so gut wie möglich zu sichern.

Die vordere Tür wurde, wenn sie geschlossen war, durch zwei schwere Riegel geschützt, die noch zusätzlich durch eine Platte aus solidem Stahl gesichert waren. Die Fenster, auf der Außenseite verdreckt und gesprungen, waren ebenfalls mit Stahlplatten abgesichert, und das Tageslicht konnte nur durch schmale Schlitze eindringen. Eine Schiebetür, die vom Flachdach hinausführte, war mit einer Reihe parallel angebrachter Stahlstangen verstärkt.

Aber das Haus war verlassen, und diejenigen, die es zuletzt benutzt hatten, waren offenbar in großer Eile abgehauen. Thane fand zwei Schlafsäcke, die in einem der verfallenen Räume ausgebreitet lagen. Ein Topf, ein Elektrokocher, leere Konservendosen und schmutziges Geschirr standen auf einem staubigen Tisch.

Die meisten Räume – Büros, oder was immer sie mal gewesen sein mochten – waren leer, aber Thane fand einen, der in jüngerer Zeit als Lagerraum benutzt worden sein mußte. Dort standen Kanister mit Treibstoff und Öl, ein paar kleine Farbeimer und ein tragbares Farbsprühgerät.

Blieb noch eine Tür. Sie befand sich in der Mitte des Gebäudes, war aus Stahlplatten zusammengeschweißt und von zwei schweren Riegeln oben und unten gesichert, wobei jeder der Riegel durch ein Vorhängeschloß fixiert wurde.

Thane stieß versuchsweise mit dem Fuß gegen die Tür. Wie erwartet, bewegte sie sich keinen Millimeter.

Er drehte sich um und ging wieder hinaus. Joe Felix hockte neben Dunbar.

»Da hat sich jemand schnell auf die Socken gemacht«, erklärte Felix und blickte hoch.

Thane nickte.

»Gut«, sagte Felix. »Dann haben sie bestimmt ein paar Fehler gemacht.« Er schaute hinunter auf Dunbars blutbeschmiertes Gesicht und fügte hinzu: »Wie zum Beispiel diesen hier.«

Der erste Wagen der Crime Squad kam knapp eine Minute später an. Ein zweiter hielt kurz danach im Hof, gefolgt von einem Krankenwagen und von weiteren Polizeifahrzeugen.

Thane erteilte die nötigen Anordnungen, dann trat er zurück und machte den Kollegen Platz. Man legte Francey Dunbar vorsichtig auf eine Bahre und trug ihn in den Wagen, dann fuhr dieser mit Blaulicht und Sirene davon. Das Team der Squad wurde von Hugh Campbell geleitet, einem untersetzten, gälisch sprechenden Detective Inspector mit schütterem Haar, dessen Schicksal ein Sergeant namens Donald MacDonald zu sein schien. Campbell postierte seine Leute, sah sich kurz in dem Gebäude um und kam danach zu Thane zurück.

»Diese versperrte Tür, Sir ...« Er zog fragend die Augenbrauen hoch. »Sollen wir warten, bis sie auf Fingerabdrücke untersucht ist?«

»Sehen Sie zu, daß sie sie aufkriegen«, sagte Thane kurz und bündig.

»Ohne sie zu beschädigen?«

Thane schaute ihn an. »Es ist nicht meine Tür. Und es ist mir egal, wie Sie sie aufkriegen.«

»Aye, aye, Sir.« Campbell zeigte ein Grinsen. »Dieser nutzlose Tunichtgut MacDonald kennt einen Trick mit einem Brecheisen. Ist übrigens so ungefähr das einzige, wozu man ihn brauchen kann.«

Er drehte sich um und brüllte nach seinem Sergeant.

Thane ging über den Hof und sah sich nach Joe Felix um. Ein uniformierter Constable, der die Wache am Tor übernommen hatte, deutete hinaus auf die Straße.

Er fand Felix bei der Packkiste, wo er sich freundlich mit der Alten unterhielt, die dort hauste.

»Glück gehabt?« fragte Thane.

»Nicht der Rede wert.« Felix trat einen Schritt zurück und schüttelte den Kopf. »Sie heißt Aggie, und sie schläft hier seit einer Woche – wie sie glaubt. Die hiesige Polizei scheint sie zu kennen. Genau wie die Leute von der Heilsarmee am anderen Ende der Straße. Wenn man ihr eine Flasche gibt, ist sie zufrieden und fällt keinem zur Last.«

»Was dagegen?« fragte die Alte argwöhnisch und schaute zu den beiden Kriminalbeamten heraus. »Geht euch doch wohl nix an, oder?«

»Gar nichts, Aggie«, meinte Thane. Dann wies er mit dem Daumen zur Mauer mit den grünen Türen. »Uns geht das dort unten an.«

»Neugierige Teufel.« Sie kroch ein Stück aus ihrer Kiste und schnüffelte angewidert. »Keine Ruhe, ein ewiges Kommen und Gehen, Tag und Nacht.«

»Würden Sie einen von ihnen wiedererkennen?« fragte Thane geduldig.

»Bei meinen Augen, Sohn?« Sie stieß ein gackerndes Gelächter aus. »Ausgeschlossen.«

»Und womit kommen sie?«

»Mit verschiedenen Lieferwagen und mit diesem großen Auto. Ein paarmal war auch einer mit 'nem Motorrad hier.« Sie fröstelte im Wind. »Lauter neugierige Kerle – aber ich könnte den einen nicht vom anderen unterscheiden.« Sie beugte sich vor, hielt die Mäntel zusammen und schaute Thane verschwörerisch an. »Der Krankenwagen – Ihr Freund sagt, ein Bulle ist verletzt worden – schwer verletzt. Stimmt das?«

»Ja.«

»Ach, der wird schon wieder«, tröstete sie Thane. »Sie werden schon sehen. Niemand will einen Bullen umbringen – denk doch an den Ärger, den man dadurch hat!«

Sie nickte sich selbst zu und zog sich wieder in ihre Packkiste zurück.

Thane zuckte mit den Schultern und schaute Felix an. Ihr einziger wirklicher Zeuge mußte als unbrauchbar abgeschrieben werden.

»Was sollen wir denn mit ihr machen?« Felix steckte die Hände in die Hosentaschen und schaute düster drein. »Ich habe ihr das Asyl vorgeschlagen, aber sie meinte, ich soll zum Teufel gehen damit.«

»Sie können es ja dort melden – und dem Constable, der hier Wache schiebt, eine Bombe unter den Allerwertesten setzen«, sagte Thane.

Felix folgte ihm zurück in den Hof und in das Gebäude. Detective Inspector Campbell begrüßte sie mit einem Kopfnicken.

»Fast fertig«, sagte er lakonisch.

Das obere Vorhängeschloß der inneren Metalltür war bereits entfernt. Campbells Sergeant kniete neben dem anderen Schloß, steckte ein Brecheisen durch die Metallöse und vergrößerte den Winkel mit einem weiteren Brecheisen, das er zwischen die Stahlplatte der Tür und das erste Brecheisen steckte.

»Mach schon, Mann«, drängte Campbell. »Du hältst hier nur den ganzen Verein auf.«

Der Sergeant warf ihm einen wütenden Blick zu, riß noch ein paarmal an dem Brecheisen, und das Vorhängeschloß knirschte. Der Mann spuckte in die Hände, packte wieder das Brecheisen, und dann hörte man ein lautes, metallisches Schnappen.

Das Schloß fiel zu Boden, die beiden Riegel wurden zurückgeschoben, und Campbell drängte den Sergeant zur Seite, dann stieß er die Stahltür auf. Der Raum dahinter lag in völligem Dunkel.

»Ich besorge eine Taschenlampe«, erklärte Campbell.

Sein Sergeant tastete an der Innenseite der Tür entlang, betätigte einen Schalter, und eine Leuchtstoffröhre an der Decke warf zuckendes Licht in den Raum.

»Teufel, Teufel«, sagte Joe Felix leise.

Der Raum war lang, schmal, mit Metallstellagen an den Wänden. Etwa die Hälfte der Regale war leer, auf den übrigen stapelten sich in Plastikmaterial verpackte Videokassetten, einige hundert oder mehr.

Campbells Sergeant warf einen Blick auf Thane. »Das ist es doch, wonach Sie suchten, nicht wahr, Sir?«

»Kann sein.« Thane ging langsam die Regale entlang. Jeder Stapel war beschriftet, und die meisten Bänder steckten in gefälschten, den Originalen täuschend ähnlichen Hüllen, darunter Musicals und Westernfilme, Horrorstreifen und Pornos, ein paar Zeichentrickfilme und auch einige Titel, die erst vor kurzem uraufgeführt worden waren.

Aber ein Titel fehlte: *Der Baum zum Hängen*.

Thane wurde fast übel vor Enttäuschung, dennoch hatte er es durchaus vorausgesehen, ohne sagen zu können, warum. Immerhin hatten sie dank der Bemühungen von Francey Dunbar das Auslieferungslager der hiesigen Videopiraten entdeckt.

Aber das war auch alles.

»Joe.« Er winkte Felix herüber. »Nehmen Sie so bald wie möglich ein paar Kassetten als Muster und benachrichtigen Sie La Mont.« Er sah, wie Felix das Gesicht verzog. »Tun Sie es, und beschweren Sie sich darüber, wann Sie wollen. Am besten wäre es, wenn Sie La Mont in mein Büro bringen und dort mit ihm auf mich warten.«

»Gut.« Felix nickte resignierend. »Wenn wir Sie brauchen –«

»Francey«, unterbrach ihn Thane.

Er ging zurück zur Riverview Street. Die zwei Jungen waren verschwunden. Aber jemand hatte mit einem Nagel oder der Spitze eines Messers lange, tiefe Rillen in den Lack des Ford gekratzt.

Francey Dunbar war ins Western Infirmary gebracht worden, weil es das am nächsten gelegene Krankenhaus mit einer Notaufnahmestation war. Als Thane dort ankam, begegnete er Jack Hart und Sandra Craig. Dunbar war bei Bewußtsein, wie die behandelnde Ärztin versicherte, aber sie wurden nicht zu ihm vorgelassen. Die Ärztin erklärte, daß es sich um eine schwere Gehirnerschütterung handle und daß Dunbar Glück im Unglück gehabt habe. Sandra blieb vorläufig im Krankenhaus, und Jack Hart fuhr mit Thane zurück zur Crime Squad.

Auf der Fahrt beantwortete Thane die Fragen Harts, was sich in ihrem Fall zuletzt ereignet hatte. Danach schwiegen die beiden Männer längere Zeit. Erst als sie schon fast am Ziel angekommen waren, stellte Hart noch eine Frage an Thane.

»Treffen Sie trotzdem heute abend diese Garrison?«

»Ja.« Thane hielt den Blick auf die Straße gerichtet. »Aber sie hat den Zeitpunkt geändert.«

»Wissen Sie warum?«

»Noch nicht.«

Maggie Fyffe kam sofort auf sie zu, als sie das Gebäude der Crime Squad betreten hatten.

»Wie geht es ihm?« fragte sie besorgt.

»Er wird es überleben«, antwortete Hart und blinzelte ihr zu. »Holen Sie Ihr Notizbuch – ich bin sowieso schon im Verzug.«

»Und ich habe meine Kaffeepause«, erklärte sie bissig. Dann lächelte sie Thane vielsagend an. »Sie haben einen Besucher.«

»La Mont?«

Sie nickte. »Gerade ist Joe Felix mit ihm eingetroffen. Und keiner von beiden hat einen besonders glücklichen Eindruck gemacht.«

Thane ging in den Bereitschaftsraum hinüber. Felix und La Mont erwarteten ihn; La Mont saß vor dem Schreibtisch von Felix, und Felix stand ein paar Meter neben ihm und schaute in Gedanken versunken zum Fenster hinaus. Aber sie richteten beide ihre Blicke auf Thane, als er eintrat.

»Er kommt durch, Joe«, erklärte Thane, bevor Felix fragen konnte.

»Gott sei Dank«, antwortete Felix heftig. Dann deutete er auf La Mont. »Ich habe ihn erreicht.«

»Das heißt, er hat mich mitten aus einer Besprechung gerissen.« La Monts breites, bärtiges Gesicht bebte beinahe vor Zorn. »Hören Sie, Superintendent, ich habe gehört, was geschehen ist. Ich freue mich, daß es Ihrem Sergeant gutgeht –«

»Ich glaube, so kann man es nicht ausdrücken«, erwiderte Thane steinern.

»Entschuldigen Sie. Aber es paßt mir nicht, zum Wagen gezerrt zu werden, als wenn ich unter Arrest wäre. Verdammt, Superintendent –«

»Detective Constable Felix ist vielleicht ein wenig über das Ziel hinausgeschossen«, versuchte Thane ihn zu beruhigen. »Aber ich selbst habe ihm den Auftrag erteilt. Ich unterhalte mich später mit ihm über die Art und Weise. Wissen Sie, warum ich Sie hergebeten habe?«

»Wegen dieser Kassetten.« La Mont nickte mürrisch. »Ich habe einen Blick darauf geworfen.«

»Dreiundvierzig verschiedene Titel«, sagte Felix. »Ich habe von jedem ein Exemplar aus diesem Lager mitgenommen.«

»Es ist das Lager eines Wiederverkäufers – muß es sein.« La Mont zuckte mit den Schultern. »Gute Arbeit. Da werden sich bestimmt einige Leute freuen – und ich bin vermutlich die ganze Nacht damit beschäftigt, herauszufinden, was Sie da erwischt haben.«

Felix stieß einen spöttischen Laut aus. »Pech für Sie.«

»Kann man wohl sagen«, zischte ihn La Mont an und erhob sich.

»Setzen Sie sich«, befahl Thane verdrossen. Er wartete, bis der bullige Kanadier der Aufforderung nachgekommen war. »Und jetzt hören Sie mir einmal zu, Sie beide. Sie brauchen sich nicht gerade zu lieben, aber für Ihre Abneigung gegeneinander ist momentan nicht der geeignete Zeitpunkt.« Er schaute La Mont an. »Schaffen Sie es, wenn ich Ihnen bis morgen früh Zeit gebe?«

La Mont verzog das Gesicht, nickte aber.

»Danke. Und, Joe –«

»Sir?« Felix blickte ihn etwas betreten an.

»Organisieren Sie jede Unterstützung, die er braucht. Wenn das erledigt ist, kommen Sie zu mir.« Er wartete ein paar Sekunden. »Ja, ich brauche Sie noch für etwas anderes.«

Das Telefon klingelte, als er in sein Büro kam. Er nahm den Hörer ab, und Mary war am anderen Ende.

»Ich habe gehört, was mit Francey passiert ist«, sagte sie ohne lange Vorrede. Sie erklärte nicht, wie sie es erfahren hatte, und Thane wollte nicht danach fragen. Polizistenfrauen verfügten über eine Art ›Buschtelefon‹. »Maggie sagt, er kommt durch. Ist das wahr?«

»Das sagt man im Krankenhaus.«

»Ich wollte es nur noch einmal hören.« Ihre Erleichterung war nicht zu überhören. »Und wie geht es dir?«

»Mir geht es gut, aber ich fürchte, ich komme heute wieder spät nach Hause.« Dann fügte er hinzu: »Ich – ich muß mich mit jemandem treffen.«

»Diese Witwe, wie heißt sie noch? Deine Ehemalige?«

»Ja.«

173

»Dann viel Glück«, meinte Mary fröhlich. »Ich bleibe wach und warte auf dich, damit du mir alles erzählen kannst.«

»Geh zum Teufel«, sagte er scherzhaft.

Mary lachte und legte auf.

7

Die Dämmerung brachte eine Veränderung des Wetters mit sich. Gegen sieben Uhr abends, als Thane in East Kilbride ankam, war es ein windstiller Abend geworden, mit sternklarem Himmel und einer ersten Ahnung von Frost in der Luft.

Er hielt bei der Adresse, die ihm Alexis Garrison angegeben hatte, stieg aus und schaute kurz auf die Reihe von kleinen, aber teuren Häusern. Kein Zweifel, er befand sich in einer exklusiven Gegend.

Vor der Tür brannte eine Lampe. Thane ging über einen Plattenweg, drückte auf den Klingelknopf, und beinahe augenblicklich ging die Tür auf.

»Colin.« Alexis Garrison begrüßte ihn mit einem warmen Lächeln, schloß die Haustür, nachdem er eingetreten war, lehnte sich dann einen Moment dagegen, und das Lächeln blieb auf ihrem Gesicht. »Ehrlich gesagt, ich war mir nicht ganz sicher, ob du wirklich kommen würdest.«

»Du meinst, weil ich dich früher öfters versetzt habe«, sagte er trocken.

In dem weichen Licht der Diele war es nicht schwer, die Jahre zu vergessen. Alexis Garrison hatte ihr blondes Haar nach hinten gekämmt und mit einem Band zusammengebunden. Sie trug ein champagnerfarbenes, stark tailliertes Kleid mit tiefem Ausschnitt. An ihrem Hals funkelte ein Brillant in einer hübschen modernen Fassung aus gehämmertem Gold. Aber eines hatte sich gegen damals verändert: Die Frau mit dem liebenswürdigen Lächeln war gereift und selbstsicher geworden.

»Hast du keinen Mantel?« fragte sie unvermutet.

»Ich habe ihn im Wagen gelassen«, log er.

Und riß sich mit einem Ruck in die Wirklichkeit zurück. Als er seine alte Jacke zuletzt in der Hand hatte, war sie unter dem blutenden

Kopf von Francey Dunbar als Unterlage zusammengerollt gewesen. Morgen mußte er im Krankenhaus danach fragen.

»Aber wir können nicht ewig hier stehenbleiben und uns anschauen.« Alexis nahm seinen Arm und führte ihn ins Wohnzimmer. Die Möbel waren aus Teakholz, die Sitzgruppe aus Leder, der Teppich cremefarben und flauschig. Alexis deutete auf einen der bequemen Armsessel, die einen offenen Kamin aus gehauenen Steinen flankierten. »Was trinkst du? Whisky?«

»Gern – wenn er angeboten wird«, antwortete er und setzte sich.

»Früher war es Bier – außer an Zahltagen.« Sie lachte, ging zu einer kleinen, gut ausgestatteten Hausbar, hantierte dort ein paar Augenblicke und brachte dann die Drinks in schweren, handgeschliffenen Kristallgläsern. Sie prostete ihm mit ihrem Glas zu. »Auf die alten gücklichen Tage.«

»Das waren sie – jedenfalls meistens.« Er trank einen Schluck.

Sie ließ sich in dem anderen Sessel nieder.

»Heute nachmittag war ich nicht so glücklich, nachdem du die Firma besucht hattest«, sagte sie zu seiner Überraschung unvermittelt.

»Warum?« Er zog die Augenbrauen hoch. »Was ist geschehen?«

»Ach, die Leute haben mehr geklatscht als gearbeitet.« Sie schaute düster drein. »Sie hatten es so eilig, die Gerüchte zu verbreiten, daß ihnen gar keine Zeit mehr für die Lieferungen blieb.«

»Was denn für Gerüchte?« fragte Thane interessiert.

»Die Gerüchte, die du in die Welt gesetzt hast mit deinen Fragen über Billy Tripp und Ted Douglas.« Sie nippte an ihrem Drink und schaute Thane über den Rand des Glases hinweg an. »Gib es zu, Colin. Die Geschichte, die du mir beim erstenmal aufgetischt hast – das mit der Rauschgiftszene –, war nichts weiter als der Bluff, den die Polizei in einem solchen Fall zu verbreiten pflegt.«

»Und hast du eine bessere?« fragte Thane.

»In der Firma wird gemunkelt, daß die beiden sich einen schönen Nebenverdienst mit Videopiraterie gemacht haben.« Sie wartete auf seine Reaktion, zuckte mit den Schultern, als sie ausblieb, und fuhr dann fort. »Es sieht zumindest so aus, als ob Billy Tripp in dem Geschäft gesteckt hätte – und als ob Ted Douglas mit ihm durch die Gegend gefahren wäre. Die Leute zählen einfach zwei und zwei zusammen.«

»Ich kann dir ein Computerspiel zeigen«, sagte Thane ungerührt.

»Man fragt den Computer nach der Summe aus zwei und zwei, und er druckt immer wieder als Antwort ›drei‹.«

»Zum Teufel mit Computern«, meinte sie. »Reden wir lieber über Videokassetten. Denn darum geht es doch, oder nicht?«

»Wer weiß?« Thane lächelte und fühlte, daß viel von seiner Antwort abhing. Er wußte genau, daß Alexis Garrison hinter der Fassade aus Freundlichkeit und Wärme lauerte und eiskalt die Lage abzuschätzen versuchte. Sie hatte einen harmlos wirkenden Köder ausgeworfen; nun erwartete sie, daß Thane anbiß. Er nickte. »Ja.«

»Endlich ein Durchbruch?« Sie beugte sich ein wenig nach vorn und gewährte ihm einen Blick auf den Ansatz ihrer Brüste. »Na schön, und kommst du voran?«

Er mußte nach den gleichen Regeln des Spiels spielen, mußte sich Gewißheit verschaffen. Wenn Alexis an der Sache beteiligt war, würde sie inzwischen darüber informiert sein, was in der Riverview Street geschehen war.

»Heute nachmittag ist es uns gelungen, eine Menge Kassetten mit Raubkopien aufzuspüren. Aber alles andere ist danebengegangen. Wir sind noch nicht weiter als bei Billy Tripp.«

»Pech.« Für den Bruchteil einer Sekunde flackerte so etwas wie Erleichterung in den Augen von Alexis auf, dann verschwand der Ausdruck rasch. Aber die Reaktion war unverkennbar gewesen, obwohl sie Thane wieder durch entspannte Fröhlichkeit abzulenken versuchte. »Wodurch ist die ganze Sache eigentlich ins Rollen gekommen – kannst du mir das sagen?«

Eine naheliegende Frage, und wieder hatte Thane den Eindruck, daß sie die Antwort bereits kannte.

»Durch ein paar Kassetten, die wir bei Douglas gefunden haben, als er erschossen wurde. Seitdem geht es bei uns einen Schritt vor und zwei zurück.« Thane mußte an La Mont denken, der über den neuesten Exemplaren schwitzte, und fügte nachdenklich hinzu: »Das ist ein Geschäft, bei dem es ums ganz große Geld geht – und wir sind bestenfalls an der äußersten Spitze des Eisbergs angelangt. Experten behaupten, die Drahtzieher hätten ihren Sitz in der Umgebung von London, und dort, ganz oben auf der Leiter, sahnt jemand tüchtig ab.«

»Warum macht ihr dann so viel Theater, wenn ihr nur am Rand operiert?« fragte sie.

»Theater?« Er preßte unwillkürlich die Lippen zusammen. »Ich sehe es etwas anders, vor allem, seit ein Mann getötet wurde und mein Sergeant schwerverletzt im Krankenhaus liegt.«

Sie leckte sich über die Lippen. »Das habe ich nicht gewußt. Wie geht es deinem Sergeant?«

»Das werden wir erst in ein paar Tagen wissen«, wehrte er ab.

»Es tut mir wirklich leid.« Alexis Garrison seufzte. »Colin, laß uns doch – ich meine, vergessen wir die Sache für heute abend. Ich habe dich eingeladen, um mich mit dir an die alten Zeiten zu erinnern.«

Thane stimmte ihr zu. Sie unterhielten sich über Leute, die sie gekannt, und Orte, die sie besucht hatten. Mehr als einmal versuchte Thane darüber hinauszugehen und mehr über ihr Leben zu erfahren, namentlich aus der Zeit, seit sie sich getrennt hatten. Aber jedesmal wechselte Alexis geschickt das Thema und kam auf die gemeinsamen Erinnerungen zurück. Dabei bot sie ihm noch einen Whisky an, aber er schüttelte den Kopf. Schließlich schwieg sie und schaute demonstrativ auf die Uhr am Kaminsims.

»Fast acht«, stellte Thane fest.

»Und ich muß dich rauswerfen«, gestand sie, während er sich erhob. »Tut mir leid, aber ich muß ans Geschäft denken.«

»Du kannst dich ja am Wochenende erholen«, sagte Thane beiläufig. »Was hast du denn vor? Ich kann mir nicht denken, daß du mit Jonathan zum Angeln fährst.«

»Nein.« Sie lachte. »Ich versuche, so schnell und so weit wie möglich dies alles hier hinter mir zu lassen.«

»Gleich nach der Arbeit?«

»Morgen nachmittag, sobald mein Schreibtisch aufgeräumt ist.« Sie schaute Thane an. »Was du auch denkst – frag mich nicht. Was ich tue, geht niemanden etwas an, solange ich am Montag pünktlich im Büro von Falcon Services bin. Ich bin zwar Witwe, aber ich habe die Lust am Leben noch nicht verloren.«

Sie begleitete ihn durch die Diele zur Haustür, öffnete sie und küßte ihn dann leicht auf die Wange.

»Und das nächste Mal haben wir den ganzen Abend für uns«, versprach sie. »Das garantiere ich dir.«

Thane ging über den Plattenweg hinaus auf die Straße, erreichte seinen Wagen und drehte sich noch einmal um. Alexis winkte ihm zum Abschied zu, dann ging sie ins Haus und schloß die Tür.

Er stieg in den Ford, ließ den Motor an und wartete ein paar Sekunden. Vielleicht irrte er sich, aber jeder seiner Instinkte sagte ihm, daß Alexis Garrison in die Sache verwickelt war. Und dieses eine Mal war sie zu schlau gewesen und in ihre eigene Falle gegangen.

Aber wenn er daran dachte, was er getan hatte, war das nicht dazu angetan, seine Stimmung zu verbessern. Es bedeutete nämlich, daß ihm jetzt auch keine Wahl mehr blieb.

Er fuhr los. Nach etwa hundert Metern streifte das Licht der Scheinwerfer einen kleinen, blauen Caravan. Er hatte schon dort gestanden, als Thane angekommen war, eines von mehreren Fahrzeugen, die am Straßenrand parkten.

Thane schaltete das Funkgerät des Wagens ein, nahm das Mikrofon und drückte auf den Knopf.

»Jetzt sind Sie dran, Joe«, sagte er leise.

Geduckt und von außen nicht sichtbar auf der Ladefläche des Caravans, antwortete Joe Felix per Funk. Dann drehte er sich herum zum Fahrer der Crime Squad, der sich neben ihn kauerte, nickte ihm zu und überprüfte noch einmal die Kamera, die er bei sich hatte. Sie war mit einem leistungsstarken Teleobjektiv ausgerüstet und mit einem Infrarot-Verstärker, der früher zur Ausrüstung einer Nachtkampfkanone der Armee gehört hatte.

Zwanzig Minuten verstrichen, dann fuhr ein großes, schwarzes BMW-Coupé an dem kleinen Caravan vorüber. Kurz darauf verschwand es aus dem Blickfeld – kam aber ein paar Minuten später zurück und wiederholte die Vorstellung.

Beim drittenmal hielt der BMW vor dem Haus von Alexis Garrison.

Der Fahrer und einzige Insasse des Wagens stieg aus und ging direkt auf die Haustür zu. Sie wurde geöffnet, Alexis Garrison begrüßte den Gast, sie gingen beide hinein, und die Tür wurde wieder geschlossen.

Im Caravan senkte Joe Felix die Kamera, überprüfte die Zahl der Bilder, die er geschossen hatte, dann langte er nach seinem Mikrofon und gab seinen Rufcode durch.

Thane antwortete aus dem Ford, der ein paar Straßen weiter parkte.

»Wer war es, Joe?« fragte er.

»Jimbo Raddick«, murmelte die Stimme von Felix aus dem Lautsprecher. »Eindeutig – und wir haben Fotos, mit denen wir es beweisen können.«

»Na schön.« Thane schürzte die Lippen. Sie hatten nichts gegen Raddick in der Hand, und wenn sie ihn jetzt faßten, schlüpfte er ihnen wieder nur durch die Maschen. »Bleiben Sie dran.«

»Könnte eine lange Nacht werden«, maulte Felix.

Thane gab ihm keine Antwort.

Es dauerte eine Stunde, bis Felix sich über das Funkgerät wieder meldete. »Ich habe mich getäuscht«, berichtete er. »Er verläßt das Haus. Soll ich ihm folgen?«

»In sicherer Entfernung«, befahl Thane. »Ich folge Ihnen. Lassen Sie es mich wissen, wenn Sie losfahren.« Er startete den Motor des Ford, ließ ihn im Leerlauf drehen und wartete.

Vier Minuten vergingen, dann meldete sich Joe Felix wieder. Seine Stimme klang schuldbewußt.

»Wir haben ihn verloren, Chef«, gestand er beschämt.

»Wie das?«

»Erst ist diese Garrison an der Tür stehengeblieben, bis er weg war. Dann – verdammt, wir sind an der ersten Kreuzung vom Verkehr aufgehalten worden.« Felix konnte sich nicht genug entschuldigen. »Und was jetzt? Wir haben die Nummer des Kennzeichens.«

»Geben Sie sie durch, Joe, und dann fahren Sie zurück zur Squad«, sagte Thane verdrossen. »Wir sehen uns morgen früh.«

Dann tat er das einzige, was ihm in dieser Situation übrigblieb: Er schaltete auf einen anderen Kanal, setzte sich mit der Verkehrspolizei von Strathclyde in Verbindung und bat darum, daß die Streifenwagen Ausschau hielten nach Raddicks BMW, ohne ihn aufzuhalten.

Und schon als der Mann an der Zentrale von Strathclyde den Befehl wiederholte und die Meldung per Funk an die Streifenwagen verbreitete, wußte Thane, daß es nichts als Zeitverschwendung war.

Er war froh, nach Hause zu kommen. Als erstes rief er im Krankenhaus an. Die Stationsschwester teilte ihm mit, daß es Francey Dunbar besser ginge und er friedlich schlafe. Dann warteten Tommy und Kate darauf, sich auf ihn zu stürzen. Sie hatten inzwischen noch mehr Videoprospekte besorgt und bombardierten ihn mit Vorschlägen.

Es war so ungefähr das letzte, worüber er jetzt nachdenken wollte, doch das war nicht die Schuld der Kinder. Mary beteiligte sich an der Diskussion und sprach so interessiert wie die anderen, aber Thane wußte, daß sie ihn dabei genau beobachtete.

Schließlich gingen Tommy und Kate zu Bett, und er blieb mit Mary allein.

»Ich will nicht fragen, was los ist«, sagte sie leise. »Aber so, wie du aussiehst, kann ich es mir denken.«

»Sie steckt bis über den Hals in der Sache drin«, sagte Thane bedrückt.

»Das tut mir leid.« Mary ergriff seine Hand. »Verdammt, dann ist sie eben doch ein blödes Luder, genau wie damals, als sie dir den Laufpaß gegeben hat.«

Thane liebte seine Frau dafür um so mehr.

Es passierte kurz nach zwei Uhr morgens in der Nähe der Kreuzung 4 auf der Schnellstraße M 74, der Verbindung London-Glasgow und letzten Strecke für alle in Glasgow beheimateten Fernlastfahrer auf ihrer nächtlichen Fahrt ins Standquartier. Aber es dauerte zwanzig Minuten, bis der erste Anruf die Polizei von einem der Notruftelefone an der Schnellstraße erreichte. Die Straßenwacht des Streckenabschnitts Q in Hamilton erfuhr es als erste, Abschnitt P wurde unmittelbar danach benachrichtigt, und von dort aus wurde die Nachricht weiter verbreitet.

Das Blatt des Telexgeräts füllte sich rasch mit geheimnisvollen Zeichen.

```
SER. NR. 1193CRI 02.23 DIV — AS
CODE (1) 20 00 00 CODE (2) 05 00 00
STANDORT M 74 SÜDL. KREUZ. 4.
MELDUNG. ANRUFER AUFGEHALTEN, VIER MÄNNER,
BEWAFFNET HANDFEUERWAFFEN UND GEWEHR.
GEWEHR IN LUFT ABGEFEUERT. LASTW. CONTAINER MARKE
MERCEDES KENNZ. NR. BHP 720 T GESTOHLEN.
ZULETZT GESEHEN AUSFAHRT M 74 KREUZUNG 4.
VERMUTET RICHTUNG OSTEN. KEIN PERSONEN-
SCHADEN. ANRUFER MR. ROBIN BANKS, LKW MERC. FAHRER.
EINSATZ VON CR Q6 — V53 CR Q11 — V82 — P14 — 82
CR P9 — 74 CR 14 — H53. ZUSÄTZL. EINH. ANGEFORD.
```

02.27	CR Q6 BM2 0000 0000
02.28	FUNKSPRUCH ÜBER AS
02.28	TM2
02.30	AM4 0000 AM2 0000 AM4 0000
02.42	CR Q6 SONDERFAHNDUNG EINGELEITET GRAUER
	TRANSIT KASTENW. HECK BESCHÄD. U. BLAUER
	BEDFORD KASTENWG. WEISSE STREIFEN.
	KENNZ. NR. BEIDE UNBEK. ACHTUNG BEIDE
	MIT BEWAFFN. MÄNNERN AN BORD.
02.45	CR Q11 MERCEDES LKW BHP 720 T MÖGL. BESCHÄD.
	SCHEINWERFER FAHRERS.
02.47	CR P4 BESCHÄD. TRANSIT KASTENW.
	VERLASSEN AUFGEFUNDEN, KEINE SPUR VON
	INSASSEN.
02.49	CR P9 VM12 0000 0000
ZUSAMMENFASSUNG	
02.50	CR Q6 – V53
	SANKA NICHT ERFORDERL. KEIN PERSONENSCHADEN.
	MERCEDES LKW ZUM ANHALTEN GEZWUNGEN.
	GEWEHR IN LUFT ABGEFEUERT, ANRUFER/FAHRER
	ZUM VERLASSEN AUFGEFORDERT. ÜBERFALLEN,
	DANN IN GRABEN GESTOSSEN. MERCEDES
	WEGGEFAHREN, DAZU BEIDE KASTENWAGEN.
	ALLE ANGREIFER MASKIERT, KEINE IDENTIF.
	MÖGLICH. KASTENWAGEN KENNZ. NR. UNKENNTLICH.
	KRIPO EINGETROFFEN.
02.52	CR Q6 – V53. MERCEDES TEILLAD. 50 KARTONS
	JE 100 VIDEOKASSETTEN LEER.
02.53	CR P4. BESCHÄD. TRANSIT KASTENW. IDENTIFI.
	ALS FGG 678 X GESTOHLEN GEMELDET GLASGOW.
	ZURÜCKGEHALTEN FÜR POLIZEI. U. GERICHTL.
	LABORUNTERS. KRIPO MITWIRKUNG. ABSCHLEPP-
	DIENST ANGEF. WEGEN HECKBESCHÄD. NICHT FAHR-
	TÜCHTIG.
02.56	CR Q6 KRIPO FÜHRT UNTERS. WEITER.
	FESTN. 00 ANKLAGEN 00.

Vier Stunden später und fünfzehn Meilen entfernt davon, in der angrenzenden Central Region, fand die erste Morgenschicht einer kleinen, abgelegenen chemischen Fabrik den Mercedes-Lastwagen und den blauen Bedford verlassen und nebeneinander stehend im Fuhrpark. Zwanzig Kartons Videokassetten fehlten aus dem Container des Mercedes, der aufgebrochen worden war. Der Bedford war angezündet worden und ausgebrannt; seine Kennzeichen waren identisch mit einem in Glasgow gestohlenen Wagen des gleichen Typs.

Aber die Männer, die die Wagen hierhergefahren hatten, waren verschwunden.

Colin Thane erfuhr davon um acht Uhr morgens, als Jack Hart ihn zu Hause anrief. Der Commander der Crime Squad war bereits an seinem Schreibtisch und in einer so miserablen Stimmung, daß er seine gesamte Umgebung anschnauzte.

»Die Methode und alles andere paßt«, ratterte seine Stimme durch die Leitung. »Es ist die gleiche Bande – sie muß es sein, und Sie wissen, was das bedeutet. Wenn dieser Trottel von Fahrer, den Joe Felix gestern bei sich hatte, Raddicks Wagen nicht aus den Augen verloren hätte ...« Er gab auf, mit einem Knurren der Verzweiflung. »Hören Sie, Sie müssen sich diesen Kanadier vornehmen –«

»La Mont?«

»Gibt es einen anderen?« fragte Hart zurück. »Er soll um neun in Ihrem Büro sein, und wenn Sie ihn fesseln und knebeln müssen. Quetschen Sie ihn aus über die Bänder, die wir gestern reinbekommen haben. Und um halb zehn treffen wir uns zu einer Lagebesprechung bei mir. Ich möchte uns in Schwung bringen, bevor die verdammten Bürokraten mit ihren Nadelstreifenanzügen ihr morgendliches Kreuzworträtsel gelöst haben und sich überlegen, was sie zu Mittag essen sollen.«

»Gibt es was Neues über Francey?« fragte Thane, als die Tirade seines Chefs beendet war.

»Ja.« Jack Harts Stimme klang eine Spur fröhlicher. »Die Nachtschicht hat bei ihm vorbeigeschaut, bevor sie nach Hause gegangen ist. Keine Komplikationen, Gott sei Dank. Die Ärztin wird ihn heute früh noch einmal untersuchen, und anschließend dürfen wir zu ihm vorgelassen werden.«

Hart legte auf. Thane sagte ein »Bis später« in den toten Hörer, dann legte er ebenfalls auf.

Er ging in die Küche, wo Mary nach dem Frühstück aufräumte. Es war einer der Tage, an denen sie ihrem Teilzeitjob nachging; das hatte zur Folge, daß jeder im Haus, selbst der Hund, früher als sonst mit allem fertig sein mußte.

»Wer war das?« fragte sie und warf Toastreste in den Mülleimer.

»Jack Hart; er hat Nägel gespuckt.« Thane bekam noch eine Tasse Kaffee, bevor die Kanne ausgeleert wurde. Er hörte, wie Tommy und Kate oben herumpolterten und sich für die Schule bereitmachten.

»Aber Francey scheint es besserzugehen.«

Er nahm die Kaffeetasse mit ans Telefon, schlug die Nummer des Albany Hotels nach und trank einen Schluck, während er wählte.

Die Vermittlung des Hotels hatte offenbar Mühe, aus dem Zimmer des Kanadiers Antwort zu bekommen. Aber schließlich vernahm Thane die verschlafene Stimme von La Mont.

»Sie wollen mich um neun Uhr morgens sehen?« La Mont hob die Stimme zu einem ärgerlichen Protest. »Hören Sie, Superintendent, ich bin die halbe Nacht aufgewesen, um mir diese verdammten Drecksvideos anzuschauen. Ich bin kein Polizist. Ich bin es gewohnt, morgens anzufangen wie ein zivilisierter Mensch –«

»Sie haben die Wahl«, sagte Thane seelenruhig. »Welche Größe brauchen Sie bei Handschellen?«

»Guter Gott!« stieß La Mont aus. »Jetzt hören Sie –«

Thane unterbrach ihn.

»Also rate ich Ihnen, um neun in meinem Büro zu sein.« Er grinste den Hörer an. »Und – vielen Dank für Ihre Kooperation.«

Es war ein heller, sonniger Tag mit nur wenigen Federwolken am Himmel – ein Tag, an dem es leichtfiel, mit sich und seiner Welt zufrieden zu sein.

Für Colin Thane war es ein Tag, an dem er schon auf der Fahrt zur Arbeit wußte, daß nur sehr wenig klappen würde.

Als er bei der Crime Squad ankam, war sein üblicher Parkplatz besetzt. Ein blauer Polizeibus war der Schuldige; er belegte gleich mehrere Parklücken. Achselzuckend stellte Thane den Ford auf einem anderen, reservierten Parkplatz ab und ging hinein. Im Bereitschaftsraum herrschte bereits lebhafter Betrieb; Thane sah erst Sandra Craig, dann Joe Felix und deutete ihnen an, sie sollten in sein Büro kommen.

Sobald sie dort waren und die Tür hinter sich geschlossen hatten, zündete er sich die erste Zigarette des Tages an.

»Francey Dunbar scheint es besserzugehen«, berichtete er ihnen als erstes.

Sie hatten es bereits gehört.

»Unser Sergeant ›Dickschädel‹«, murmelte Sandra. »Ich hätte gewettet, daß ihm ein Schlag auf den Kopf nicht viel ausmacht.«

»Und deshalb bist du gestern abend noch einmal ins Krankenhaus gefahren?« fragte Felix spöttisch. Dann schaute er Thane betreten an. »Während ich ein besonders großer Gewinn für die Crime Squad war und Raddick aus den Augen verloren habe.«

»Der taucht schon wieder auf.« Thane zuckte mit den Schultern. »Wenn Sie Strafarbeit machen wollen, bleiben Sie hier. La Mont ist auf dem Weg in mein Büro.«

Felix seufzte, nickte aber dazu.

»Danach habe ich eine Besprechung mit Commander Hart.« Thane schaute die beiden scharf an. »Was haben wir über Nacht reinbekommen? Wo sind diese Fotos?«

»Die sind schon bei Commander Hart«, sagte Felix. »Er hat – na ja, er hat sich alles geben lassen, was mit dem Fall in Zusammenhang steht.«

Thane murrte, nickte aber dann. »Jetzt sind Sie an der Reihe, Sandra. Was hat die Überprüfung der Stromausfälle ergeben?«

»Wir haben eine Liste mit Daten.« Sie nahm die Landkarte, die auf seinem Schreibtisch lag, und faltete sie auf, während sie sprach. »Es konzentriert sich auf zwei von Ihren Küstenstreifen; ich habe sie markiert.«

Thane warf einen Blick auf die Karte. Den ersten Strand kannte er sehr gut: eine fünf Meilen lange Bucht bei Loch Fyne. Dann überdachte er mit gefurchter Stirn die zweite Möglichkeit. Das war eine einsamere Gegend, ein zehn Meilen langer Küstenstreifen in Argyll, nicht weit von Oban gelegen.

»In der Umgebung von Loch Fyne erfolgte der Stromausfall bei Tag«, sagte Sandra leise. »In Oban dagegen vier Stunden während der Nacht – und zwar in der Nacht, bevor Ted Douglas getötet wurde.«

»Dann muß es die Küste bei Oban sein.« Thane betrachtete noch einmal die Landkarte. Auf dem Zehnmeilenstück, das in Frage kam, gab es eine Menge kleiner Buchten, aber wenige Straßen und nur einzelne, verstreute Ortschaften. Die eigentliche Küstenstrecke war mindestens doppelt so lang wie die zehn Meilen Luftlinie. »Ist Commander Hart auch darüber informiert?«

»Ja, Sir.«

»Gibt es überhaupt noch was, worüber er nicht informiert ist?« fragte Thane.

»Ja, eines.« Joe Felix kratzte sich durch das Hemd an der Brust und schaute düster drein. »Die Überprüfung der Liste aller Aushilfsfahrer, die wir von Falcon Services erhalten haben. Zwei Namen davon tauchen in unserem Computer auf, aber der eine sitzt im Gefängnis wegen Tätlichkeiten gegenüber seiner Ehefrau, also kommt er nicht in Frage.«

»Und der andere?«

Felix zuckte mit den Schultern. »Der ist seit ein paar Tagen untergetaucht, wie es scheint. Er ist ein gewöhnlicher Gauner namens Maxie Brown – und er hat ein paar Vorstrafen wegen Autodiebstahls. Ist er es wert, daß man nach ihm fahndet?«

»Nicht, solange wir Besseres zu tun haben.« Thane schaute auf seine Armbanduhr und sah, daß es fast neun Uhr war. Als er wieder aufblickte, fiel ihm noch etwas ein. »Campbell und MacDonald sollten herausfinden, wem dieses Fabrikgebäude in der Anstruther Lane gehört.« Er sah, daß Felix mit Sandra einen Blick tauschte, und sagte: »Auch schon bei Commander Hart, wie?«

Sie nickten. Thane seufzte noch einmal. Jack Hart griff also ein, und zwar entschlossen. Doch das machte den Beteiligten das Leben nicht gerade leichter.

John La Mont traf zehn Minuten später ein. Joe Felix brachte ihn in Thanes Büro, und kaum daß sie sich erblickten, legte der bärtige Kanadier mürrisch seine Verärgerung an den Tag.

»Haben Sie vergessen, daß ich auf Ihrer Seite stehe, Superintendent?« fuhr er Thane an und ließ sich auf einem Stuhl nieder. »Was ich Ihnen mitteile, bekommen Sie gratis und franco. Es paßt mir nicht, daß Sie mich herumschubsen wie einen Botenjungen, und das gilt doppelt zu einem Zeitpunkt, wo ich noch gar nicht richtig wach bin.«

»Beschweren Sie sich bei Commander Hart«, schlug Thane ungerührt vor. »Es war seine Idee. Und ich hielt sie für gut.«

»Hart hat es angeordnet?« La Mont blinzelte vor Überraschung. »Soll das ein Witz sein?«

»Sehen Sie, daß hier jemand lacht?« fragte Joe Felix.

La Mont warf ihm einen wütenden Blick zu.

»Seien Sie nett zu unserem Gast«, schalt ihn Thane milde. »Und besorgen Sie uns Kaffee.

»Aber geben Sie mir nicht zuviel Arsen hinein«, sagte La Mont bissig, während Felix hinausging. Dann schaute er mit gefurchter Stirn auf die geschlossene Tür. »Möchte wissen, was in den gefahren ist. Zuerst konnte ich prima mit ihm arbeiten. Und jetzt tut er so, als sei ich ein Aussätziger – warum diese Wende?«

»Fragen Sie ihn lieber selbst«, schlug Thane vor. »Mich interessieren mehr die Videobänder, die wir gestern gefunden haben.«

»Aus der Lagerhaus-Kollektion?« La Mont knurrte. »Nichts weiter als ein Haufen Raubkopien und Fälschungen, aus verschiedenen Quellen und von verschiedener technischer Qualität. Ein paar kommen aus demselben Stall wie *Der Baum zum Hängen*, die übrigen können von überall stammen.« Er legte eine Pause ein und schaute Thane dann fragend an. »Haben Sie mich hierhergezerrt, weil Sie das von mir hören wollten?«

»Nein«, sagte Thane leise.

»Und was steht demnach noch auf der Liste?«

»Gegen zwei Uhr heute morgen wurde hier in der Gegend ein Containerlastwagen aus London überfallen und entführt. Die Bande, die dafür verantwortlich ist, war bewaffnet, und die Ladung des Lastwagens bestand aus unbespielten Videokassetten.«

La Mont zuckte zusammen. »Wie viele?«

»Mehrere Tausend.« Thane schaute ihn grimmig an. »Sie sind der Video-Experte: Sagen Sie mir, warum das immer wieder geschieht.«

»Nun, weil ...« La Mont leckte sich über die Lippen. »Es gibt da – äh – einen Markt. Die Videoläden nehmen einen Teil der Ware ab, oder ...«

»Oder was?«

»Es könnte ein Auftragsjob für Videopiraten sein«, sagte La Mont langsam. »Sie brauchen große Vorräte an Leerbändern zum Kopieren. Und sie können nicht en gros einkaufen – man würde zu viele Fragen stellen. In kleinen Mengen einzukaufen, ist lästig. Aber wenn sie gestohlene Ware bekommen, zum halben Preis, ist das ideal.« Er machte eine unbestimmte Geste. »Vielleicht kennt die hiesige Bande jemanden im Süden Englands.«

»Warum im Süden?« Thane war aufgestanden und kam um den Schreibtisch herum, dann blieb er neben dem Kanadier stehen. Er stellte die Frage noch einmal und ohne Erregung in der Stimme. »Warum im Süden? Muß denn alles in London stattfinden?«

»Ich –« La Mont schaute auf zu ihm. »Was wollen Sie damit sagen?«

»Daß ich gern Beweise hätte«, antwortete Thane mitleidlos.

La Monts breites Gesicht verzog sich zu einem Grinsen, das freilich alles andere als fröhlich wirkte. »Unmöglich. Wenn man Sie reden hört, klingt das fast wie Joe Felix.«

»Detective Constable Felix«, korrigierte Thane. »Der vielleicht nicht viel über Videogesetze weiß, aber ein verdammt guter Techniker ist.« Er ging ans Fenster und sprach weiter, ohne sich umzudrehen. »Wie ist das mit Ihnen, La Mont? Vielleicht kennen Sie jeden rechtlichen Kniff im Videogeschäft. Aber wie steht es mit Ihrem Wissen auf dem Gebiet von Joe Felix?«

Er wartete, schaute hinaus auf den Parkplatz und schien den Mann hinter sich vergessen zu haben. Eine halbe Minute lang war es still im Raum, dann vernahm Thane ein Seufzen.

»Das ist nicht vorhanden«, sagte La Mont betroffen.

Thane drehte sich um. Der Kanadier war aufgestanden und hatte die Hände in den Taschen vergraben.

»Soll ich ehrlich sein mit Ihnen?«

Thane nickte.

»Als wir uns kennenlernten, sagte ich Ihnen, ich sei Anwalt und auf Urheberrecht spezialisiert.« La Mont blickte auf seine Schuhe hinunter und wirkte bärenhafter als je zuvor – ein zutiefst beschämter Bär allerdings. »Das bin ich auch, und ein recht guter obendrein. Ich wollte diesen Job, und ich habe die anderen geblufft.«

»Und wie steht es mit dem technischen Wissen?«

»Nun, ich habe mir ein paar von den Grundbegriffen angeeignet.« La Mont blickte auf. »Wie sehr habe ich Sie bei Ihren Ermittlungen behindert?«

»Das wird sich zeigen«, entgegnete Thane ohne Beschönigung.

»Alles, was ich Ihnen über die Kassetten sagte, die Sie mir zur Untersuchung gaben, stimmt«, erklärte La Mont verdrossen. »Dafür kann ich garantieren.«

»Und das mit London?«

La Mont zuckte mit den Schultern. »Wenn man der Experte ist, muß man überzeugte Geräusche absondern. Der Stall, in dem *Der Baum zum Hängen* hergestellt wurde, kann in London oder Umgebung stehen. Vielleicht befindet er sich aber auch woanders. Es gibt Gerüchte und viel Geschwätz. Ein Teil des Videopiratentums ist international, und man flüstert, daß einer der neuen Leute von Spanien aus operiert.«

Thane starrte ihn an, dann packte er ihn fast grob am Arm.

»La Mont«, sagte er leise, »ich kann mit Phantasiegebilden nichts anfangen. Wenn Sie mir nur Flöhe ins Ohr setzen wollen, verdammt noch mal —«

»Das mit Spanien scheint zu stimmen«, sagte La Mont. Er richtete sich gerade auf und schaute düster drein. »Es ist nur ein Gerücht, nicht mehr – und ich kenne keine Namen. Aber die Quelle ist gut. Sollte sie sein – ich bezahle sie gut genug. Warum? Ist das wichtig?«

»Sie haben sich gerade selbst aus dem Dreck gezogen«, sagte Thane mit Nachdruck. Er ließ La Monts Arm los, und das Durcheinander aus Möglichkeiten und Fakten begann sich allmählich zu entwirren.

»Ich verstehe noch immer nicht«, meinte La Mont verblüfft.

»Das ist auch nicht nötig – noch nicht«, antwortete Thane. Er grinste und stürzte La Mont damit in noch größere Verwirrung. »Vor einer Minute war ich bereit, Ihrem fetten Arsch einen Tritt zu geben und Sie rauszuwerfen. Jetzt ... Vielleicht können Sie demnächst Ihren Bossen melden, Sie haben mitgeholfen, eine der besten Piratenorganisationen, die es je gab, hochgehen zu lassen.«

La Mont schluckte und war sprachlos.

Die Tür ging auf; Joe Felix kam herein und hatte zwei Becher mit Kaffee in den Händen. Er schaute erst La Mont, dann Thane an und fühlte, daß etwas geschehen sein mußte.

»Unser Freund hier möchte mit Ihnen sprechen, Joe«, sagte Thane milde. »Er möchte einiges zurechtrücken und hat, glaube ich, Ihren Rat nötig.« Jetzt schaute er La Mont an. »Außerdem möchte er sich entschuldigen – nicht wahr?«

La Mont nickte.

»Dieser da?« Felix war durch und durch Skepsis.

»Dieser da«, bestätigte Thane. Er schaute auf die Uhr. Genau halb zehn. »Bedaure, ich kann nicht bleiben, muß zu einer Besprechung.«

Er war der vierte am runden Tisch im Büro des Commanders. Phil Moss saß links von Hart, grinste und blinzelte Thane an. Der Stuhl rechts von Hart war frei und für Thane reserviert, und gegenüber saß Inspector Rome von der Dienststelle Govan.

»Also, fangen wir an«, sagte Jack Hart knapp. »Ich habe Maggie beauftragt, die Zugbrücke hochzuziehen, bis wir fertig sind. Phil Moss ist hier als Verbindungsmann zu Strathclyde – damit wir niemandem auf die Zehen treten. Aber –«, er zeigte mit einem warnenden Finger auf Moss, »– das ist alles. Ein Schreibtischjob. Das habe ich Ihrem Chef bereits eingetrichtert. Rome ist hier, weil er die Untersuchung bei Joe Daisys Tod leitet. Ist das Ihnen beiden klar?«

Die angesprochenen Männer nickten, Moss mit einem leicht amüsierten Stirnrunzeln, während Romes schmales, junges Gesicht ernst blieb.

»Schön.« Hart warf einen Blick auf seinen Notizblock. »Ich habe eine Art Tagesordnung aufgestellt und will mich daran halten.« Er ließ eine Pause entstehen, hakte den ersten Punkt auf seinem Block ab und wandte sich dann an Thane. »Was haben Sie aus La Mont rausgekriegt?«

»Mehr, als ich erwartet habe«, antwortete Thane.

»Nämlich?« Hart lehnte sich zurück und zeigte sich überrascht. »Schauen Sie nicht so verdammt selbstgefällig drein, sondern sagen Sie, was Sie aus ihm rausgekriegt haben.«

»Die Piratenkopien vom *Baum zum Hängen* können die Marke ›Made in Scotland‹ bekommen. Wir waren hinter den richtigen Leuten her, aber aus den falschen Gründen; sie vertreiben nicht diese Kassetten, sondern stellen sie her.« Thane bemerkte, wie Hart ihn überrascht anschaute, und gestattete sich den Anflug eines Lächelns. »So sieht es jetzt aus. Kann sein, daß sie alles in den Süden transportieren und London zum Verteilerzentrum gemacht haben, aber die Bänder werden hier, in Schottland, kopiert. Das beste Kopierwerk für Piratenvideos ist vermutlich direkt vor unserer Haustür.«

Hart schluckte. »Das müssen Sie erklären.«

Thane tat es, und seine Zuhörer schwiegen aufmerksam, bis er mit seinem Bericht am Ende war.

»Es paßt alles«, sagte Hart langsam. »Moss?«

Phil Moss nickte. »Es paßt, Sir. Und es erklärt auch, warum sie bereit sind, notfalls so viel Gewalt einzusetzen.«

»Ich meine –«, begann Rome. Aber dabei beließ er es und schüttelte den Kopf. Niemand bat ihn zu sagen, was er meinte.

»Also hat Jimbo Raddick das alles von Spanien aus geleitet, mit ein bißchen Unterstützung von seinen Freunden. Oder war es andersherum?« Hart schlug einen Aktenordner auf, der auf seinem Schreibtisch lag, nahm ein Foto heraus und schob es zu Thane hinüber. »Haben Sie die schon gesehen?«

»Nein.« Thanes Lippen wurden etwas schmaler, als er einen Blick auf den Abzug warf. Die Kamera von Joe Felix und der Lichtverstärker hatten das Foto gestochen scharf werden lassen. Raddick stand mit Alexis Garrison an ihrer Haustür. Er hatte den Arm um ihre Taille gelegt.

»Die anderen können Sie später sehen.« Hart räusperte sich, als sei er peinlich berührt. »Halten wir uns an die Tagesordnung.« Dann schaute er wieder auf seine Notizen und hakte einen Punkt ab. »Als nächstes ist die Entführung des Lastwagens dran. Eine Sache, die von Strathclyde untersucht wird. Moss?«

»Bis jetzt nicht viel«, berichtete Moss. »Es handelte sich nicht um Amateure. Wir haben mit der Polizei von Central Region zusammengearbeitet; weder im Lastwagen noch in dem einen Kastenwagen fanden sich irgendwelche brauchbaren Spuren. Und wenn sie welche im anderen Kastenwagen hinterlassen haben sollten – der ist bekanntlich völlig ausgebrannt.«

»Fingerabdrücke?« fragte Hart.

»Ein paar verwischte, sonst nichts. Aber es steht so gut wie fest, daß es dieselbe Bande ist wie bei den früheren Überfällen. Sie haben CB-Funk eingesetzt.« Moss warf einen Blick auf Thane. »Vielleicht auf der Code-Folge, die Sie entdeckt haben. Einer unserer Leute hat eine hiesige Funkerin ausfindig gemacht, die sich ›Passionsblume‹ nennt. Sie fühlt sich einsam, ist über vierzig und unterhält sich gern nachts mit CB-Funkern. Sie hat gestern abend auf mehreren Kanälen seltsame Gespräche aufgeschnappt, bei denen stets die Antwort ›fehlte‹.«

»Passionsblume – du meine Güte«, knurrte Hart. »Na schön: CB-Funk und keine Amateure. Eine Ahnung, warum sie nur die Hälfte der Bänder geklaut haben?«

»Nicht ausreichend Transportmöglichkeiten«, meinte Moss.

»Bei einer derartigen Organisation?« Hart schüttelte ungläubig den

Kopf und warf wieder einen Blick auf seinen Block. »Nächster Punkt – ja, jetzt sind Sie dran, Rome. Was Neues über den Fall Joe Daisy?«

»Nein«, antwortete Rome betrübt. »Es – es erweist sich als schwierig, Sir.«

»Das kann ich mir denken.« Hart überraschte ihn mit einem verständnisvollen Nicken. »Versuchen Sie es weiter.« Und auf seiner Liste wurde der nächste Punkt abgehakt. »Moss, Ihre Erkennungsdienstleute haben sich mit dem Depot in der Anstruther Lane befaßt.«

»Sie sind immer noch dabei, die einzelnen Fakten zusammenzusetzen.« Moss lehnte sich zurück und schien zuversichtlich. »Aber es sieht gut aus – sogar sehr gut. Dort haben wir sie erwischt, als etwas nicht ganz nach Plan gelaufen sein muß. Es sieht so aus, als ob wir einen ganzen Katalog von Fingerabdrücken erwischt hätten – bis jetzt die von Raddick, Tripp, von Glasmann und sogar die von Ted Douglas.« Er grinste. »Jemand hat obendrein die besten ›Gebißabdrücke‹ hinterlassen, die ich je gesehen habe – auf einem Käsebrot.«

»Und was ist mit Papieren und sonstigen Hinweisen?«

»Noch nichts«, räumte Moss ein. »Aber wir sind noch nicht fertig.« Er schaute hinüber zu Thane. »Vielleicht kann Francey ...«

Thane nickte.

»Sobald die Medizinmänner sich zurückgezogen haben«, sagte Hart bissig. »Das ist kein Beruf, das ist eine Verschwörung. – Also, ich habe noch ein paar Kleinigkeiten, wie zum Beispiel –«

Er brach ab, riß die Augen weit auf, während draußen ein seltsames Heulen einsetzte, ein Geräusch, das noch anschwoll und von Trommelschlägen unterstrichen wurde.

»Soll ich vielleicht bei diesem Lärm arbeiten?« Hart fluchte, sprang auf und lief zu seinem halb offenen Fenster. »Schaut euch das an – der Teufel soll sie holen!«

Die drei anderen kamen ebenfalls herüber ans Fenster, und Thane fiel wieder der Bus ein, den er auf dem Parkplatz gesehen hatte.

Auf dem Rasen vor dem Gebäude formierte sich mit schwingenden Kilts und Federhüten eine Dudelsackgruppe. Sie trug die volle Hochland-Tracht, gehörte zu Strathclyde, war mehrmals Weltmeister geworden und bereiste die ganze Welt. Einmal im Monat kam sie ins Trainingszentrum, um hier zu proben.

»Verdammter Lärm«, schimpfte Hart und knallte das Fenster zu. Die Musik drang etwas gedämpft herein, und Hart bat die drei anderen wieder an den Tisch. »Machen wir weiter.«

Seine ›Kleinigkeiten‹ waren das, was das Wort besagte: Erkenntnisse, die das Bild abrundeten.

Über die Zulassungsnummer wurde festgestellt, daß Jimbo Raddicks BMW gegen bar von einem Händler erworben worden war. Doch der Wagen war noch nicht auf einen neuen Besitzer zugelassen.

Man hatte auch den Besitzer des Depots in der Anstruther Lane ermittelt, ebenfalls mit wenig brauchbarem Ergebnis.

»Jemand hat ihm die Miete für zwei Jahre im voraus bezahlt, wieder in bar, und mehr will der Mann nicht wissen«, sagte Hart sarkastisch. Er zuckte zusammen, als die Dudelsäcke vor dem Fenster die Melodie des ›Highland Laddie‹ anstimmten, fuhr aber wild entschlossen fort. »Der Vertrag war mit einer Firma abgeschlossen, die sich ›Calasan‹ nennt, und es wird keinen von Ihnen verwundern, daß es diese Firma gar nicht gibt.«

»Wer hat denn das Geld abgeliefert?« fragte Thane.

»Eine Frau«, berichtete Hart. »Blond, Ende Dreißig oder älter, blaue Augen. Muß ich fragen, wer das gewesen sein könnte?«

Thane schüttelte den Kopf.

»Und das bringt uns zurück in die Gegenwart und zu der Frage, was wir unternehmen sollen«, fuhr Hart fort. Er lehnte sich zurück, den Blick auf Thane gerichtet. »Fürchte, daß Sie auch in dieser Richtung einschreiten müssen. Wollen Sie diesen Teil der Ermittlungen abgeben?«

»Nein«, sagte Thane schlicht.

»Gut.« Hart murmelte etwas Unverständliches, schien aber erleichtert zu sein. »Sie werden noch ein paar Leute brauchen. Ich gebe Ihnen Campbell und MacDonald und wen wir sonst noch erübrigen können. Was werden Sie vordringlich unternehmen?«

»Ich werde mich auf dem besagten Küstenstrich umsehen. Vermutlich befindet sich dort die Basis, das Kopierwerk.«

»Gut.« Hart nickte. »Gehen wir einmal davon aus, daß es sich dort befindet. Schicken Sie Campbell und MacDonald hin, und sagen Sie ihnen, sie sollen mit der Ortspolizei in Verbindung treten, aber warnen Sie sie dahingehend, daß der Fall vertraulich behandelt wird, bis wir unserer Sache sicher sind.« Er wartete, und die Dudelsackklänge erfüllten den Raum. »Was noch – von Francey abgesehen?«

Hart stellte die Frage nicht ohne Grund, und Thane wußte, warum.

»Alexis Garrison.«

»Und ihr verdammter Schwager – wo der auch sein mag«, fügte Hart hinzu. Er zog die Stirn in Falten. »Unterschätzen Sie den Schwager nicht. Ein halbverrücktes Elektronik-Genie würde gut ins Drehbuch passen.« Wieder legte er eine Pause ein. »Sie ist in ihrem Büro. Ich lasse sie seit heute morgen beschatten. Dachte, Sie haben nichts dagegen.«

»Nein.« Thane schenkte dem Commander ein bitteres Lächeln. »Vielleicht können wir das noch besser. Wenn Sandra und Joe Felix wieder zur Firma Falcon Services fahren, unter irgendeinem Vorwand, könnte Joe einen Sender in ihrem Wagen anbringen.«

Die Idee schien Hart zu gefallen. »Warum nicht? Dann könnten wir sie ohne Einschränkungen überwachen. Ja, macht das.«

Die Einsatzbesprechung war beendet. Phil Moss und Rome verabschiedeten sich; Thane blieb noch bei Hart und besprach mit ihm ein paar Einzelheiten.

»Das wär's.« Schließlich zerknüllte Hart den Zettel mit der ›Tagesordnung‹ und warf ihn in den Papierkorb. »Eines noch, Colin: Ich möchte, daß alle Ihre Leute bewaffnet sind. Es wäre mir zuwider, wenn ich die Medaillen den Polizistenwitwen übergeben müßte.«

Thane hatte damit gerechnet.

Der traditionelle britische Bobby, der als einzige Waffe einen Schlagstock mit sich führt, war noch immer die Regel. Aber inzwischen waren zu viele britische Kriminelle mit Handfeuerwaffen ausgerüstet und benützten sie auch, so daß zu viele traditionelle britische Bobbies verletzt oder getötet worden waren.

Mehr und mehr ging die Polizei dazu über, ihre Angehörigen im Gebrauch von Schußwaffen zu trainieren. Die Regeln hatten sich geändert. Wenn man annehmen konnte, daß der Gegner Waffen trug, wurden auch für die Polizeibeamten Waffen ausgegeben.

Zur Notwehr – oder zum Gebrauch entsprechend den Umständen.

Er nickte. »Sonst noch was, Sir?«

»Nein.« Hart langte über den Schreibtisch und drückte auf die Taste seiner Gegensprechanlage. »Maggie –«

»Sir?«

»Lassen Sie die ›Zugbrücke wieder runter‹. Die Besprechung ist beendet.« Hart ließ die Taste los und schaute Thane verkniffen von der Seite an. »Also los – bringen Sie es hinter sich.«

La Mont war schon gegangen, als Thane in sein Büro zurückkam. Joe Felix lächelte und nickte nur, ohne zu verraten, was zwischen den beiden Männern vor sich gegangen war.

Thane mußte sich mit anderen, wichtigeren Dingen beschäftigen; er mußte einen Plan entwerfen und alles Notwendige organisieren. Das bedeutete eine Serie von Telefonaten und kurze Verständigungssitzungen, bedeutete, daß man Männer und auch Frauen von Fällen, die sie gerade bearbeiteten, abziehen und das Arbeitsgebiet ihrer Kollegen vergrößern mußte, damit sämtliche Belange der Polizei trotz der geplanten Operation gewahrt blieben. Hart hatte bereits den Sergeant benachrichtigt, der das Waffenarsenal verwaltete, doch dieser wollte erst noch Einzelheiten überprüfen. Detective Inspector Hugh Campbell und Sergeant Donald MacDonald kamen als nächste dran.

Für die Fahrt nach Norden bis Oban und zu dem Küstenstreifen, auf den es ankam, brauchten sie mindestens zwei Stunden. Doch der Flugplatz war nur ein paar Minuten entfernt, direkt an der Schnellstraße, und ein Hubschrauber konnte sie von dort nach Oban bringen, wo sie mit der örtlichen Polizei in Verbindung treten sollten. Das Ganze würde keine halbe Stunde in Anspruch nehmen.

Er informierte die beiden Männer ausführlich über ihren Auftrag und schickte sie dann los. Kurz darauf fuhren vier weitere Leute der Crime Squad in zwei Wagen Richtung Norden ab.

Danach kamen Sandra und Joe Felix an die Reihe. Sie hörten ihm aufmerksam zu, als er ihnen klarmachte, was er vorhatte, aber nachdem er mit seinen Erklärungen am Ende war, tauschten die beiden einen Blick, und Sandra zog die Stirn in Falten.

»Was geschieht, wenn wir den Sender an ihrem Wagen angebracht haben?« fragte sie. »Sollen wir dann die Firma nicht aus den Augen lassen?«

Felix nickte bekräftigend. »Wir stecken von Anfang an in der Sache drinnen, Chef. Booten Sie uns jetzt nicht einfach aus.«

Thane erkannte, daß sie notfalls auf stur schalten wollten.

»Eine andere Einheit wird die Überwachung übernehmen«, versprach er. »Aber bringt den Sender an dem Wagen an, wie, ist mir egal.«

Dann mußten noch ein paar Telefonate geführt werden. Ein Anruf galt dem Krankenhaus Western Infirmary. Als er mit der Ärztin verbunden wurde, schien sie bester Laune zu sein.

»Ich habe Sergeant Dunbar besucht«, bestätigte sie und lachte dann leise. »Er hat sich immerhin schon so erholt, daß er unter den Schwestern größte Verwirrung anrichtet. Aber ich möchte ihn noch einen oder zwei Tage hierbehalten, und es ist mir egal, wie lautstark er sich beschwert.«

»Wann kann ich mit ihm sprechen?« fragte Thane.

»Jederzeit – das heißt ...« Sie verstummte, und er hörte das Rascheln von Papier. »Ich habe noch eine Röntgenaufnahme angefordert und ein paar Tests – im Grund nur Routine. Das wird bis nach dem Mittagessen dauern. Können Sie bis ein Uhr mit Ihrem Besuch warten?«

Thane dankte ihr und legte auf.

Der Sergeant, der für die Waffenkammer zuständig war, kam zurück. Er legte einen 38er Smith and Wesson-Revolver und eine Schachtel mit Munition auf Thanes Schreibtisch, dann wedelte er mit Formularen durch die Luft und verlangte eine Serie von Unterschriften.

Der Smith and Wesson war die Standard-Handfeuerwaffe der Squad, nicht so kompakt wie eine Pistole, aber zuverlässiger. Außer den Smith and Wessons hatte das Team, das nach Norden fuhr, Gasgranaten und Rauchbomben mitgenommen, dazu vier Savage-Gewehre und ein Paar von den 7-62er Enforcer-Flinten.

Das Savage, ein Zwölfkaliber mit Schnellladevorrichtung, wurde vor allem benützt, um Fahrzeuge zu stoppen. Die Enforcer-Flinten hatten einen bemerkenswerten Ruf erworben wegen ihrer Treffgenauigkeit und ihrer Wirkung – vorausgesetzt, sie wurden von einem Fachmann bedient.

Thane zeichnete die Formulare ab. Später würde über jede Waffe und über jeden Schuß Munition Rechenschaft abgelegt werden müssen.

»Ich habe eigentlich nicht vor, jemandem den Krieg zu erklären«, sagte er düster.

»Nein, Sir.« Der Sergeant hatte das schon oft gehört. »Aber man kann nie wissen, stimmt's?«

Ein Anruf aus Oban setzte ihn davon in Kenntnis, daß Campbells und MacDonalds Hubschrauber eingetroffen war und daß sie bereits Verbindung mit der örtlichen Polizei aufgenommen hatten.

Kurz darauf kam Maggie Fyffe mit einer Funknachricht von Sandra herein. Der Sender war bereits an dem Wagen von Alexis Garrison angebracht. Und Felix und Sandra befanden sich auf der Rückfahrt nach Glasgow.

Er schaute auf seine Armbanduhr. Es war schon nach Mittag. Im Augenblick gab es nichts, was er hier noch hätte tun können.

»Ich warte erst einmal in Ruhe die Ergebnisse ab, Maggie.« Er stand auf. »Jetzt fahre ich zum Western Infirmary, besorge mir unterwegs etwas zu essen und besuche anschließend Francey.«

»Aber die ›Ohren‹ lassen Sie an, nicht wahr?« fragte sie.

»Ja.« Er mußte lachen über ihren CB-Jargon.

»Und bestellen Sie Francey einen besonders herzlichen Gruß von mir.« Sie zwinkerte. »Sagen Sie ihm, er hat von nun an einen neuen Spitznamen: Eisenschädel.«

In der Stadt kam es zu Verkehrsstauungen, die Folge eines Demonstrationszugs, der durch die Innenstadt gezogen war. Vor der nächsten Kreuzung ballte sich ein größerer Fahrzeugstau; Thane beobachtete, wie die letzten Demonstranten vorübermarschierten. Sie waren guter Dinge, überwiegend Jugendliche, und einer stieß immer wieder in ein Horn. Auf ihren Transparenten stand, daß sie die Regierung ändern, die Aufrüstung verdammen und die Streichung der Stipendien aufheben wollten – wenn auch nicht in dieser Reihenfolge. Zwei Spaßvögel trugen ein Transparent, auf dem sie gleiche Rechte für Männer forderten.

Thane beobachtete sie mit nachdenklicher Sympathie und fragte sich, wie der Großteil dieser Leute in ein paar Jahren denken würde. Dann plötzlich kam der Verkehr wieder in Fluß.

Thane hielt nicht weit vom Western Infirmary und aß ein Sandwich zu einem Glas Bier in einer Kneipe, die vorwiegend vom Krankenhauspersonal frequentiert zu werden schien. In der Nähe gab es einige Geschäfte, und nachdem er die Kneipe verlassen hatte, besorgte er sich in einem der Läden ein paar Zeitschriften und eine Flasche Weißwein.

Dann betrat er das Krankenhaus, wobei er die Weinflasche vorsichtshalber in die Zeitschriften einrollte. Francey Dunbar lag in einem Zimmer der Unfallstation, und als Thane das Zimmer betrat, stellte er fest, daß sein Sergeant munter im Bett saß, an einen Stapel

von Kissen gelehnt. Er hatte bereits Besuch: Eine schlanke, gutausse-
hende Krankenschwester mit rotem Haar und langen Beinen saß auf
der Bettkante, hörte ihm zu und brach immer wieder in Lachen aus.

»Hallo, Sir.« Dunbar brach ab und schaute die Rothaarige an, dann
tätschelte er ihren Schenkel. »Er ist mein Boß – entschuldige.«

Sie lächelte Thane an und ging dann hinaus.

»Vielleicht hätte ich später kommen sollen«, sagte Thane trocken.
Er schaute Dunbar ein paar Sekunden lang genau an. Sein Kopf war
bandagiert; nur ein paar Locken seines dunklen Haars lugten aus
dem Verband hervor. Das junge, zuversichtliche Gesicht war immer
noch blasser als üblich, und Thane bemerkte, wie Dunbar zusammen-
zuckte, wenn er sich bewegte. »Geht es besser?«

»Ich hab' schon manchmal einen schlimmeren Kater gehabt«, erklärte Dunbar. Er blickte Thane hoffnungsvoll an. »Besteht die Möglichkeit, daß Sie mich gleich mitnehmen?«

»Nein.« Thane gab ihm die Zeitschriften und die Weinflasche.

»Hab' ich mir doch gleich gedacht.« Dunbar nickte dankbar in
Richtung auf die Zeitschriften, schaute auf das Etikett der Flasche
und zog die Augenbrauen hoch. »Wer hat die denn ausgesucht?«

»Ich.«

»Na, dann sag' ich vielen Dank.« Dunbar deutete auf den Kleiderschrank in der Ecke. »Da hängt etwas von Ihnen drin. Vielen Dank
auch dafür, Sir.«

Thane öffnete die Schranktür. Auf einem Kleiderbügel hing seine
Jacke. Die Blutflecken waren ausgewaschen worden, aber Spuren
davon waren noch vorhanden.

»Tut mir leid – ich meine, was gestern passiert ist«, sagte Dunbar
und verzog das Gesicht. »Ich habe die Sache wohl doch nicht richtig
angepackt.«

»Kommt ganz darauf an, wie es passiert ist.« Thane kam herüber
und setzte sich auf die Bettkante. »Erzählen Sie.«

Dunbar seufzte. »Ich hatte gehört, daß der Glasmann seine Einsätze
von einem Platz irgendwo an der Riverview Street aus durchführt.
Also bin ich dorthin gegangen. Ich habe herumgeschnüffelt, und
danach sah ich ihn in die Querstraße gehen, die Anstruther Lane.«

»Und Sie sind ihm gefolgt?«

»Ich hatte mich bereits bei der Zentrale gemeldet.« Dunbar ließ
eine Pause entstehen. »Und ich habe eine Nachricht hinterlassen, bei

ein paar Kindern, die an der Straße spielten.«

»Die haben wir getroffen«, sagte Thane. »Und dann?«

»Ich habe diesen verdammten Fabrikhof gefunden.« Dunbar legte sich etwas bequemer hin und biß dabei die Zähne zusammen. »Und genau das war der Punkt, wo ich mich wie ein Idiot verhalten habe. Der Hof war leer, bis auf den Kastenwagen und den schwarzen BMW. Ich dachte, ich könnte mich hineinschleichen, sehen, wer sich in dem Gebäude aufhält, und mich dann wieder verdrücken.«

»Aber das ist Ihnen nicht gelungen. Als wir Sie fanden, war Joe Felix nicht sicher, ob wir den Krankenwagen oder gleich einen Kranz bestellen sollten«, erklärte Thane unverblümt.

»Was versteht Joe schon von Blumen?« Dunbar grinste ein wenig schief bei dem Gedanken. »Anscheinend haben sie mich bemerkt. Ich versuchte noch, durch ein Fenster hineinzuschauen, das irgendwie von innen blockiert war, dann hörte ich ein Geräusch, und jemand kam auf mich zu.« Er zuckte mit den Schultern. »Aber jemand anders hat mich dann erwischt. Ich hab' ihn nicht gesehen, oder wenn, dann kann ich mich nicht daran erinnern. Es war, als ob man mir einen Telegrafenmasten auf den Kopf geschmettert hätte.«

»Sie haben Glück gehabt«, sagte Thane leise.

Dunbar nickte. »Das sagt man mir, seit ich wach bin.«

»Haben Sie Raddick dort gesehen?«

»Ich glaube. Aber ich bin nicht sicher.« Dunbar machte seinem Ärger Luft. »Ein paar Minuten bleiben verschwommen in meiner Erinnerung.« Er seufzte. »Damit werde ich leben müssen, Sir. Wie stehen ansonsten die Dinge?«

Thane berichtete.

»Und ich sitze hier fest!« Dunbar schaute wütend auf die Bettdecke hinunter. »Aber eines ist doch merkwürdig, oder nicht?«

»Nur eines?« fragte Thane sarkastisch.

»Diese Leerkassetten«, entgegnete Dunbar. »Warum haben sie nur die Hälfte mitgehen lassen? Dafür gibt es doch keine Erklärung.«

»Sie hatten sicher einen Grund dafür. Sie haben für alles einen Grund.« Thane stand auf. »Soll ich Ihnen die Schwester wieder reinschicken, – vielleicht brauchen Sie ja ein bißchen Ablenkung, oder was weiß ich?«

»Sie weiß, wo sie mich finden kann. Aber Sie können mir einen Gefallen tun. Den Wein trinke ich lieber gekühlt. Draußen ist ein

Kühlschrank; es steht ›Pathologie – nur für Präparate‹ darauf. Wenn Sie ihn dort hineinstellen –«

Der Kühlschrank der Pathologie befand sich neben dem Eingang zur Station. Er war mit einer Vielzahl von Probefläschchen und anderem gefüllt, aber Thane fand eine Ecke für die Weinflasche. Er schloß den Kühlschrank und wandte sich zum Gehen.

»Trösten Sie die Kranken?« fragte eine Stimme.

Doc Williams stand ein paar Schritte entfernt im Korridor. Der Polizeiarzt deutete mit dem Daumen auf den Kühlschrank.

»Den Trick hab' ich schon gekannt, als ich noch Student war«, sagte er und lachte leise. »Schlauer Junge, unser Francey. Ich dachte, ich schaue mal bei ihm vorbei, erzähle ihm ein paar Witze und muntere ihn ein bißchen auf.«

»Das wird ihn bestimmt freuen«, stimmte ihm Thane boshafterweise zu.

»Ja.« Doc Williams zog die Stirn in Falten. »Dabei fällt mir ein: Ich hab' Ihnen den Witz mit dem Karnickel noch gar nicht zu Ende erzählt. Also, da war einmal ein altes, kluges Karnickel, und das ging mit einem jungen Karnickel spazieren, und –«

»Doc, ich hab's eilig«, sagte Thane rasch. »Der Witz hat ja Zeit.«

Und er war draußen, bevor der Polizeiarzt Luft holen konnte.

Der frühe Nachmittag war sonnig; es lag sogar noch ein Hauch von sommerlicher Wärme in der Luft, als Thane das Krankenhaus verließ und zu seinem geparkten Wagen ging.

Jemand erwartete ihn dort. An der Fahrertür lehnte Detective Inspector Rome.

»Man hat mir gesagt, daß ich Sie hier finde, Sir.« Der Mann der Kriminalaußenstelle richtete sich gerade auf und begrüßte ihn. »Ich bin auf etwas gestoßen, was ich Ihnen so schnell wie möglich mitteilen wollte.« Rome lächelte pflichtbewußt. »Es geht um Calasan – ich weiß, was das bedeutet.« Er bemerkte, daß Thane nicht reagierte. »Commander Hart hat heute morgen den Begriff Calasan erwähnt – es war der Name der Firma, unter dem Raddicks Leute das Fabrikgelände gemietet haben.«

»Die Firma, die es nicht gibt.« Thane erinnerte sich.

»Aber es gibt sie – zumindest den Namen«, sagte Rome ernst. »Ich habe mich nicht gerührt heute vormittag, weil ich erst sichergehen

wollte. Danach bin ich aufgehalten worden bei einer Messerstecherei
– ein Familienstreit.« Er brach ab und wartete einen Augenblick.
»Aber ich hatte recht. Calasan ist der Name auf ein paar Plakaten in
Joe Daisys Laden. Also habe ich das Mädchen, diese Carol, gefragt.
Und sie hat es gewußt.«

»Und?« fragte Thane und versuchte, Geduld zu zeigen.

»Es ist eine Einmann-Druckerei, der Daisy manchmal Aufträge
gegeben hat; der Mann, der sie führt, heißt Pann Kinton, und Calasan
ist sein inoffizieller Firmenname. Kinton macht auch ›Abstecher‹ ins
Pornogeschäft, wenn er gut genug dafür bezahlt wird.«

»Weiß Carol auch, wo sich die Einmann-Druckerei befindet?«

»Am Clava Square, bei der George Street. Sie hat ein paarmal
Pakete dort abgeholt.« Rome zögerte. »Ich dachte, Sie möchten
vielleicht mitkommen, Sir.«

»Möchte ich«, sagte Thane leise. »Kann ich Sie hinbringen?«

»Nein.« Rome zeigte auf einen Parkplatz. Dort wartete sein Wagen
mit Fahrer.

»Dann fahren Sie voraus, und ich folge Ihnen«, erklärte Thane.

8

Der Clava Square lag nur wenig östlich vom Stadtzentrum entfernt
und war früher einmal ein attraktiver Platz gewesen. Doch das war
vor der Zeit, als Glasgows Tabaklords zu ahnen begannen, daß sie
von den verdammten amerikanischen Kolonisten und ihrem Unab-
hängigkeitskrieg ruiniert werden würden.

Jetzt waren der Platz und die Gegend alt, heruntergekommen,
verrußt und beherbergten ein Durcheinander aus kleinen Läden und
Betrieben. Die Parkanlage in der Mitte war zu einem Parkplatz
geworden, und die Kirche, die früher die eine Seite beherrscht hatte,
beherbergte jetzt ein Lagerhaus für Klempnerartikel.

Die einzige verfügbare Parklücke weit und breit befand sich vor
der Laderampe des Lagerhauses. Die beiden Polizeiwagen stellten
sich quer hinein, hielten, und Romes Fahrer blieb zurück, um even-
tuelle Proteste abzuwehren.

Pann Kintons Druckerei befand sich auf der gegenüberliegenden

Seite des Platzes. Thane und Rome gingen hinüber zu dem schmalen, zweistöckigen Gebäude, in dessen Souterrain ein Trödler für Second-hand-Kleidung sein Geschäft betrieb. Mit Nägeln versehene Eisengitter schützten die Front, und Trennmauern aus Stein mit einzementierten Glasscherben auf den Mauerkronen markierten die Grenzen zu den Nachbargebäuden.

Als Thane und Rome die Tür öffneten und eintraten, ertönte ein Summer. Das vordere Büro war klein, kaum mehr als eine Theke; der Fußboden bestand aus blanken, von der Feuchtigkeit aufgeworfenen Holzbohlen, und an den Wänden hing ein Durcheinander von Plakaten, gedruckten Flugblättern und anderen Mustern von Kintons Arbeit.

Eine Schwingtür flog auf, und ein Mann mit einer Druckerschürze kam herein und baute sich hinter der Theke auf. Er war Mitte dreißig, mit blassem Gesicht, klein und schon fast kahlköpfig.

»Pann Kinton?« fragte Rome, während die Tür wieder zufiel, wobei sie noch ein paarmal hin und her schwang.

»Der bin ich.« Das Lächeln auf den Lippen des Druckers schwand, als er sie genauer musterte. »Äh –«

»Polizei.« Rome zeigte ihm seinen Dienstausweis. »Mr. Kinton, benützen Sie manchmal den Firmennamen Calasan?«

»Ja, manchmal.« Kinton schien plötzlich Angst bekommen zu haben. Er wischte sich die Hände an seiner Schürze ab. »Es ist – na ja, eine Art Markenname. Nicht registriert oder so, aber –«

»Sir?« Rome schaute Thane an.

»Machen Sie ruhig weiter«, murmelte Thane. »Er gehört Ihnen.«

»Mr. Kinton.« Romes Stimme wurde schärfer. »Sie hatten einen Kunden namens Joe Daisy.«

»Ich –« Kinton starrte ihn an, dann hielt er sich an der Theke fest, als wollte er verhindern, daß seine Hände zu sehr zitterten. »Ja, ich –«

Er brach ab, als die Schwingtür hinter ihm erneut aufgedrückt wurde. Der Mann, der hereinkam, war mittelgroß, mit leicht ergrautem Haar und trug eine alte Lederjacke über einem Pullover und einer Sporthose.

»Das wäre erledigt, Pann«, begann er, verstummte und starrte die beiden Kriminalbeamten an.

»Es ist die Polizei«, sagte Kinton, und seine Stimme klang verschreckt.

Martin Tuce, der ›Glasmann‹, hätte aus einem seiner Fahndungsfotos getreten sein können. Er blieb einen Augenblick stehen, den Mund weit offen, wobei seine ohnehin hervorstehenden Augen noch weiter nach vorn traten, dann fluchte er und warf sich rückwärts durch die Schwingtür, während Thane einen Satz über die Theke machte. Kinton stand ihm im Weg. Thane stieß ihn zur Seite, warf sich gegen die wild hin- und herschwingende Tür, war mit einem Satz in dem angrenzenden Raum und stand mitten unter den Geräten und Maschinen der kleinen Druckerei.

Aus dem Augenwinkel sah er etwas blinken und duckte sich, als ein schwerer Metallblock auf ihn zugeflogen kam, seinen Kopf um Haaresbreite verfehlte und krachend gegen einen Schrank schlug. Tuce kam hervor aus der Deckung einer Setzmaschine und lief auf den hinteren Teil der Werkstatt zu.

Dort war eine Tür. Er erreichte sie, zerrte am Griff, aber die Tür ging nicht auf. Wütend warf sich der ›Glasmann‹ herum, während Thane sich ihm näherte. Tuce ließ eine Hand unter der Lederjacke verschwinden, dann kam sie wieder zum Vorschein. Eine Messerklinge funkelte, als die Hand damit nach Thanes Kehle zielte, und schlitzte den Kragen seiner Jacke auf.

Tuce wich ein wenig zurück und duckte sich, dann hielt er die Klinge fast senkrecht nach oben und kam wieder zentimeterweise näher, während er sich unverständliche Worte zuzuflüstern schien.

Thane trat seinerseits einen Schritt zurück, stieß gegen einen Tisch, auf dem halbfertige Bleisätze lagen, und packte ein schweres Druckerlineal. Tuce versuchte einen erneuten Ausfall mit dem Messer, aber Thane benützte das Lineal wie ein Schwert und schlug es dem anderen mit aller Kraft auf das Handgelenk.

Tuce stieß einen Schrei aus. Das Messer fiel klirrend zu Boden, und der Glasmann tauchte wieder nach hinten weg.

Rome kam vom vorderen Raum herein. Thane achtete nicht auf ihn, warf das Lineal beiseite und folgte Tuce, der sich anschickte, zu fliehen. Sie erreichten eine Treppe; Tuce rannte hinauf, wobei er seinen rechten Arm schützend an die Seite drückte. Oben angekommen, befanden sie sich in einem Fotolabor.

Tuce drehte sich um. Dann packte er mit dem linken Arm eine große Staffelei und warf sie Thane in den Weg. Thane verlor das Gleichgewicht und stolperte, und als er wieder auf den Beinen war, sah er Tuce auf eine weitere Tür zurennen, eine, die nicht verschlossen war und durch die der Glasmann verschwand.

Rome war Thane dicht auf den Fersen. Sie gelangten durch die Tür ins Freie, auf ein Flachdach. Tuce stand nicht weit von ihnen entfernt. Er schaute verzweifelt auf seine beiden Verfolger, dann auf die Lücke zwischen diesem Dach und dem des nächsten Hauses. Dabei schien er einen Entschluß gefaßt zu haben.

»Seien Sie kein Narr –«, brüllte Rome.

Tuce nahm bereits Anlauf. Er hatte höchstens vier Schritte bis zum Rand des Daches, und schon als er zum Sprung ansetzte, wußte Thane, daß er es nicht schaffen würde. Der Glasmann krachte gegen die Dachkante des Nachbarhauses, packte den Rand mit beiden Händen, und seine verletzte rechte Hand gab sofort nach.

Eine Sekunde lang hing Martin Tuce einhändig an der Dachrinne gegenüber. Er schaute zurück auf die beiden Kriminalbeamten, und sein schmales Gesicht verzerrte sich vor Entsetzen. Dann konnte er mit dem einen Arm das Gewicht seines Körpers nicht mehr halten, und er stürzte. Sein Schrei endete in einem dumpfen Klatschen.

Die beiden Kriminalbeamten näherten sich dem Rand des Daches, schauten hinunter, und Thane wurde übel.

Martin Tuce, der Glasmann, der bezahlte, brutale Schläger, der so viele Menschen terrorisiert hatte, hing wie ein schlapper, lebloser Sack auf der Trennmauer zwischen den beiden Häusern.

Sie liefen die Treppe hinunter, hielten sich unten nur so lange auf, um Kinton mit Handschellen an ein Heizungsrohr zu fesseln, dann gingen sie hinaus zu der Mauer zwischen den Häusern.

Die Sonne funkelte auf den scharfen Glassplittern, die oben einzementiert waren und sich in den Körper von Tuce gebohrt hatten. Er war tot; ein paar dünne Blutrinnsale liefen über den Stein.

Die beiden Männer drehten sich um. Romes Fahrer kam herübergelaufen, und weitere Leute tauchten an der Unglücksstelle auf.

»Kümmern Sie sich um das alles«, sagte Thane schwach.

Er ging zurück in die Druckerei, und Pann Kinton schaute ihn mit großen Augen an.

»Er ist tot«, teilte ihm Thane mit.

Der glatzköpfige, blasse Drucker schluckte ein paarmal, schaute jedoch beinahe erleichtert drein. Er leckte sich über die trockenen Lippen.

»Wie?« fragte er.

»Er ist vom Dach gestürzt.« Thane ging auf die andere Seite der Theke und mußte fast lächeln, als Kinton zurückwich. »Bleiben also Sie. Er sagte zu Ihnen, ›das ist erledigt‹. Was ist erledigt?«

Kinton wandte den Kopf ab und schwieg.

»Ich habe keine Zeit zu vergeuden«, fuhr ihn Thane an. »Sie haben die Wahl, Kinton. Es könnte sein, daß wir Sie wegen Beihilfe zum Mord festnehmen.« Er sah, wie ihn Kinton entsetzt anschaute, und nickte. »Ich meine den Mord an Joe Daisy – denn er ist zu Ihnen gekommen und verlangte ein paar Piratenkopien vom *Baum zum Hängen*, sonst … Sie wissen. Sie sind derjenige, der den anderen geflüstert hat, Daisy könnte gefährlich werden. Dann sind Ihre netten Freunde zu ihm gefahren, mit Hammer und Nägeln.«

»Das habe ich nicht gewußt«, platzte Kinton verzweifelt heraus.

»Aber es ist geschehen.«

Der Mann atmete schwer.

»Und wenn – und wenn ich Ihnen helfe?« fragte er zögernd.

»Das wäre vernünftig.«

Kinton nickte resignierend.

»Also schön, fangen wir ganz von vorne an«, sagte Thane. »Sie haben für Jimbo Raddick gearbeitet?«

»Ja.«

»Warum?«

»Ich war es ihm schuldig.« Kinton schien immer noch zu zögern. »Er – na ja, er hat mich mal aus einer unangenehmen Sache herausgepaukt. Es liegt schon Jahre zurück.«

»Und seitdem hängen Sie bei ihm am Haken?« Kintons Schweigen war Antwort genug für Thane. »Na schön, und wozu benützt er Sie?«

»In verschiedener Weise.« Kinton biß sich auf die Lippen. »Manchmal braucht er Calasan und diese Adresse, um sich Post schicken zu lassen. Oder – oder ich drucke das eine oder andere für ihn.«

»Sind das Druckaufträge, bei denen andere Firmen vermutlich Fragen stellen würden?«

Kinton nickte, dann begann er zu erklären: »So ist Joe Daisy drauf gekommen, daß ich Verbindungen habe zu einer Produktion von Piratenvideos. Vor einiger Zeit hat er mal Aufkleber gesehen, die ich gedruckt habe, für Kassetten von illegalen Videos. Sie wissen schon.«

»Und das war alles, was Daisy über Sie wußte?«

Wieder nickte Kinton.

»Dann reden wir mal von Tuce. Warum war er heute hier, und was hat er erledigt?«

»Seine Leute wollten ein paar besondere Aufkleber für den *Baum zum Hängen*«, sagte Kinton verdrossen. Er verzog sein Gesicht zum schwachen Versuch eines Lächelns. »Es sollte ein Wortspiel sein. Die Kassetten sollten den Titel *Letzter Waldspaziergang* tragen. Sie verstehen – Bäume, letzter Gang ...«

»Soll ich jetzt lachen?« fragte Thane kalt.

»Man dachte, wenn ein Außenseiter neugierig wird, denkt er, es ist vielleicht irgendein Naturfilm«, sagte Kinton rasch. »Es war Raddicks Idee – er wollte sechstausend Aufkleber, zunächst.«

»Sie sagen ›zunächst‹.« Thane zeigte absichtlich kein übergroßes Interesse. »Heißt das, er wollte später mehr?«

»Nein.« Allmählich wurde es leichter für den Drucker, zu reden. »Tuce war hier, um sie abzuholen, aber sie waren nicht fertig – ich hatte gewisse Schwierigkeiten. Er sagte mir, es hätte sich einiges geändert, und jetzt seien dreitausend genug.«

»Warum?«

»Das hat er nicht gesagt. Ich stelle keine Fragen, wissen Sie.« Kinton versuchte, es mit einer Geste zu unterstreichen, und wieder klirrten die Handfesseln. »Ich brauchte ein speziell beschichtetes Papier, und das konnte ich so schnell nicht bekommen.«

»Aber Sie haben eine Quelle?« fragte Thane.

»Ich hatte Nachschub bestellt, weil ich wußte, daß ich nicht genug von dem Papier vorrätig hatte.«

»Aber Sie haben eine Quelle?« wiederholte Thane. »Eine durch die Hintertür?«

»Ein Freund.« Kinton kaute an seiner Unterlippe. »Ich wußte, daß ich nicht genug Papier hatte für den Auftrag, und er versprach mir mehr – eigentlich hätte das Papier schon seit ein paar Tagen hiersein sollen. Aber er hatte selbst auch Probleme, und deshalb kam das Papier erst eine Stunde früher als Tuce.«

»Und das hat Tuce nicht gefallen?«

»Nein. Aber er sagte, er würde warten, bis die Aufkleber fertig sind. Und er würde es jemandem von seinen Leuten sagen. Sie würde –«

»Haben Sie ›sie‹ gesagt?« Thane schaute ihn scharf an.

»Die Frau, die Raddicks Partner ist«, erklärte Kinton ernst. Er verstand Thanes Schweigen falsch. »So war es wirklich – Tuce meinte, er müßte sie anrufen und ihr sagen, daß es eine Verzögerung geben würde, weil er Raddick nicht erreichen kann.«

»Aber sie kann das?«

Kinton nickte. »Sie hat ihn irgendwo getroffen.«

»Diese Frau –«, Thane merkte, daß seine Stimme rauh war, als er sprach, »– wissen Sie auch, wie sie heißt?«

»Nein.« Kinton schaute wieder erschreckt drein. »Das ist die Wahrheit. Ich weiß nur, daß es sie gibt – und ich könnte mir denken, daß sogar Raddick das tut, was sie sagt. Tuce hat sie angerufen, als Sie – na ja, als Sie hereingekommen sind.«

Pann Kintons Geschichte blieb unverändert, als Thane sie sich noch einmal erzählen ließ; er hatte offenbar zuviel Angst, um lügen zu können. Darüber hinaus wußte er nur noch, daß der Lieferwagen des ›Glasmanns‹ draußen auf dem Platz parkte.

Sie fanden den Wagen wenig später. Inzwischen war mehr Polizei eingetroffen, man hatte den Leichnam von Tuce geborgen, und die Menge der Neugierigen, die zusammengelaufen war, hatte sich, nachdem das Aufregendste vorüber war, wieder zerstreut.

Es war ein kleiner Peugeot-Kastenwagen, und Rome schloß ihn auf mit den Schlüsseln, die er dem Toten aus der Tasche genommen hatte. Die Ladefläche des Wagens war leer, aber Rome stieß einen leisen Pfiff aus, als er ein in Stoff gewickeltes Bündel unter dem Beifahrersitz hervorzog. Es war eine abgesägte Flinte, und sie war geladen.

»Gar nicht hübsch«, sagte er.

»Seien Sie froh, daß er die nicht mit hineingenommen hat in die Druckerei«, murmelte Thane. Er schaute wieder in den Wagen hinein. »Sonst noch etwas in seinen Taschen, außer den Schlüsseln?«

»Kleingeld und Zigaretten – das übliche, Sir, bis auf das hier.« Rome hielt einen kleinen Plastikbeutel hoch. Darin steckte ein funkelnder Metallnagel, der zu einem Ring gebogen war. Rome schnitt eine Grimasse. »Vielleicht sammelte er Souvenirs.«

Romes Fahrer kam herüber, streckte den Kopf in den Kastenwagen hinein und nickte dann Thane zu.

»Sie werden gewünscht, Superintendent. Die Zentrale sagt, Sie sollen Ihre Leute anrufen, auf Ihrer eigenen Frequenz.«

Thane dankte ihm, ging zu seinem Ford und benützte sein Funkgerät. Sein Ruf wurde sofort beantwortet, und die Stimme des Mannes in der Funkzentrale der Crime Squad klang deutlich und gelassen. Es lag eine Mitteilung für ihn vor, von Campbell und MacDonald.

»Sie sagen, sie haben eine Ortsbestimmung, Sir. Eindeutig, sagen sie.«

Thane ließ sich zurücksinken auf den Sitz, dann nahm er das Mikrofon und drückte auf den Knopf.

»DC Felix und DC Craig sollen mich auf dem Flugplatz treffen, wie besprochen. Ich bin schon unterwegs.«

Er beendete den Funkspruch, sah Romes schlanke Gestalt in der Nähe seines Wagens und kurbelte das Fenster herunter.

»Kommen Sie hier allein zurecht?«

»Wenn es sein muß, Sir«, sagte Rome resignierend. »Allmählich gewöhne ich mich daran, überall aufwischen zu dürfen.«

»Aber Sie machen das gut«, tröstete ihn Thane.

Die beiden Männer lächelten sich verstehend an, dann setzte Thane den Ford in Bewegung.

Der Hubschrauber war ein viersitziger Bell Jet-Ranger mit einem Zivilpiloten. Er erhob sich in einer ruhigen Ecke von Glasgows Flughafen wenige Minuten nach drei Uhr nachmittags, umflog die üblichen Einflugschneisen des Flugplatzes und kletterte dann eine Weile stetig nach oben, bis sich der ganze Firth of Clyde wie auf einer großen Relief-Landkarte unter ihnen ausbreitete.

Sandra saß vorn, neben dem Piloten, Thane mit Joe Felix auf den Rücksitzen. Vor dem Abflug hatten sie Zeit gehabt, dafür zu sorgen, daß die Beobachtung der Firma Falcon Services aufrechterhalten wurde, und hörten, daß Alexis Garrison das Werksgelände nicht verlassen hatte.

Ihre Route ging nach Nordwesten, aber mit einer zusätzlichen Kurve, die zwei Abschnitte des glitzernden Wassers unter ihnen aussparte. Der Pilot entschuldigte sich dafür über Kopfhörer – weder die Royal Navy am Gare Loch noch die amerikanische Marinebasis beim Holy Loch sah es gern, wenn Hubschrauber ihre nuklearen U-Boot-Stützpunkte überflogen.

Thane hörte kaum zu. Er überlegte, was in den nächsten Stunden geschehen konnte, dachte voraus und versuchte, Kintons Ansicht zu verdauen, daß Alexis Garrison bei diesem Piratengeschäft mindestens in einer Linie mit Jimbo Raddick stand, wenn sie ihn nicht sogar beherrschte.

Falls das wirklich so war, falls sie der Kopf der Bande war, der Raddick steuerte, – es fiel ihm immer noch schwer, von ihr in denselben Begriffen zu denken wie von den anderen mit ihrer Skrupellosigkeit und Brutalität.

Aber es konnte eigentlich gar nicht anders sein.

Er hörte den Piloten wieder sprechen, dann merkte er, daß es nicht ihnen galt. Ein paar Sekunden später schaltete der Mann auf einen anderen Kanal, sprach wieder ein paar Worte, und der Hubschrauber veränderte seinen Kurs.

Kurz danach senkte sich der Hubschrauber über einem verlassenen Streifen Heide- und Moorgebiet. In der Nähe befand sich eine schmale Landstraße, auf der zwei Polizeiwagen standen und warteten.

Sie landeten daneben, stiegen aus und liefen rasch weg von den Staub aufwirbelnden Rotorblättern. Der erste, der sie begrüßte, war Sergeant MacDonald. Er grinste, wartete, bis der Hubschrauber wieder gestartet war, und führte sie dann hinüber zu einer stämmigen Gestalt in Polizeiuniform.

»Das ist Sergeant Fraser, Sir«, machte MacDonald bekannt. »Wir befinden uns in seinem Amtsbereich.«

»Ich freue mich, Ihnen helfen zu können, Superintendent.« Fraser, ein rotgesichtiger Mann mit weicher, ein wenig lispelnder Stimme schüttelte die Hände, womit die gegenseitige Vorstellung beendet war. Dann schaute er Sandra von der Seite an und blinzelte ein wenig. »Kommt das Mädchen auch mit?«

»Darum möchte das Mädchen sehr gebeten haben«, erklärte Sandra frostig.

»Fein, fein.« Unbeeindruckt nickte er in Richtung auf die beiden Wagen. »Vielleicht steigen Sie bei mir ein, Superintendent. Es ist ein ganz schönes Stück bis zu der Stelle, wo Ihr Inspector wartet.«

Dann gingen sie zu den Wagen.

»Als wir hörten, was Sie wollten, war es gar nicht so schwierig«, sagte Sergeant Fraser, während sein Wagen durch die Schlaglöcher und Unebenheiten der ungeteerten Straße holperte. »Der Küstenstreifen, für den Sie sich interessieren, wird von den wenigen Einheimischen, die hier wohnen, ›Nathrach‹ genannt – das ist gälisch und heißt ›von den Schlangen‹. Heutzutage gibt es allerdings nicht mehr viele Schlangen, Sir. Höchstens hier und da eine kleine Otter, die nur in Ruhe gelassen werden will. Aber wie gesagt, es ist eine einsame Gegend.« Er pfiff eine Weile durch die Zähne, dann schaute er Thane von der Seite an. »Diese Leute, die Sie schnappen wollen, Sir, – wir haben sie gesehen. Aber was Sie auch mit ihnen vorhaben, es wird nicht einfach sein.«

»Warum nicht?« fragte Thane.

Der Sergeant schüttelte den Kopf.

»Das müssen Sie sich selbst anschauen, Sir. Sie werden ja nicht auf der Hauptstraße direkt hinfahren wollen, deshalb lassen wir die Fahrzeuge am Anfang des Tals stehen – dann geht es nur noch über den kleinen Buckel.«

Thane warf einen Blick auf den ›kleinen Buckel‹. Es war ein tiefschwarzer, hochaufragender Felsblock. Aber Thane sah Frasers Miene und schwieg.

An der Stelle, wo sie anhielten, standen mehrere andere Fahrzeuge: zwei davon waren Wagen der Crime Squad aus Glasgow, die anderen gehörten zur Polizei des Landkreises Argyll. Ein Constable war bei den Wagen zurückgelassen worden, der Funkwache halten sollte, und er nickte grüßend, als die beiden Wagen eintrafen und ihre Insassen ausstiegen.

»Zeigen Sie mir erst Ihre Füße, Mädchen«, sagte Fraser streng, drehte sich dabei zu Sandra um und betrachtete ihre Schuhe. »Aye, das wird gehen. Aber brechen Sie sich nicht den Knöchel oder so. Sie stehen ganz gut im Fleisch, und ich habe keine Lust, Sie zu tragen.«

»Brechen Sie sich lieber keine Verzierungen ab, Sergeant«, entgegnete Sandra kühl. »Ich kann notfalls immer noch auf allen vieren kriechen.«

»Sie? Ausgeschlossen.« Fraser blinzelte Thane an. »Die würde vermutlich einen Besenstiel finden und damit nach Hause reiten.«

Sandra zog die Stirn in tiefe Falten. »Was haben Sie eigentlich gemacht, bevor Sie zur Polizei gegangen sind, Sergeant? Haben Sie eine Schule für Charme und gutes Benehmen geleitet?«

Er brüllte vor Lachen, dann, als er sich beruhigt hatte, sagte er: »Nein, ich habe die Farben getragen im Feinsten Ihrer Majestät – im Royal Highland Regiment. Da haben wir zu Mittag starke Männer gegessen und kleine Mädchen wie Sie über den Salat gestreut!«

Sie machten sich auf den Weg über ein Gelände aus nacktem Fels und losem Geröll. Fraser ging voraus, zeigte den anderen den Weg und legte dabei ein Tempo vor, das die übrigen zum Keuchen brachte. Jeder Schritt mußte erst erprobt werden, jeder Stein, den man lostrat, polterte hinunter auf dem Weg, den sie gekommen waren, und riß dabei viele andere mit, bis eine kleine Steinlawine entstanden war.

Oben auf dem Felsblock mischten sich Stechginster und trockenes Gestrüpp zwischen das dichte Heidekraut, und Fraser gab ihnen das Zeichen, in Deckung zu gehen, damit sie nicht über die Kantenlinie hinausragten. Dann, ehe sie die Möglichkeit hatten, mehr zu sehen, führte er sie einen kleinen Hang hinunter, der ähnlich überwuchert war wie der große Felsblock. Schließlich erreichten sie die Stelle, wo Detective Inspector Campbell wartete. Er hockte hinter einer Bodenwelle und befand sich in Gesellschaft zweier bewaffneter Polizeibeamter und eines kleinen, grauhaarigen Mannes in geflickter Arbeitskleidung.

»Schön, Sie zu sehen, Sir«, sagte Campbell lakonisch. »Wollen Sie einen Blick auf das werfen, was uns hier bevorsteht?«

Thane nickte. »Zeigen Sie es mir.«

»Mr. Kennedy.« Campbell wandte sich dem Grauhaarigen zu. »Sie sind der Fachmann.«

Mit Kennedy auf der einen, Campbell auf der anderen Seite und Sergeant Fraser dicht dahinter, kroch Thane zum Kamm der Bodenwelle und konnte von da aus zum erstenmal sehen, was am Fuß des Abhangs lag.

Sie selbst befanden sich, wie sie jetzt erkannten, auf halber Höhe. Unter ihnen war eine Teerstraße, die zwischen dem Fuß des Hügels und einem ebenen, sandigen Streifen hinter dem Strand verlief. Der eigentliche Strand umgab eine schmale Bucht, die durch zwei große Felsblöcke begrenzt wurde.

»Dort«, sagte Campbell und deutete mit seinem knochigen Zeigefinger hinunter.

Sie befanden sich fast direkt oberhalb einer seltsam aussehenden Ansammlung von Gebäuden, die dicht an den Strand gebaut waren. Auf der Landseite wurde das Gelände durch einen hohen, rostigen Sicherheitszaun begrenzt. Die meisten Gebäude waren klein und nicht viel mehr als Ruinen ohne Dächer, aber zwei davon schienen intakt zu sein, und man konnte sehen, daß sie benützt und erhalten wurden. Das am nächsten stehende, von dem eine Straße zum Tor im Zaun führte, war ein unverputzter, garagenartiger Flachbau mit Wellblechdach und großen Schiebetüren. Ein zweites Gebäude befand sich dicht dahinter, kleiner, aber länger und auf einer Betonpiste erbaut, die sich hinaus in die Bucht erstreckte. Vom Rand der Betonpiste gingen Treppen hinunter zum Wasser, und dort hatte ein Dingi festgemacht. Weiter draußen sah Thane die Überreste eines Ladekrans.

»Nehmen Sie das da.« Campbell gab ihm einen Feldstecher.

Thane beobachtete noch einmal durch das Glas das Gelände unter sich; er konnte Einzelheiten erkennen wie das glänzende Metall der Rollen, an denen die Schiebetüren aufgehängt waren, oder den verwitterten Lack des Dingis.

Etwas bewegte sich am Rand seines durch das Glas etwas eingeengten Blickfeldes. Er fluchte leise, als er die Gestalt von Jonathan Garrison ausmachte, der aus dem Gebäude am Ende der Betonpiste kam. Garrison ging ohne Eile die Treppe zum Dingi hinunter, legte etwas in das Boot ab, ging dann denselben Weg zurück, den er gekommen war, und verschwand wieder in dem Gelände.

»Kennen Sie ihn, Sir?« fragte Campbell leise.

»Ja.« Thane senkte den Feldstecher und schaute Campbell mit überraschter Miene an. »Was, zum Teufel, ist das hier?«

»Das hat die Marine im letzten Krieg gebaut«, erklärte Fraser hinter ihm. »Lachie Kennedy kann Ihnen mehr sagen; er ist der direkte Nachbar.«

»Ich habe nur ein kleines Stück Land weiter unten an der Straße«, murmelte der grauhaarige Mann. »Ich lebe von ein paar Schafen und vom Angeln ...«

»Der Superintendent ist nicht von der Steuer«, erklärte Fraser. »Sie können offen mit ihm reden.«

Kennedy grinste. »Die letzten, denen das hier gehörte, waren ein verrücktes englisches Ehepaar. Er hatte diesen Garagenblock als Stallungen benützt. Dann ist ihm das Geld ausgegangen, und sie mußten wegziehen.« Er zuckte mit den Schultern. »Danach hat das Gelände eine ganze Weile leergestanden, bis die dort unten angekommen sind. Es sind keine freundlichen Leute. Ich bin nur einmal dort gewesen und nicht weiter gekommen als bis zum Tor. Sie sind manchmal hier, manchmal nicht – aber wenn sie weg sind, ist das dort unten gesichert wie eine Festung.«

Thane nickte und richtete dann die Aufmerksamkeit auf Fraser.

»Wissen Sie etwas über diese Leute?«

»Nicht viel«, gestand der Sergeant. »Die Leute munkeln, sie arbeiten im Auftrag der Marine oder so. Und bis jetzt haben sie hier keinen Ärger gemacht.«

Auf ein Signal von Thane hin begaben sie sich wieder in Deckung.

»Bis jetzt haben wir drei oder vier von ihnen gesehen«, berichtete Campbell. »Einer davon könnte Jimbo Raddick ein – er entspricht der Beschreibung. In den Garagen stehen bestimmt mehrere Fahrzeuge. Die Tür hat eine Weile offengestanden.«

Was auch geschehen würde: Thane wußte, daß er von nun an für alles allein die Verantwortung trug. Aber er hatte es mit vielen unberechenbaren Größen zu tun, wußte nicht einmal, wie viele Leute Raddick dort unten bei sich hatte.

Jimbo Raddick – ein Mann, den er seit Jahren nicht gesehen hatte, und Billy Tripp war nicht viel mehr als ein Name und ein Foto. Dennoch war er so weit gekommen, hatte sie bis hierher verfolgt – und die Sache war noch nicht gelaufen. Einige der Männer dort unten waren mit Sicherheit bewaffnet; sein Instinkt sagte ihm, daß sie nicht bereit waren, ohne weiteres aufzugeben. Wenn man Raddick in die Enge trieb, würde er kämpfen und hoffen, doch noch entkommen zu können, selbst wenn die Chance dazu gering erschien.

Thane wünschte sich, mehr zu wissen über das, was da unten vor sich ging. Er konnte nur hoffen, daß es ihm gelang, mit minimalem Risiko ans Ziel zu gelangen.

Vielleicht gab es einen Umweg ... Und der Gedanke ließ einen anderen aufkommen, eine verrückte Idee zwar ... Dennoch, es war möglich, bot eine Lösung. Vorausgesetzt, es klappte.

»Mr. Kennedy.« Er sprach leise und wartete, bis der grauhaarige Mann sich zu ihm herübergebeugt hatte. »Sie sagten, daß Sie zum Fischen gehen. Haben Sie ein Boot?«

»Natürlich.« Kennedy nickte. »Und sagen Sie Lachie zu mir.«

»Gehen Sie gelegentlich hier in der Bucht zum Fischen?«

»Oft.« Kennedy schaute ihn mit seinen klugen Augen an. »Aye, warum nicht? Wenn jemand dafür bezahlt, kann er mein Boot mieten.«

»Jemand bezahlt dafür«, murmelte Thane.

Ihr Gespräch war von den anderen mitgehört worden. Campbell zog die Stirn in Falten, und Frasers rundes, rotes Gesicht wirkte alles andere als glücklich.

»Wollen Sie sozusagen durch die Hintertür ins Haus?« fragte Campbell. Sein Gesichtsausdruck verdüsterte sich. »Tut mir leid, Sir, aber das gefällt mir gar nicht. Die schnappen Sie, bevor Sie ihnen auch nur in die Nähe kommen.«

»Er hat recht«, bestätigte Fraser.

»Wir könnten von hier aus vorgehen«, schlug Campbell vor. Dann fluchte er und strich sich über das Gesicht, weil ihn eine Mücke gestochen hatte. »Wir könnten so tun, als ob wir ihnen überlegen wären, und ihnen Angst einjagen.«

»Wollen Sie hier einen Krieg entfesseln?« Thane überraschte sie mit einem Grinsen. »Nein. Wir müssen nur ihre Aufmerksamkeit irgendwie ablenken. Zum Beispiel durch einen Verkehrsunfall auf der Straße – das ist auffallend genug. Zwei Wagen, die rein zufällig direkt vor ihrem Tor zusammenkrachen.« Er wandte sich an Fraser. »Das heißt, wir brauchen zwei Fahrer, die besten, die uns zur Verfügung stehen. Es soll echt aussehen, ohne daß einer von ihnen zu Schaden kommt.«

Fraser kaute an seiner Unterlippe. »Da brauchen Sie einen von meinen Leuten, Davie MacKinnon. Er fährt am liebsten Rallyes. Aber wenn Sie zwei brauchen –«

»Den anderen haben wir.« Thane deutete mit dem Daumen auf Sandra Craig.

»Die?« Fraser schluckte und schaute entrüstet drein. »Das Mädchen?«

»Die kann das«, sagte Thane. Er winkte Sandra zu, sie solle näher herkommen. »Haben Sie gehört, worum es geht?«

»Ja, Sir.« Dann blinzelte sie Fraser an. »Frauen am Steuer – Sie wissen doch.«

Fraser ließ seinen Mann holen. MacKinnon, ein junger Constable mit freundlichem, sommersprossigen Gesicht tauchte nach einiger Zeit mit einem Gewehr über der Schulter auf. Er lachte Sandra an, dann hockte er sich zu den anderen.

»Passen Sie auf – ich will folgendes.« Thane nahm einen Zweig und kratzte damit eine Lageskizze auf den sandigen Boden. »Einen

Zusammenstoß direkt vor dem Tor, nichts Schlimmes, aber so, daß es auffällt.« Er blickte hoch. »Wenn möglich, sollte einer der Wagen dabei das Tor beschädigen. Dann steigen beide Fahrer aus und fangen an, miteinander zu streiten –«

Sandra und MacKinnon tauschten Blicke aus, so als ob jeder versuchte, den anderen abzuschätzen.

»Vielleicht eine halbe Wende mit gezogener Handbremse?« schlug Sandra vor. »Das ist meine Spezialität.«

MacKinnon zog die Augenbrauen hoch, nickte dann aber.

»Die Straße ist trocken«, warnte er. »Das müssen Sie in Rechnung stellen.«

»Werde ich tun«, erklärte sie nüchtern.

Der Mann, den Fraser bei den Wagen zurückgelassen hatte, kam den Hügel heruntergekrochen. Er war noch außer Atem vom Anstieg, als er Thane einen Zettel mit einer Nachricht übergab. Sie war von Glasgow übermittelt worden. Thane warf einen Blick darauf, dann zerknüllte er den Zettel und steckte ihn ein.

Alexis Garrison hatte East Kilbride verlassen und fuhr in Richtung Norden.

»Sir. Wir kriegen das schon hin. Ich werde mit dem Heck gegen den Zaun prallen – so sieht es ziemlich überzeugend aus, glaube ich.«

»Bestimmt«, sagte Thane. »Und ich sage Ihnen auch, warum.«

Er tat es, und selbst Campbell begann zu lächeln.

Vierzehn Fuß lang und klinkerweise gebaut, tauchte das alte Arbeitsboot eine halbe Stunde später auf, umrundete einen der Felsköpfe und bog in die Bucht ein. Der veraltete Außenbordmotor am Heck stotterte, als Lachie Kennedy, seine Schiffermütze schräg auf dem Kopf, einen Rundkurs steuerte, mit der entspannten Haltung eines Mannes, dem alle Zeit dieser Welt zur Verfügung stand.

Als er fast in der Mitte der Bucht angelangt war, stellte er den Außenborder auf Leerlauf, und der Motor tuckerte leiser, spuckte aber dennoch eine blaue Rauchwolke aus. Kennedy erhob sich, nahm eine Angelrute zur Hand, brachte eine Drahtschlaufe mit mehreren Haken an und warf die Rute mehrmals versuchsweise aus. Dann ließ er einen Wurf folgen, mit dessen Ergebnis er offenbar zufrieden war, und in einiger Entfernung hüpfte ein blauer Schwimmer auf den Wellen.

Kennedy pfiff leise vor sich hin, hielt die Angel und setzte sich wieder in die Bucht. Das Boot driftete auf den Strand zu, von der Strömung getragen – und unterstützt durch das Ruder, das Kennedy entsprechend eingeschlagen hatte.

Einen Augenblick lang unterbrach er das Pfeifen und sprach leise, wobei er kaum die Lippen bewegte.

»Ihr dort oben: Vorsicht. Jemand an den Fenstern ist sehr neugierig und schaut mit einem Fernglas herüber.«

Dann rollte er die Schnur ein und warf die Angel erneut aus.

Unter der ausgebleichten Persenning, die hinter dem Bug des Bootes unordentlich zusammengeknüllt war, lagen drei Männer. Sie hatten kaum ausreichend Platz, außerdem war es feucht und unbequem unter dem Tuch, und ihre Köpfe waren nur Zentimeter entfernt vom Wasser, das unter dem Rost am Boden des Bootes schwappte, wenn die leichte Dünung gegen die Planken schlug.

Colin Thane lag in der Mitte, eingeklemmt zwischen Fraser und MacDonald. Der Mann aus Argyll hatte darauf bestanden, mitzukommen, trotz seines Körperumfangs, und der Sergeant der Crime Squad war ebenfalls nicht zurückzuhalten gewesen. Das bedeutete, daß Detective Inspector Campbell die Aktion an Land leiten mußte, und Thane hatte beobachtet, wie MacDonald ihm Glück wünschte, als sie sich voneinander verabschiedeten.

»Boot melden!« Das Funkgerät, das Thane in der Hand hielt und sich dicht ans Ohr preßte, gab ein leises, blechernes Flüstern von sich. Thane erkannte die Stimme von Joe Felix. »Wir sind bereit.«

Thane flüsterte eine Bestätigung und fluchte dann leise, als Fraser sich im Halbdunkel unter der Persenning bewegte und Thane einen Ellbogen in die Rippen rammte.

Ein paar Minuten verstrichen. Hinten am Heck hörte Lachie Kennedy einen Augenblick lang zu pfeifen auf und teilte ihnen mit, daß der Beobachter verschwunden war. Sie hörten, wie Kennedy aufstand, und dann das Rattern der Spule, als er die Leine einholte und dann wieder auswarf. Dann begann er wieder wie gewohnt zu pfeifen. Eine Windbö trieb die Wolke der Auspuffgase über das Boot und unter die Persenning.

»Jetzt«, sagte Kennedy plötzlich leise. »Wir sind nur noch hundert Meter entfernt.«

»Jetzt«, wiederholte Thane in sein Funkgerät.

Von den Männern auf dem Boot konnte nur Kennedy beobachten, was danach geschah. Zwei Wagen, beide in Richtung Süden unterwegs, fuhren die Straße entlang. Einer schien den anderen überholen zu wollen und hupte ungeduldig. Der andere reagierte nicht. Der hintere Wagen überholte, dann hörte man ein Knirschen von Metall, und beide Wagen begannen zu schleudern.

Der eine blieb quer zur Straße stehen, der andere schleuderte in genau berechnetem Bogen und krachte dann mit dem Heck gegen das Tor des Zauns. Ein Flügel des Tors wurde dabei losgerissen. Der andere flog auf, und der Wagen, der den Schaden angerichtet hatte, blieb eingeklemmt zwischen den beiden Torflügeln stehen, während die Hupe unaufhörlich tönte.

Sekunden vergingen. Davie MacKinnon, der statt seiner Uniform Zivilkleidung trug, stieg aus dem ersten Wagen aus und ging auf das Tor zu. Als er dort angekommen war, kletterte Sandra gerade aus dem anderen Wagen. Dann standen sich beide gegenüber und gestikulierten wild.

Die Hupe des einen Wagens dröhnte noch immer. Gestalten kamen aus dem Gebäude auf der Betonpiste, standen da und schauten in Richtung Tor. Lachie Kennedy senkte die Angelrute und drehte den Gasgriff des Außenborders ein wenig auf. Das Boot nahm Kurs auf die Mole und die Steintreppe, neben der das Dingi vertäut war.

Und dann kam die letzte Überraschung, die Thane mit Joe Felix geplant hatte. Die Luft erzitterte, als sechs Rauchbomben, von einem Zeitzünder ausgelöst, gleichzeitig auf dem Rücksitz von Sandras Wagen explodierten. Dicker Qualm trieb aus den offenen Fenstern des Wagens und aus der Fahrertür und breitete sich wie Londoner Nebel aus.

Mit klappernden Ventilen erreichte der Außenbordmotor seine Höchstleistung. Schaum bildete sich hinter dem plumpen Heck, während die drei Männer die Persenning zur Seite schlugen und sich geduckt zur Landung bereitmachten. An Land tauchten mehrere Gestalten in den immer dichter werdenden Qualmwolken auf, während Campbell seine Leute durch das aufgebrochene Tor hineinführte. Sie schwärmten aus, und die Uniformen der Ortspolizei waren so etwas wie eine optische Identifikation.

Die Gestalten, die vor dem Gebäude an der Betonpiste gestanden hatten, taumelten zurück in den Schutz des Hauses, bis auf einen, der hinuntersprang auf den Sand und verzweifelt die Küste entlanglief. Keiner von ihnen schaute hinaus auf die Bucht.

Der Motor des Arbeitsbootes erstarb, als der Bug auf die Treppe zuglitt und sanft dagegenstieß. Thane, den 38er Revolver in der Hand, sprang als erster an Land, MacDonald und Fraser folgten, Fraser ebenfalls mit einem 38er bewaffnet, während MacDonald eines der Savage-Gewehre schußbereit hielt.

Gegenüber der Treppe befand sich eine Tür, die in das Gebäude führte. Fraser stieß sie auf, und sie betraten einen leeren Raum, während das Boot unten an der Treppe ablegte und davonfuhr. Irgendwo hörte man eine Handfeuerwaffe bellen, und gleich danach erfolgte der scharfe Knall eines Gewehrs.

Der Raum hatte zwei weitere Türen: Die eine führte in einen kleinen, ebenfalls leeren Waschraum. Die drei Männer versuchten es mit der anderen, stießen sie auf, traten hindurch und blieben stehen.

Sie befanden sich in einem langen schmalen Raum, der klinisch sauber wirkte und an dessen einer Wand eine Reihe von elektronischen Geräten aufgebaut war. Kleine Kontrollämpchen leuchteten, und man hörte flüsternde, raschelnde Geräusche.

Thane ging zu dem am nächsten stehenden Gerät. Als er davorstand, hörte er ein leises Klicken, andere Kontrollämpchen leuchteten kurz auf, und durch eine Plexiglasverkleidung sah er, wie ein funkelnder Metallarm eine Videokassette faßte und aus einer Halterung nahm. Die Kassette verschwand, und eine andere rastete in den freien Platz ein, wurde von einer kleinen Klammer justiert und befestigt.

Wieder wechselten die Kontrollämpchen, und erneut begann das flüsternde Rascheln. Ein Schub fertig kopierter Bänder kam aus dem Gerät, ein anderer Schub von Leerkassetten wurde von einem Mutterband mit großer Geschwindigkeit kopiert.

Am entgegengesetzten Ende des Raums flog eine Tür auf. Ein junger blonder Mann in einem weißen Overall kam hereingelaufen. Er sah die drei Polizeibeamten, riß den Mund weit auf und augenblicklich beide Arme hoch.

Fraser packte ihn, drehte ihn herum und fesselte ihm mit Handschellen die Hände auf dem Rücken. Dann schubste er ihn zur Seite, und Thane und MacDonald gingen auf die Tür zu, durch die er hereingekommen war.

Sie kamen in einen Gang, von dem auf beiden Seiten kleine, abgetrennte Büroräume abzweigten. In der Mitte lagen geöffnete Kartons mit Leerkassetten und Stapel von anderen Kassetten, die in Plastikmaterial eingeschweißt waren. Thane ging noch einen Schritt weiter, dann zischte ihm MacDonald eine Warnung zu und riß ihn gleichzeitig zur Seite und nach unten.

Als sie auf dem Boden landeten, hörten sie die Explosion. Ein Hagel von Schrotkörnern traf dort, wo sie gestanden hatten, die Wand.

Thane rollte sich auf die andere Seite und sah für Bruchteile von Sekunden eine Gestalt, die eine abgesägte Flinte in der Hand hatte und von einem Büro zum anderen lief. Er versuchte einen Schuß mit dem 38er, und das Geschoß ließ einen Türrahmen splittern. Eine andere Handfeuerwaffe gab vom entgegengesetzten Ende des Korridors zwei Schüsse auf Thane und MacDonald ab.

Fluchend riß MacDonald das Savage-Gewehr hoch, zögerte dann aber, als eine seltsame Gestalt vor ihm auftauchte, die völlig außer sich hin und her lief.

»Nein! Aufhören! Hört alle auf damit –« Jonathan Garrison ging auf die Stelle zu, wo der zweite Mann in Deckung gegangen war. Er hob die Arme hoch, ballte die Hände und brüllte: »Ihr habt mir versprochen –«

Es entstand ein Handgemenge. Dann tauchte Garrison wieder auf. Er hatte seine Brille verloren und kämpfte mit Jimbo Raddick, dessen Gesicht wutverzerrt war.

Ein einzelner, gedämpfter Schuß war zu hören. Garrison taumelte und drohte zu stürzen, aber Raddick packte ihn und hielt ihn wie einen Schild vor sich, bis er die nächste Tür erreicht hatte. Dann stieß er Garrison einfach zur Seite und duckte sich hinter den Türrahmen. Man hörte das Knarren von Türangeln, dann ein Krachen, als eine weitere Tür geöffnet und gleich danach wieder zugeschlagen wurde.

Garrison war auf die Knie gesunken, und das Licht, das durch eines der Fenster hereinfiel, glänzte auf seinem kahlen Schädel. Dann, sehr langsam, schien er in sich zusammenzusinken, stöhnte und fiel zu Boden.

»Warten.« Thane hinderte MacDonald daran, aufzuspringen, und deutete auf die Stelle, wo sich der Mann mit der abgesägten Flinte in Deckung begeben hatte.

»He, du verdammter Kerl aus der Stadt – ich weiß, daß du da

drinnen bist —« Die Stimme ertönte hinter ihnen. Sergeant Fraser stand absichtlich ungedeckt da, und seine gewaltige Stimme, mit der er ungezählte Rekruten bei der Armee eingeschüchtert hatte, begann wieder zu brüllen. »Jetzt bist du allein, du verdammter Hund. Wirf deine Scheiß-Knarre weg, und zwar etwas plötzlich. Sonst gnade dir Gott, mein Lieber.«

Einen Augenblick lang blieb alles still, dann hörte man so etwas wie ein Schluchzen, und das Gewehr rutschte über den Boden, dort, wo der Mann Deckung bezogen hatte.

»Jetzt rauf mit den Pfoten!« brüllte Fraser. »Und keine Tricks, sonst bist du geliefert.«

Langsam und zögernd kam eine unrasierte Gestalt in Sicht, die Hände steif und starr nach oben gestreckt.

Die beiden anderen überließen ihn Fraser und liefen hinüber zu der Stelle, wo Garrison mit dem Gesicht nach unten auf dem Boden lag. Vorsichtig drehte Thane ihn um, und der ehemalige Wissenschaftler schaute Thane aus schmerzerfüllten Augen an.

»Ich – ich habe ihnen das Versprechen abgenommen«, sagte er schwach. »Keine Gewalt. Niemand durfte —«

»Ruhig«, beschwichtigte ihn Thane. Er sah, daß sich das Blut aus der Schußwunde unter Garrisons Brustkorb ausbreitete, hörte das Rasseln, wenn er Luft holte. »Wir sind gleich zurück.«

Er erhob sich und ging dann rasch dorthin, wo er Raddick hatte verschwinden sehen. Er fand eine Tür, die ins Freie führte, stieß sie auf. MacDonald folgte ihm.

Sie standen auf der Betonpiste. Die Schreie und die Schüsse auf der Vorderseite des Gebäudes waren verstummt. Statt dessen hörten sie das Rattern eines Außenbordmotors, der gerade angelassen wurde.

Mit zwei Schritten war Thane an einer Stelle, von der aus er die Treppe sehen konnte, welche ins Wasser führte. Das Dingi, das dort vertäut gelegen hatte, begann sich in Bewegung zu setzen, und der starke Außenbordmotor warf Wellen im seichten Wasser, während sich Jimbo Raddick hinter den Bug duckte.

Thane schaute sich um. Lachie Kennedys Boot war schon ein ganzes Stück weit draußen und trieb in der Bucht.

Das Dingi wurde schneller. Raddick blickte kurz zurück auf das Ufer, dann duckte er sich tiefer hinunter.

Thane nickte. Gelassen hob MacDonald sein Gewehr. Einen Moment lang zielte er auf die Stelle zwischen Raddicks Schulterblättern, dann stieß er ein Knurren aus, senkte das Savage-Gewehr ein wenig und drückte ab.

Die zwölfkalibrige Waffe gab drei Schüsse ab. Der erste traf den Außenbordmotor, der aufheulend aussetzte, der zweite riß ein Loch in den Rumpf des kleinen Bootes, der dritte ein faustgroßes Loch in das Heck dicht unter der Wasserlinie.

»Das dürfte reichen«, sagte MacDonald ruhig, und das Dingi begann bereits langsam zu sinken, während das Wasser durch die beiden Öffnungen ins Boot drang.

»Holt ihn rein«, sagte Thane knapp.

Dann ging er zurück in das Gebäude. Sergeant Fraser kniete neben Garrison. Ihr zweiter Gefangener war bereits weggebracht worden, und einer von Frasers Constables stand in der Nähe. Fraser blickte hoch, als Thane zu ihm hinkam, dann schüttelte er den Kopf.

»Aussichtslos«, sagte er leise.

Thane kniete sich neben ihn.

»Thane ...« Jonathan Garrisons faltiges, müdes Gesicht zuckte, als er ihn erkannte. »Ich – ich möchte mich entschuldigen. Für das alles.« Er hustete. »Es war meine Schuld. Ich habe sie entworfen und gebaut – die Kopiermaschinen.«

»Ich habe mit einem Experten gesprochen. Er meint, es sind die besten Kopien, die er je gesehen hat«, sagte Thane leise.

»Sind sie auch.« Ein schwaches, trauriges Lächeln spielte um die Lippen des sterbenden Mannes. »Aber niemand hat sich dafür interessiert. Ich habe es bei allen möglichen Herstellern versucht. Überall.«

»Nach Ihrem Zusammenbruch?«

Garrison nickte schwach. »Beschäftigungstherapie – damit hat es begonnen. Sie sind besser und schneller –«

»Und dann hat sich Alexis eingeschaltet?« Thane mußte die Frage stellen, mußte soviel wie möglich von ihm erfahren.

»Alexis.« Garrisons Stimme wurde schwächer, war kaum mehr als ein Flüstern. »Seien Sie nicht zu hart mit ihr. Sie – sie kannte nur ein paar Leute. Sie hat es gut gemeint.« Er schaute Thane an, und seine Augen wirkten zugleich bittend und verstört. »Das Geld – es verändert die Menschen.«

Wieder holte er rasselnd Luft, hustete erstickt, schloß die Augen, und sein Kopf sank zur Seite.

Ein paar Minuten später verließ Thane das Gebäude. Eine kleine Gruppe von Gefangenen stand draußen unter Bewachung, wobei einer von ihnen mit verletztem Bein auf dem Boden saß, ein anderer von einem der Crime Squad-Leute verarztet wurde.

Campbell kam herüber und schien mit sich selbst zufrieden zu sein.

»Alles in Ordnung«, berichtete er und fügte beinahe liebenswürdig hinzu: »Ich höre, daß auch MacDonald und Sergeant Fraser gut gearbeitet haben.«

Thane nickte und sah sich um. Sie hatten sieben Gefangene gemacht, einschließlich Raddick: zwei Techniker, die anderen bezahlte Schläger, wobei ein paar Gesichter keine Unbekannten waren.

Aber Billy Tripp war nicht dabei. Er lag unter einer Decke, tot, nachdem er einen Constable angeschossen und einen zweiten um Haaresbreite verfehlt hatte. Tripp und Jonathan Garrison – die beiden einzigen Toten. Drei von ihren eigenen Leuten waren verletzt, aber keiner ernsthaft.

Es hätte schlimmer kommen können – viel schlimmer. Lachie Kennedy fischte seelenruhig draußen in der Bucht und holte mit jedem Wurf eine schöne Makrele ins Boot.

Thane sah Sandra und Joe Felix, die sich mit dem jungen Fahrer der hiesigen Polizei unterhielten. Sandra bemerkte seinen Blick, und er zeigte ihr ein Lächeln, das sie verstehen würde. Dann ging er zu Raddick hinüber. Das etwas schwammige Gesicht des Mannes war mürrisch, und von seiner Kleidung tropfte noch das Wasser. Die goldene Uhr an seinem Arm und die schweren Ringe an seinen Fingern waren mit Sicherheit ein Jahresgehalt von Thane wert.

»Mein Pech«, sagte Raddick bitter. Und damit kehrte ein Hauch seiner früheren Arroganz zurück. »Das war ein guter Trick, den Sie uns vorgeführt haben, Thane. Sie sind jetzt Superintendent, nicht wahr?«

»Ja.« Thane betrachtete ihn ungerührt und versuchte, den Zorn zu beherrschen, der in ihm hochgestiegen war. »Spanien können Sie vorläufig vergessen – in der nächsten Zeit werden Sie die Sonne quasi nur gefiltert sehen können.«

»Das kommt ganz auf die Geschworenen an.« Raddick versuchte, Zuversicht auszustrahlen, was ihm nicht ganz gelang. »Sie wissen ja, ich kenne mich aus mit den Gesetzen. Sie werden mir alles beweisen müssen.«

»Das wird uns bestimmt gelingen«, versprach Thane.

Dann drehte er sich um.

»Ich sagte, es war Pech«, begann Raddick noch einmal mit rauher Stimme und stieß ein humorloses Lachen aus. »Wollen Sie wissen, warum? Nur noch eine Serie vom *Baum zum Hängen*, und morgen wären wir verschwunden. Ich hatte sogar schon die verdammten Verpackungen hier.«

»Und deshalb haben Sie nur die Hälfte der Leerbänder bei dem Überfall mitgehen lassen?«

»Was denn für ein Überfall?« fragte Raddick spöttisch und spuckte Thane vor die Füße.

Wolken zogen von Westen auf. Gegen Abend, als sich der rote Volvo-Kombi endlich dem ehemaligen Marinelager näherte, war das Licht grau und trübe, das Meer ein kaltes, stählernes Blau.

Alles war inzwischen in Ordnung gebracht worden. Nur die verbogenen Torflügel und das fast versunkene Dingi, das vor der Küste dahintrieb, erinnerte noch an das, was hier vor wenigen Stunden geschehen war.

Alexis Garrison hatte schon fast das Tor erreicht, bevor sie zu bemerken schien, daß etwas anders war als sonst. Der Volvo verlangsamte die Fahrt und hielt an. Dann setzte er sich wieder in Bewegung, schneller, und bremste scharf, als ein Polizeiwagen dicht davor auftauchte und die Straße blockierte. Hinter dem Volvo erschien ein zweiter Polizeiwagen und schnitt ihm den Rückzug ab.

Alexis schaltete den Motor ab und wartete, während Thane auf sie zukam. Dann, als er den Wagen erreicht hatte, öffnete sie die Tür und stieg aus.

»Hallo, Colin.« Sie musterte ihn kurz und sah ihn dann etwas müde an. »Ich hatte mich schon gewundert. Aber ich dachte –« Sie ließ es dabei und zuckte nur mit den Schultern.

»Es ist vorbei«, meinte Thane kurz und bündig. »Jonathan ist tot, Alexis. Dein Freund Raddick hat ihn erschossen. Jonathan wollte ihn dazu zwingen, daß er aufgab.«

»Das kann ich mir denken.« In ihrer Stimme war keine Bewegung zu erkennen. »Und Jimbo?«

»Den haben wir festgenommen.« Thane steckte die Hände in die Taschen, sah, wie der Wind am blonden Haar von Alexis zerrte, und zwang sich, alle Erinnerungen an frühere Zeiten zu vergessen. »Warum das alles, Alexis?«

Sie zuckte mit den Schultern. »Jonathan hat da gewissermaßen eine Goldmine entdeckt. Er war ein zu harmloser Narr, als daß er gewußt hätte, was man damit alles machen kann, – und Falcon kam kaum über die Runden.«

»Und du kanntest Raddick.«

»Ja.« Auf ihrem Gesicht lag ein bitteres, halb spöttisches, halb amüsiertes Lächeln. »Und willst du wissen, woher? Das reicht ziemlich weit zurück. Ich habe ihn kennengelernt und mit dir Schluß gemacht. Es war logisch: Ein Anwalt verdiente mehr, als du jemals verdienen würdest, die Überstunden eingerechnet.« Sie zuckte wieder mit den Schultern. »Es hat nicht lange gedauert. Aber als ich Hilfe brauchte und er merkte, was ich anzubieten hatte – na ja, da war er zur Stelle.«

»Alexis, ich –« Thane riß sich zusammen. »Es geht jetzt um eine offizielle Handlung, weißt du.«

»Ja, ich weiß.« Sie trat einen Schritt zurück. »Soweit ich mich erinnere, gibt es immer einen Beamten, der für die Festnahme verantwortlich ist.«

Er nickte.

»Wirst du es sein?« Das Lächeln war wieder auf ihren Lippen. »Oder ist das vielleicht ein Vorzug?«

Thane drehte sich um. Sandra Craig stand neben einem der Polizeiwagen. Er winkte nach ihr, und sie kam herüber.

Es wurde Abend des nächsten Tages, bis er wieder in die Stadt zurückkehrte und endlich nach Hause fahren konnte. Es hatte eine Menge zu tun gegeben, und es blieb noch eine Menge übrig.

Doch das konnte warten.

Mary begrüßte ihn, der Hund begrüßte ihn, Tommy und Kate begrüßten ihn. Aber sie betraten das Wohnzimmer erst, nachdem sie gegessen hatten.

Dann führten ihn Tommy und Kate stolz hinein. Neben dem Fernsehgerät stand ein Videorecorder.

»Eine Woche auf Probe, Dad«, sagte Tommy. »Wir haben es so vereinbart. Mammi meinte, es ist okay. Und dann, wenn du einverstanden bist –«

Er sah, wie Mary ihn skeptisch anschaute, und wußte, was sie dachte. Aber er war zu Hause.

»Wir haben auch ein paar Bänder«, sagte Tommy und machte sich Sorgen, weil sein Vater schwieg. »Dad –«

»Mir gefällt das Ding.« Er blinzelte seinen Sohn an. »Aber du mußt dich um die technischen Dinge kümmern.«

Das Telefon klingelte. Kate ging an den Apparat, dann rief sie nach ihm.

Doc Williams war am anderen Ende.

»Hörte, daß Sie zurück sind«, sagte der Polizeiarzt munter. »Dachte, es interessiert Sie, daß Francey morgen entlassen wird, oder besser gesagt, sie werfen ihn hinaus, solange sie noch Schwestern haben.«

»Gut.« Thane lächelte. »Danke, Doc.«

»Noch etwas«, fuhr der Polizeiarzt fort. »Dieser Witz mit den Karnickeln – jetzt kann ich ihn endlich zu Ende erzählen. Sie erinnern sich, da war dieses alte, kluge Karnickel und das junge Karnickel, das erst noch lernen mußte. Also, die zwei gehen spazieren, und da sehen sie viele Karnickelmädchen in der Ferne. Das junge Karnickel wird ganz aufgeregt und sagt zum alten Karnickel: ›Laufen wir doch rüber und machen wir uns mit zwei von denen einen schönen Tag!‹ Aber das kluge alte Karnickel schüttelt den Kopf und sagt: ›Nein, Sohn. Gehen wir rüber, und machen wir uns mit allen einen schönen Tag.‹ Na, gefällt er Ihnen?«

»Gute Nacht, Doc«, sagte Thane entschieden und legte auf.

Dann ging er hinüber ins Wohnzimmer und ließ sich das Videogerät vorführen.